Si vous refusez de penser au mal,
de voir le mal,
d'entendre le mal,
vous n'écrirez jamais un best-seller.

Dann Bennett
Quote Magazine

Québec, décembre 1987

Se duper soi-même sur l'amour est la plus
terrible déception. C'est une perte éternelle,
irréparable dans le temps comme dans l'éternité !
Kierkegaard

Assise sur le sofa, au son de la bande sonore de Bilitis, Annabelle Sirois tricotait. Elle tirait sur la pelote de laine, regardant fixement devant elle, agissant mécaniquement. Son visage était impassible, fermé, énigmatique. De temps en temps, son regard embué de tristesse se posait sur la grande toile qu'on avait peinte d'elle et de Francis Parent, à partir de la photographie qu'ils avaient faite ensemble pour la jaquette de son nouveau roman.

Cette histoire, elle venait à peine d'en terminer la rédaction. L'écrivaine n'avait aucun penchant pour l'autobiographie. Cela s'était fait avec pudeur, avec gêne même. Mais la haine des mots — évoquer ses souvenirs — de même que la douleur au cœur et au corps n'avaient pas empêché Annabelle de sauter dans le vide de sa mémoire.

Les témoins intimes de sa vie avaient tous été décontenancés par ce qu'ils avaient lu et découvert avant les autres : Clark Jefferson et Rick Edwards, ses deux amoureux d'infortune, Christine Rancourt, sa mère adoptive, Patrice Chénier, auteur involontaire de ce drame, Hélène Pintal, son amie et confidente. Ils se sentaient tous envahis d'un insupportable sentiment de culpabilité, comme s'ils étaient responsables de sa déchéance, de sa maigreur, de son isolement, comme s'ils avaient causé eux-mêmes tous ses malheurs. Il n'existait plus devant eux que cette maigreur pathétique, ce regard fixe, ces paupières bleutées et ces yeux cernés, sous le cliquetis des aiguilles à tricoter.

Depuis l'automne, chacun d'entre eux subissait les affres d'une introspection douloureuse. On essayait de comprendre, de trouver un coupable, une réponse au pourquoi de cette immense solitude entre sa naissance et l'écriture de ce livre, de l'édification de ce carcan l'empêchant d'être elle-même derrière le mensonge calculé. Les débats de la petite coterie se faisaient par coups, entrecoupés de longs silences ou d'interminables périodes de réflexion. En fait, ils avaient tous peur de leur impuissance.

Au fond, rien n'avait vraiment changé, la Camarde était fidèle à elle-même. C'était toujours la même absence d'elle, ni triste, ni heureuse, sans regret apparent, simplement étrangère, autre, unique, dans la région lointaine où elle n'avait jamais cessé d'exister. Pour chacun d'eux, Annabelle Sirois avait toujours été un roc inébranlable dans une mer agitée. Ils n'avaient encore jamais eu à s'inquiéter à son sujet, du moins jusqu'à ce que surviennent les événements de l'été dernier.

Après la lecture bouleversante de son dernier manuscrit, tout ce que l'éducation, la bienséance, la culture recouvraient habituellement de leur manteau, avait soudainement disparu pour laisser voir ce que nous passons notre temps à oublier : que la vie est tragique, que nos jugements acérés, notre égoïsme peuvent parfois aboutir à la destruction de ceux qui nous entourent. À la fois coupables, et non coupables, toujours pris entre les lois de la nature humaine et la transgression, les unes n'allant pas sans l'autre.

À présent, chaque fois que l'un d'eux fixait avec un intérêt réel le visage de la Camarde, il y décelait une expression fugitive, peut-être était-ce de la pitié.

Patrice Chénier avait le teint verdâtre, parce qu'il ne dormait plus depuis quinze jours, et un comportement pétulant depuis qu'il avait revu Annabelle.

— Si seulement je ne lui avais pas téléphoné ! Je n'aurais pas dû renouer contact avec elle ! se reprochait-il constamment, le regard hagard. Je ne suis que le jouet des événements, se disait-il encore.

En vérité, Patrice Chénier s'efforçait avec énergie de nier les affres provoquées par Annabelle. Quand il pensait à elle, il la revoyait uniquement préoccupée par le bonheur de Francis Parent. Il cogitait pendant des heures sur la noblesse des sentiments qu'elle portait à ce godelureau. D'une dévotion presque sacrificielle, elle assumait les rôles de mère, de confidente, d'éducatrice, de compagne et d'amante, exactement comme l'avait fait « Maggie d'Outremont ». Cinq ans s'était écoulés depuis son décès et tous les efforts pour oublier cet épisode de sa vie avaient été vains.

C'était précisément ce qu'il reprochait à Annabelle et n'acceptait pas d'elle ; elle avait fait renaître sa mémoire. Il avait donc dû mettre un terme à cette amitié morbide, semblable à un cyclone qui l'entraînait inexorablement dans son tourbillon et finirait par le détruire. C'était pour cette raison qu'il l'avait abandonnée à son triste sort et non pour ce *frame-up,* que les autres membres de la petite coterie avaient utilisé pour justifier leur fuite ou leur silence.

Cela s'était fait sans trop d'émotion et avec soulagement. Moins de sept jours plus tard, il réalisa qu'il ne s'était sorti d'un cul-de-sac que pour entrer dans une impasse pire. Les semaines suivantes, il les passa à remuer cette histoire, incapable de penser à autre chose. Il restait éveillé des nuits entières pour essayer d'analyser les comportements et les réactions d'Annabelle, afin de comprendre. Cette incompréhension l'amenuisait, le confirmait dans son prosaïsme, parce qu'il éprouvait, sans qu'il ne sût pourquoi ou n'osât se l'avouer, une sorte de responsabilité morale envers cette femme. Il détenait, en quelque sorte, la clé du dénouement heureux ou malheureux de cette histoire. N'était-ce pas lui qui les avait présentés l'un à l'autre. De simple intermédiaire à confident, il devint, par la force des choses, le mandataire de Francis.

Tout avait commencé en septembre dernier, à ce libre-service où travaillait Francis deux week-ends sur quatre. Tandis qu'il effectuait le plein d'essence, Francis quitta son poste dans la petite cage de verre pour venir à sa rencontre. À sa grande surprise, Francis lui demanda s'il avait revu Annabelle, s'enquérit de son état de santé, pour finalement lui avouer d'une voix empreinte de nostalgie qu'il avait été contraint de la quitter parce que Nicole ne pouvait plus supporter sa présence.

— Je l'aime bien Ann, dit-il; avec elle j'ai découvert des choses que je n'aurais pas pu découvrir seul. Je suis bien ouvert à l'idée de lui donner une seconde chance, mais à condition qu'elle se comporte comme il faut et qu'elle cesse de jouer la comédie !

Patrice comprit qu'il faisait allusion au *frame-up*. Que savait-il exactement de ce piège infernal créé à son intention ? Rien, bien entendu, songea Patrice, en replaçant la pompe à essence. Comme tous ceux qui en furent malgré eux les complices, il n'en saisissait que les éléments qui le disculpaient. Et comment croire encore en Annabelle, après toutes ces duperies ?

Étendu sur son lit, solitaire, les bras derrière la nuque, Patrice était incapable de chasser cette conversation de son esprit. Lui qui espérait que Francis apaise sa conscience, en lui laissant entendre qu'Annabelle se trompait sur toute la ligne dans cette histoire, il ne fit que renforcer ses propos.

— Si elle veut venir me voir, je n'ai aucune objection. Mais moi, je n'irai pas ! avait déclaré Francis en lui remettant sa carte de crédit.

— Donne-m'en des nouvelles ! dit-il finalement.

Que signifiait cette attitude ? Le ton inquiet et inquisiteur de Francis ? Était-ce le remords ou l'amour qui l'avait incité aux aveux ? À s'informer de l'état de santé de celle dont il s'efforçait d'oublier le nom ? Qu'est-ce qui le poussa, lui, à se rendre à cette station-service, à revoir Francis, cinq mois après le drame ?

Il réussit à s'endormir d'un sommeil agité. Des images de Francis, puis d'Annabelle se bousculaient, trop de rêves pour une seule nuit. Il s'éveilla très tôt le lendemain matin, fatigué d'avoir erré parmi tant de cauchemars.

Alors qu'il se faisait cuire un œuf et versait du lait dans sa tasse chaude, il lui vint à l'esprit qu'il était devenu plus intéressant à ses propres yeux depuis sa rencontre avec Annabelle un an plus tôt. Au moment où il fit sa connaissance, il était un homme emprisonné sur un tapis roulant qui avançait à son rythme, tandis que de chaque côté de lui de brillantes images d'un monde synthétique, des photos agrandies, des montages de la vie défilaient sans discontinuer dans la direction opposée. Programmé, il accomplissait certains actes au moment de leur passage. À l'aube, il se levait et s'habillait. À sept heures trente, il prenait son petit déjeuner dans un endroit habituel. À huit heures précises, il se rendait au studio de danse et s'y entraînait toute la matinée. À l'heure du lunch, il allait manger une salade, toujours au même restaurant.

L'après-midi était généralement consacré à la lecture, à répondre au courrier et à téléphoner aux différentes compagnies, aux différents producteurs auxquels il avait fait parvenir un curriculum vitae. Depuis plus d'un an, il recrutait ses offres d'emplois artistiques dans des revues spécialisées, *Qui fait quoi, Union Express, Dancing* ou *Footsprint*. L'espoir que suscitaient ces offres masquait la médiocrité de son existence. Un oui représenterait la consécration de vingt années d'acharnement et de privations.

— Il n'y a pas d'avenir là-dedans, rétorquait son entourage. On n'avait pas tout à fait tort. La danse au Québec, c'est très limité. Il faut s'exporter. La reconnaissance de son talent, il la trouvait auprès de ses élèves, trois fois par semaine et lors des spectacles de fin d'année.

Enfin, les jeudis et vendredis soirs, ainsi que les week-ends, il travaillait comme barman dans une discothèque à la mode, rue Grande Allée. Cet emploi lui permettait de défrayer le coût de ses auditions hors Québec et d'avoir recours à de petits expédients voluptueux.

Qu'est-ce qui le poussait à ça ? L'ennui, la solitude, le besoin de s'assurer qu'il était encore viril ? Une recherche, qu'il savait vaine, des enchantements perdus de l'amour de Maggie d'Outremont ? Au fond, tout cela n'était que de banales et sordides intrigues, un moyen d'avilir l'amour. Il lui fallut apprendre à être extrêmement prudent dans ses choix, car il n'était inévitablement attiré que par des femmes qui suscitaient sa pitié. Cela posait un problème parce que c'était précisément ces femmes-là dont on avait le plus de mal à se défaire. Il n'avait donc de rapports intimes qu'avec des filles libres, expérimentées, d'une joyeuse sensualité et qui ne lui demandaient rien de plus qu'un bon dîner de temps à autre et un bref échange de plaisir.

Tout en mangeant son œuf, Patrice parcourut la pièce du regard. Depuis qu'Annabelle lui avait fait revoir l'autre versant de la montagne, il constatait que, grâce à elle, il s'était hissé là où se trouvait un air plus vif qui, même s'il lui piquait les narines, lui donnait au moins l'illusion de vivre.

Trois jours plus tard, il téléphona à Annabelle. Elle ne parut pas du tout surprise d'entendre sa voix. Elle s'adressa à lui sans animosité, allant même jusqu'à afficher un calme étonnant, ce qui le troubla davantage. Ils convinrent finalement de déjeuner ensemble le lendemain.

Il arriva au Bol Vert, une demi-heure trop tôt. Tout en observant défiler les gens par la grande fenêtre, Patrice songeait fiévreusement à l'entretien qui allait se dérouler dans quelques minutes. Il se demandait quelle serait sa réaction en le voyant.

Ce serait comme le jour de leur rencontre, de leur première conversation, de leur premier duo de danse, de leurs premières confidences. À chacune de ces étapes, bien qu'il ignorât à cette époque que c'étaient des étapes, il se rendait bien compte qu'il était toujours trop tard pour faire autrement. Alors, il passait à l'étape subséquente avec un certain ressentiment très vite oublié. Annabelle désirerait, sans doute, voir un peu de remords, de regret dans ses yeux, maintenant qu'ils allaient se retrouver face à face pour la première fois depuis cinq mois.

Lorsqu'elle apparut dans l'allée du restaurant, Patrice la détailla longuement et son visage s'assombrit. Elle avait beaucoup changé ; un teint blafard, de profonds cernes autour des yeux hagards. Il camoufla sa stupeur derrière un sourire mitigé tout en l'invitant à s'asseoir. Patrice avait tout prévu, sauf qu'il serait bouleversé à ce point. Il n'avala presque rien. Elle se montra l'Annabelle des premières rencontres, chaleureuse, charmante, attachante, trop peut-être, comme s'il ne s'était rien passé ces derniers mois, comme si rien n'avait bouleversé sa vie.

Ils parlèrent de tout et de rien, de leurs vies respectives au cours des vingt dernières semaines, tout en prenant bien soin, l'un comme l'autre, de ne pas aborder de sujets pertinents. Comme il se doit, la conversation tourna tout naturellement sur Francis Parent. N'était-ce pas le but de ce déjeuner ? Se soutirer quelques confidences. Patrice savait fort bien que sans Francis, il n'y aurait sans doute jamais eu de suite à leur amitié. Il avait accepté ce rôle d'intermédiaire pour ne pas perdre Annabelle.

Quand il lui raconta son dernier entretien avec Francis, le visage d'Annabelle s'éclaira soudain et elle eut alors un sourire mystérieux. Ce fut cette confidence qui la poussa aux aveux. Avec détachement (sincère ou simulé ?), elle lui raconta une fois de plus son histoire avec Francis mais en lui dévoilant, cette fois-ci, les motifs qui l'amenèrent au *frame-up*. Elle termina son compte rendu en lui confiant qu'elle avait abandonné le sujet de son dernier roman pour écrire son histoire.

Maintenant en possession des éléments-mystères, Patrice demeura sidéré. Sa jalousie ne lui avait jamais permis d'analyser cette histoire sous cet angle. À la lumière de ces faits nouveaux, il regrettait encore plus sa conduite. Plus sa pensée s'éclairait, plus sa conduite lui semblait cruelle. Mais le plus pénible était à venir. Lorsqu'elle le quitta, Patrice comprit que, quoi qu'il advienne, Annabelle avait laissé son empreinte sur lui, qu'en dépit de tout ce qui s'était passé, il l'avait en quelque sorte absorbée. Aussi longtemps qu'il vivrait, elle vivrait en lui.

Deux semaines plus tard, le deuxième dimanche d'octobre, alors qu'il entrait au McDonald's en compagnie d'une amie, il aperçut Francis Parent assis à une table en compagnie de son frère jumeau et de deux autres gars. Il fit signe à Patrice de s'approcher. Aussitôt que celui-ci l'eût rejoint, Francis lui confia d'une voix colérique qu'il avait revu Annabelle et se mit à vociférer des imprécations à son égard.

— Je suis certain qu'en ce moment même, elle est chez elle en train de pleurer, de s'imaginer que je vais revenir ! s'écria Francis tout en décrivant machinalement un cercle avec son doigt sur la table.

— On peut dire qu'elle, quand elle a une idée dans la tête, elle ne l'a pas dans l'cul !

La vulgarité de ses propos, de même que son mépris soudain laissèrent Patrice et les autres sans voix. L'amour qu'Annabelle lui portait, ses dérisoires besognes et sacrifices, tout subissait une injustice outrageante et, en les ridiculisant devant autrui, Francis ne leur donnait que plus de valeur. Mais le futur ingénieur était beaucoup trop simple et carré pour comprendre. Pour lui, elle n'était qu'une menteuse, une folle, une malade qui avait utilisé tous les moyens dont elle disposait pour vivre une relation amoureuse vile et malsaine avec un jeune homme de onze ans son cadet.

En écoutant ces revendications, Patrice fut surtout saisi d'un insupportable sentiment de pitié à voir ce grand gaillard qui s'avisait maintenant, parce qu'il avait enfin compris, qu'Annabelle lui avait extorqué quelque chose d'énorme. Comme un dû, il avait pris de la femme ce qu'elle offrait, en se protégeant constamment derrière le mot amitié, justifiant ainsi ses faits et gestes, ses attentions, ses paroles et ses écrits, sa gentillesse et sa dévotion pour le pathétique de la maladie de sa compagnie, établissant dès lors des rapports avec elle de telle manière qu'il ne puisse jamais avoir à se reprocher quoi que ce soit vis-à-vis d'elle. Ce qui aboutit finalement à un mépris de moins en moins dissimulé lorsque, comme ce soir, il était en proie à un vif sentiment de culpabilité.

Patrice tenta d'atténuer ce ressentiment en feignant d'être d'accord avec Francis qui ne cessait d'émettre un flot saccadé de justifications, comme un moteur à explosion.

— J'étais heureux avant de rencontrer Annabelle et je suis encore heureux. Cela n'a rien changé à ma vie ! C'était normal que je choisisse Nicole ! Je ne lui ferai jamais plus ça !

Le ton du — Je ne lui ferai jamais plus ça — provoqua chez Patrice un tremblement difficilement répressible qui se répéta lorsqu'il rencontra Annabelle le lendemain, en début de soirée, et se dissipa lorsqu'il lui confia les propos de Francis. À son grand étonnement, il alla même jusqu'à afficher un insupportable paternalisme. Elle ne se défendit pas, ne s'insurgea pas, ses traits demeurèrent impassibles. Elle considéra un instant Patrice, puis, d'un sourire, d'une tendresse presque maternelle et d'une voix assurée, elle lui déclara :

— Tu ne comprendras jamais rien, Patrice !

La quiétude qu'il avait éprouvée s'effaça sous une bouffée de colère et d'indignation. Comment pouvait-elle être aussi intelligente et stupide à la fois ? Quand se rendrait-elle compte qu'elle n'était pour Francis qu'un petit cierge à sa dévotion, qu'il laissait brûler sans plus s'en soucier qu'une ampoule qu'il aurait oublié d'éteindre avant de s'endormir.

En quittant Annabelle, Patrice se dit que c'était peut-être cela, finalement, sa folie.

***

Christine Rancourt était extrêmement inquiète. Annabelle lui échappait. C'était insupportable. Impensable. Rien que d'imaginer ce corps sans vie qui tricotait, elle fut saisie de la même indescriptible émotion qui la submergea la première fois qu'elle avait été en présence d'Annabelle, au Centre d'aide aux femmes où elle effectuait son stage comme psychologue. On eût dit que ce simple souvenir suffisait à faire disparaître les onze mois qui les séparaient de leur première rencontre. Mais bien sûr, rien ne pouvait ramener ce temps-là. Si elle avait su, lui aurait-elle accordé son appui ?

— Si seulement je ne l'avais pas encouragée dans ses sentiments envers Francis. C'était tellement similaire à ma propre histoire !

Ces pensées s'agitaient, légères comme des oiseaux, dans sa petite tête bien chapeautée. Debout dans le hall d'entrée de l'immeuble d'Annabelle, elle attendait son mari tout en songeant à sa fille avec une profonde sympathie. Lorsque le 22 mai 1986, la directrice lui annonça qu'elle avait rendez-vous d'urgence en après-midi avec Annabelle Sirois, elle ignorait encore que cette rencontre allait bouleverser sa vie.

Christine Rancourt fut la première personne à prendre connaissance du manuscrit d'Annabelle. À sa lecture, elle fut saisie d'une sorte d'inquiétude diffuse qui s'insinua en elle jusqu'à frôler le malaise, parce qu'au-delà de cette brutale réalité, il y avait l'amour et sa déréliction, la vie et sa fatalité. Cette fresque dense, difficile résonna en elle longtemps après, éveillant des échos concernant confusément la vie, la mort et l'amour. Jamais elle n'aurait pu imaginer autant d'effroi, de terreur, de douleur. Toutes les conséquences possibles, tous les bouleversements, suite à une carence affective, doublée d'une trahison amoureuse étaient présents.

Christine Rancourt eut beaucoup de difficulté, lors des entretiens subséquents, à contrôler ses émotions. Elle se confia donc à son directeur de programme qui la renseigna méticuleusement sur la notion de transfert qu'utilise l'analysé vis-à-vis de l'analyste pour déjouer la situation réelle, que l'analysé assimile à des conflits résiduels avec les personnes de l'entourage infantile.

Il ne lui était jamais venu à l'idée qu'en décidant de prendre en main Annabelle, elle s'arrogeait un pouvoir absolu, et qu'elle risquait de lui causer du tort. De même que son enfance difficile l'avait rendue capable de comprendre, par le cœur sinon par l'esprit, à quel point une telle carence affective avait pu marquer Annabelle, de même son inexpérience l'empêchait de saisir toutes les ramifications de la nature complexe de cette femme.

Lorsqu'elle obtint, voilà deux ans, son affectation dans ce petit centre comme stagiaire de maîtrise, elle n'avait aucune expérience en la matière et ne s'était jamais préoccupée, jusque-là, d'épaves humaines. Pour elle, il n'y avait rien de noble ni de grand à être un mendiant; c'était au contraire une tare, le signe d'une faiblesse de caractère.

Christine Rancourt possédait une force de caractère exceptionnelle. Elle ne s'était jamais laissée aller à de vagues sentiments qui contrôlent la raison et vous empêchent de fonctionner. Seule la fermeté de son caractère et l'habitude d'accomplir scrupuleusement son travail lui permirent de surmonter sa rancœur. Ce fut donc par nécessité professionnelle et à cause du désir informulé de ne pas se laisser subjuguer par ses patientes qu'elle s'aventura. Mais ce qui allait finalement transformer Christine Rancourt de femme d'affaires accomplie, aux multiples diplômes, aux réussites professionnelles nombreuses, en quelqu'un de beaucoup trop passionnée pour son rôle, fut le sentiment que personne, à part elle-même et les quelques bénévoles attachées à ce centre ne semblait se préoccuper véritablement de celles qui s'y présentaient.

Dès les premiers jours, elle s'attela à la tâche pour trouver une solution au problème qu'elle baptisa: mal de vivre. Cette tare affectait surtout l'esprit de celles qui en étaient atteintes et non leur cerveau. Larvaire et insidieuse, elle se fondait dans l'abstraction. Elle n'était cependant que trop réelle et représentait un handicap sévère parce que s'y entremêlaient le futile et le menaçant, le malaise et la vacuité, et ces séquelles pouvaient durer toute une vie.

***

Christine Rancourt se découvrit un intérêt aigu et partial pour les problèmes de ces femmes. Elle observait avec fascination la variété infinie qui découlait de ce mal, et trouvait le moyen de leur venir activement en aide, pour surmonter leurs plus pénibles souffrances. Elle eut, bien entendu, à s'impliquer personnellement. Beaucoup trop d'ailleurs. Elle se découvrit une nature très réceptive aux problèmes d'autrui, quelques-unes parvinrent même à s'immiscer dans sa vie privée.

Ses patientes faibles de caractère étaient d'un égoïsme sans limite. Pour une personne qui, comme elle, s'était inscrite en psychologie uniquement pour mieux se connaître et n'avait jusqu'alors consacré sa vie d'adulte qu'à des activités purement altruistes, il était difficile d'admettre que l'obsession de ses patientes pour elles-mêmes n'était précisément due qu'à une absence ou une atrophie du moi.

Toutes ses connaissances ou presque, provenaient de ses lectures ou de sa propre expérience, car il n'y avait personne pour la guider. Souvent, sa réussite, lorsqu'elle survenait, lui faisait se demander, si c'était bien à ses efforts personnels qu'elle était due. Malgré tout, elle était certaine d'y avoir participé et, en eût-elle douté un seul instant, elle aurait abandonné sa maîtrise et du même coup son poste à ce centre.

Tandis que la voiture de son mari s'avançait, Christine Rancourt se demanda ce qui la tourmentait le plus : la mort possible d'Annabelle ou un échec thérapeutique ?

***

Clark Jefferson regrettait amèrement d'avoir joué un rôle important dans le lancement de la carrière d'Annabelle. Elle n'avait plus besoin de lui maintenant. En fixant le visage de la douleur, il songea à la jeune fille belle et intelligente que lui présentait sa nièce Nancy onze ans plus tôt. Elle était alors étudiante à l'American Academy of Dramatic Arts de New York et envisageait une carrière d'écrivain. Jusqu'à ce jour, personne ne l'avait autant intrigué et bouleversé et personne n'y parviendrait.

Il avait su à la lecture de *Chimère* qu'elle deviendrait un écrivain célèbre. Ce qui le stupéfia néanmoins, dans les premières années où il apprit à la connaître, ce fut que la célébrité n'était pas son but et, en fait, n'intéressait nullement Annabelle. Un jour qu'il tentait d'en discuter avec elle, elle se contenta de le regarder en disant :

— La curiosité d'un grand esprit porte sur les idées ; la curiosité d'un petit esprit porte sur les personnes !

Clark la dévisagea longuement. De ne rien savoir sur cette femme dont il s'était épris malgré lui, avec laquelle il ne vivait qu'une relation amicale et purement platonique, le rendait complètement fou. Elle demeurait une énigme, un mystère. En dépit d'avertissements instinctifs et de son expérience avec les femmes, elle le médusait complètement. Il avait alors tout mis en œuvre pour faire d'elle un écrivain. Il se disait alors que leur culture, leurs intérêts communs les rapprocheraient et qu'elle l'aimerait vraiment. Il ferait de son rêve, une réalité. Mais elle continua à n'être que l'amie parfaite, à veiller à son confort, à jouer son rôle de mère, à faire de lui l'un des hommes les plus enviés du jet-set newyorkais.

Ce désir d'anonymat donna à Clark le sentiment de dominer Annabelle. Mais au cours des mois qui suivirent la parution de *Chimère,* la situation changea. L'avocat célibataire le plus recherché de New York se retrouva au second rang ; quand ils étaient vus ensemble, elle était la grande attraction. Il se disait que les quelques critiques acerbes auxquelles ont droit les jeunes auteurs arrangeraient les choses, mais à sa grande surprise, le magnétisme d'Annabelle, son assurance et sa simplicité lui attirèrent l'approbation de la presse. Ils recherchaient des superlatifs inédits pour célébrer son talent, son intelligence et son charisme.

Si cette émergence n'altéra en rien la vie d'Annabelle, elle ébranla fortement celle de Clark. Il ne connaissait maintenant plus un seul instant de paix. Il était certain que tous les hommes qu'elle rencontrait essayaient de la persuader de coucher avec eux. Il savait aussi, par l'envie qu'il suscitait chez ses amis, qu'aucun n'avait réussi. L'un deux, un riche industriel, lui déclara un jour :

— J'ai enfin trouvé, pour la première fois, quelque chose qui ne s'achète pas.

— Annabelle !

— Précisément ! Je lui ai dit de fixer son prix, que toutes les femmes s'achètent. Et sais-tu ce qu'elle m'a répondu ? Elle m'a demandé combien on avait payé ma mère. Qu'est-ce qui l'intéresse en toi, Clark ?

Il aurait bien voulu le savoir. Depuis les événements de 73, dans les Jardins de Compiège à Paris, il était sur ses gardes. Aux cocktails et réceptions où il l'accompagnait, Annabelle traitait tout le monde avec la même patiente courtoisie. Clark était stupéfait, mais aussi saisi de jalousie toutes les fois qu'un homme s'approchait d'elle pour bavarder. Elle se contentait de poser des questions incisives et de se rappeler de toutes les réponses. Elle avait auprès d'elle, les meilleurs professeurs du monde et tous la considéraient comme étant aussi intelligente que ravissante. Elle rencontra ainsi des hommes politiques, des savants, des comédiens, des mannequins, des acteurs et l'irrésistible Rick Edwards.

À mesure que les années passaient, Clark se rassura quelque peu car il était à même de constater que jamais personne ne posséderait cette femme, que la faculté d'émotion était morte en elle, à moins qu'elle n'ait jamais existé. Elle devait avoir eu une blessure très grande, pour s'être fermée ainsi à tout jamais.

Oui, il pouvait être tout à fait rassuré car il lui semblait qu'Annabelle avait rencontré tous les hommes susceptibles de l'intéresser. Mais depuis qu'elle lui avait appris l'existence de Francis Parent, l'hiver dernier, et depuis qu'il avait pris connaissance de son manuscrit, sa vie était devenue un véritable enfer.

— Si seulement je m'étais mêlé de ce qui me regarde et avais refusé de participer à ce *frame-up*.

Il éprouvait une sorte de difficulté à parler chaque fois qu'il posait son regard sur elle et que s'approfondissait le mutisme d'Annabelle devant ses paroles. Pâle, les traits accusés, il ne souhaitait qu'une seule chose: qu'elle n'ait jamais rencontré ce jeune homme.

***

Rick Edwards était le seul membre de la petite coterie à ne s'être pas manifesté. On murmurait sur son absence. On espérait qu'il viendrait. En fait, il était, à ce moment même, seul dans l'obscurité, à huit cent soixante-quatre kilomètres de Québec, le regard perdu sur l'infinie étendue de Manhattan.

Il attendait avec la patience d'un chasseur à l'affût, l'immobilité paisible d'un homme sûr de son corps et de ses émotions. Il ressemblait à l'un de ces colosses normands, une beauté sombre et orageuse comme ses ancêtres : cheveux blonds, traits accusés, yeux bleu foncé, regard vif et mobile, plus d'un mètre quatre-vingt, svelte et musclé. Il avait le maintien et les mouvements souples de ceux qui veillent à leur forme. Malgré une fatigue morale dûe à une introspection perpétuelle, il demeurait impassible.

Depuis trois mois, Clark Jefferson avait tenté à plusieurs reprises de le joindre, mais il s'était fait inaccessible. Il se refusait à ajouter au drame en rencontrant Annabelle. Elle allait peut-être mourir et c'était sa faute. Il sentit monter en lui la colère.

— Si seulement j'avais été plus ferme, il y a deux ans...

La lumière s'alluma tout à coup dans la pièce. Ébloui, Rick se tourna vers la porte.

— Rick ! Je ne croyais pas te trouver ici.

C'était Jane, une amie mannequin avec laquelle il travaillait régulièrement. Ils avaient convenu qu'ils occuperaient l'appartement de l'autre, chaque fois que l'un d'eux s'absenterait de New York. Belle rousse de vingt-cinq ans, elle avait un visage attrayant, un corps mince, sensuel et riche de promesses. Elle lui avait fait entendre, subtilement, à la manière d'autrefois, qu'elle était prête à lui offrir n'importe quel plaisir qu'il puisse désirer, quand et où il le souhaiterait. Malheureusement, cela n'intéressait pas Rick.

— Je ne savais pas que tu étais à New York. Quand tu m'as téléphoné ce matin, tu allais prendre l'avion pour l'Italie !

— J'avais oublié quelques documents, reprit-il d'une voix neutre.

— Puis-je faire quelque chose pour toi ? demande-t-elle d'une voix basse.

— Oui ! Repasse dans une heure et éteint la lumière en sortant.

Il préférait broyer ses idées noires dans l'obscurité. La dernière image d'Annabelle restait figée sur l'écran de sa mémoire. C'était en 1985, au Jolly Swagman Inn à Long Island. C'était aussi le début de la saison estivale, la saison qui lui seyait le mieux. Elle portait ce qu'elle surnommait une petite robe toute bête, blanche, drapée, décolletée dans le dos, qui faisait tourner la tête de tous les hommes présents. Ce soir-là, en présence de Clark et de sa fiancée, il lui avait demandé pour la troisième fois de l'épouser.

Comment aurait-il pu se douter que ce jeune rebelle solitaire, qui l'avait remis à sa place sept ans plus tôt dans un immeuble de la 54e Rue, le bouleverserait à ce point ? Elle avait alors vingt-quatre ans. Il avait une connaissance assez profonde des femmes pour réaliser qu'Annabelle Sirois était de loin supérieure aux jeunes demoiselles qui retenaient généralement son attention. Au cours des années, il l'avait vue évoluer et avait découvert qu'elle était une femme exceptionnelle. Combien de fois lui avait-il répété avec une tendre admiration, que c'était beau la culture et qu'il la savait dix fois plus intelligente que lui. Il ne trouvait pas cela indécent ; c'était comme d'avoir les yeux bleus, les épaules larges, une gueule carrée. Il n'avait jamais pensé à l'intelligence comme à un don essentiel. On pouvait se débrouiller sans.

Quand elle refusa, il comprit qu'elle mettait un terme définitif à toutes ses années d'espoir.

— How am I going to survive without you, Nini ? I will never marry, never. I will wait for you always ! lui avait-il déclaré en l'étreignant, très mal, sur un palier ridicule.

Assis sur la banquette arrière de la Mercedes de Clark, il ne prit même pas la peine d'essuyer les larmes qui débordaient une à une de ses paupières. Deux jours plus tard, elle avait quitté la ville, prétextant la rédaction d'un nouveau roman.

Au cours des deux années qui suivirent, elle revint à quelques reprises à New York, sans jamais lui donner signe de vie. C'est Clark qui lui apprit quelques mois plus tard, l'incroyable nouvelle : Annabelle était amoureuse. Cette annonce les plongea dans le plus total désarroi. Ils en avaient été tous deux follement amoureux et elle n'avait jamais succombé ni à l'un, ni à l'autre. Elle était intelligente, cultivée, ravissante et n'avait aucun homme dans sa vie, aucun amant. Treize ans plus tard, elle se déclare subitement amoureuse d'un homme de dix ans son cadet. C'était incompréhensible. Plus rien n'avait de sens avec elle. Ils n'avaient pas la moindre idée de ce qu'elle cherchait vraiment.

Et voilà, en novembre dernier, soit dix mois plus tard, ce coup de téléphone. Il entendait encore la voix affolée de Clark à l'autre bout du monde :

— Un terrible événement Rick... je ne sais pas comment... Annabelle et Francis ont rompu, mais ce n'est pas le plus catastrophique... Elle est... Je viens de terminer la lecture de son dernier roman Rick... C'est sa vie ! Si tu savais... C'est incroyable ! Je ne sais plus que penser...

Rick reçut le manuscrit cinq jours plus tard. Dégoût, révolte, amour, pitié, colère, indignation furent remués pendant quatre jours. Tout au long de sa lecture, il toucha presque physiquement la souffrance d'Annabelle, la complexité de ses sentiments, sa honte, sa culpabilité, sa vulnérabilité, son accablement. Il en fut profondément ému.

Dès les premières pages de ce voyage à l'intérieur de celle qu'il chérissait, qui s'était battue avec les cris et la fureur des bêtes blessées, il fut saisi par l'acceptation stoïque de son destin, où chacune des étapes de sa vie se transformait en une suite de coups de scalpel, dans un passé douloureux, aux plaies toujours sensibles. En quarante-huit heures, il se sentit plus proche d'Annabelle qu'il ne l'avait été en sept ans. L'oubli étant aussi essentiel que la mémoire, il avait donc accepté, avec empressement, le contrat que son agent lui proposait pour une magazine italien.

Il alluma la lampe sur la table près de son fauteuil, se leva et se dirigea vers le bar. Il se sentait physiquement et psychiquement épuisé. Il lui fallait un remontant. Son regard se posa inévitablement sur le pierrot de porcelaine fixé au mur. Annabelle le lui avait offert un jour où il était particulièrement déprimé. Sur le ruban rose qui pendait, retenu par un petit trombone de même teinte, la petite carte sur laquelle elle avait inscrit : « Un artiste doit subir autant de traumatismes qu'il peut en supporter sans craquer ! »

À qui était-ce vraiment dédicacé ? Il prit un verre, une bouteille de cognac et le seau à glace, retourna s'asseoir dans son fauteuil. Il regarda sa montre. Jane allait sûrement réapparaître. Libérant son esprit de tout souci et de tout remords, il ferma les yeux. Alors, en cet instant de paix presque désincarnée, l'odeur du cognac et celle, lointaine, d'un parfum de jasmin fusionnèrent, et il se retrouva dans la salle d'attente d'un immeuble de la 54e Rue à New York, un jour de novembre 1975 : il voyait Annabelle pour la première fois.

***

Il faisait froid. Toujours assise, Annabelle abandonna son tricot, se leva et se dirigea vers la fenêtre ouverte. Elle entendit le léger grondement d'une voiture qui stationnait et leva les yeux. Quatre fêtards en sortirent en criant et en riant. Sans doute se rendaient-ils au Paladium. Au travers du moustiquaire, un vent froid s'infiltrait. Elle ferma la fenêtre, s'installa sur sa chaise de lecture et contempla le ciel étoilé. Les derniers propos de Patrice lui traversèrent l'esprit. Elle se dit alors que l'indifférence et la cruauté du monde viennent en grande partie de ce que l'on ne se met jamais à la place de l'autre. Que pouvait-elle attendre de Patrice maintenant ? Sa haine ? N'était-ce pas ce qu'elle avait désiré ?

Pourtant, ce samedi-là, jour des retrouvailles, le présent et le passé se confondirent en une violente explosion en elle. Elle comprit alors qu'elle et Francis existaient hors du temps, que rien depuis cinq mois n'avait changé et que le *frame-up,* qu'elle avait entretenu constamment envers Francis, devait se poursuivre. Rien ne pouvait relier les mondes qui les séparaient. Ils avaient des vies trop éloignées l'une de l'autre. Il n'y avait pas d'itinéraire de retour. Ni maintenant, ni jamais.

Ce jour-là, elle était passée par une multitude d'émotions : sereine lorsqu'ils discutèrent comme de vieux copains, émue lorsqu'elle aperçut sur l'une des tablettes de la petite cage de verre le porte-documents qu'elle lui avait offert, gênée et remuée lorsqu'elle l'avait enlacé et que les bras de Francis s'étaient refermés sur elle, touchée lorsqu'elle se retourna une dernière fois pour regarder la voiture s'éloigner et que Francis freina. Il lui sourit et lui fit signe de la main au travers du pare-brise. Finalement, le lendemain soir, après que sa mère eût rencontré Francis et son père afin de leur faire signer l'entente autorisant l'utilisation de leur photo comme jaquette du livre, Francis avait refusé d'être payé : « J'ai fait ça pour Ann ! » Elle ressentit un sentiment ambivalent, lorsque sa mère lui rapporta ses propos :

— Pour le moment, ma décision est prise en ce qui concerne Annabelle. Mais dans le futur, on ne sait jamais.

Ce futur, elle en détruisit le frêle espoir le samedi suivant. Dès l'instant où Christine Rancourt lui confia ces paroles, elle passa en revue toutes les raisons pour lesquelles elle ne devait plus revoir Francis. Rien de bon ne pouvait réellement en sortir. Elle ne l'avait revu que parce qu'elle avait besoin de sa signature pour la photo, sinon, elle ne serait jamais entrée en communication avec lui, même si Patrice l'avait assuré de son espoir de la revoir.

L'amour, la haine, ces fureurs et ces passions semblaient appartenir à la jeunesse de quelqu'un d'autre. Elle était devenue beaucoup trop sociable et accommodante. Le temps lui avait permis d'intégrer ses sentiments au personnage qu'elle était devenue. Si elle n'avait pas été comédienne, elle aurait sans doute été dangereuse pour elle et les autres. Les acteurs sont comme des fantômes à la recherche d'un corps à habiter.

Sur la scène, ils sont à la fois eux-mêmes et un autre. Souvent, les personnages qu'ils incarnent deviennent plus vrais que celui qu'ils retrouvent tous les matins devant la glace. Ils sont possédés par leur rôle et cette forme de possession est encouragée car elle élargit leur quotidien, elle repousse leurs limites. Cela importe pour la qualité du jeu de scène.

Mais lorsque le rideau tombe, l'acteur retourne dans les limbes. Lorsque personne n'habite plus personne, le découragement le guette et il se jette dans l'action, n'importe laquelle, de façon à échapper à la routine. Entre deux pièces, les acteurs sont généralement des casse-pieds. À force de jouer, ils ont besoin d'intensité dans leur vie de tous les jours, ils ont besoin que celle-ci prenne un sens véritable. Lorsqu'aucun rôle ne le stimule, l'acteur tisonne la réalité jusqu'à ce qu'elle brille des flamboiements du théâtre. Annabelle avait donc créé et enjolivé son passé pour échapper à son auditoire, camouflé la tragédie de sa vie de tous les jours, sans égard pour les autres qui l'entouraient, de manière à échapper à une mort lente.

Elle quitta sa chaise et se dirigea vers la salle de bains. Le prélude au rituel précis de ses souvenirs avec Francis se déroulait chaque soir de la même manière. Elle prenait tout d'abord un bain, à la lueur d'une bougie, se parfumait, revêtait l'un des chandails de Francis. Ensuite, elle gravissait lentement le petit escalier en spirale qui menait à sa chambre.

Tout son univers se trouvait là. Elle s'allongeait sous les couvertures du grand lit blanc qui enlaçait Toutou Francis, lui aussi revêtu d'un chandail. Bien avant la venue de ce jeune homme, ce gros ourson de peluche était ce que le bon Dieu avait inventé de mieux pour elle. Elle en avait reçu un tout petit à cinq ans, avait acheté celui-là à seize. Il avait grandi, dormi, voyagé, déménagé, épongé ses larmes, écouté, partagé ses secrets, devenant d'une certaine façon une parodie de « Gros Câlin » d'Émile Ajar.

Elle regardait ensuite les cinq roses séchées. Francis lui avait demandé d'en prendre soin, puis les cartes qui les accompagnaient, soigneusement étalées dans l'ordre où elles lui avaient été offertes. Son regard se posait ensuite sur le cadre translucide, contenant la photographie de ce couple éphémère qu'ils avaient formé. Appuyé à sa droite, le petit ours blanc à la culotte de satin rouge qu'il lui avait donné. Après sa prière du soir, elle s'emparait de son walkman et écoutait les messages téléphoniques qu'il avait laissés sur son répondeur. C'était tout ce qui lui restait de lui, des objets futiles sans odeur particulière. Régine Sirois avait la même lubie. Elle regardait avec la petite Annabelle ses photos de mariage, tout en déversant sur elle sa rancœur contre son père :

— Il reste avec nous uniquement parce qu'il se sent coupable ! Ne va surtout pas te mettre dans la tête que c'est parce qu'il nous aime. Un homme comme lui ne s'intéresse à rien d'autre qu'à lui-même.

Annabelle devint la planche de salut de sa mère qui refusait de sombrer dans son propre malheur.

— L'homme triche et ment, parce qu'il est incapable d'admettre ce qu'il est en réalité : un menteur et un tricheur ! lui avait-elle déclaré, lorsqu'elle s'était rendu compte de la confiance qu'Annabelle portait à son parrain. Elle songea à toutes ces années de lutte constante pour échapper à cette situation intenable : la trahison du père, la rancœur de la mère.

Grâce à Francis, Annabelle avait compris et détourné la tête de la mamelle sèche et laide de son existence. Alors, Dieu en soit loué, son isolement du monde, des autres, depuis son premier regard sur la vie, était devenu total et complètement assumé. Ce qui n'avait été jusqu'alors que mégarde s'était transmué en refus ; refus de vivre, tout cela dans une muette sincérité.

Gravitait également autour d'Annabelle le corps médical qui tentait désespérément de lui faire entendre raison, sans comprendre que c'était précisément sa raison qui motivait la sincérité de sa décision. Ils étaient là, impuissants, luttant contre l'intelligence et la ruse d'une camarde. Lorsqu'ils l'obligèrent à rencontrer un psychiatre, afin d'établir un verdict de confusion mentale qui mènerait à son hospitalisation, le diagnostic fut :

— La patiente s'exprime de manière claire et cohérente et ne manifeste aucun trouble au niveau de l'organisation de la pensée ou du discours, pas d'idées délirantes.

C'était un comble. C'est à ces gens-là qu'on dira après sa mort :

— Comment ? Vous n'étiez pas dupes et vous n'avez rien fait ? Vous l'avez délibérément laissée choir ? Ah ! ce n'est pas possible...

Mais tout était possible avec Annabelle, parce que son destin était accompli. Elle en avait décidé ainsi, le jour où elle avait ouvert son cœur à ce jeune homme, le jour où elle s'était laissée aller à ses émotions. Depuis lors, elle ne voulut plus rien deman-der à un monde qui lui avait si peu donné. Elle n'avait plus qu'un but maintenant: terminer la confection du chandail de Francis pour le 20 décembre prochain. C'était à cette date, un an plus tôt, que tout avait commencé.

Ce jour-là, elle s'habillerait de la même façon, se rendrait au libre-service, ouvrirait la porte de la cage de verre avec le même battement de cœur, replongerait son regard dans les yeux couleur de mer et lui redirait, de la même voix mitigée :

— Je ne viens pas pour de l'essence... Je... Seriez-vous intéressé à poser pour une jaquette de livre ?

Ensuite, elle déposerait le chandail soigneusement emballé sur le comptoir et s'en irait pour toujours.

L'idée de ce chandail lui était venue l'été dernier, alors que son père adoptif l'avait amenée sur son bateau. Lui était alors apparue une image fugitive : Francis, cheveux au vent, pantalon de coton blanc roulé aux chevilles, pieds nus, revêtu de ce pull aux larges rayures marines et blanches, scrutant l'horizon, silen-cieux. Cette image fictive, de même que des instantanés de sou-venirs de lui, occupaient sa pensée. Cela la soulageait un tout petit peu de son absence.

Elle s'était également entendue avec le photographe pour que Francis reçoive, le 7 janvier prochain, date de la séance de pause, une épreuve agrandie de la jaquette du livre, sur laquelle elle aura pris soin de retranscrire le petit message en japonais qu'elle avait rédigé à son intention le jour de son anniversaire.

Annabelle retira les écouteurs de ses oreilles et replaça le walkman sur la table de chevet. Elle resta couchée, immobile, le cœur battant. Elle avait la nausée, des bouffées de chaleur et l'impression qu'elle allait s'évanouir. Elle se leva et demeura un moment, assise sur le bord du lit. Ensuite, elle descendit au pre-mier, alla à la fenêtre, l'ouvrit et respira avidement l'air froid. Elle se demanda dans combien de temps sa maladie la délivrerait de son enfer. Elle ressentait de plus en plus de difficulté à entretenir une distance, à l'égard des événements des derniers mois, à conserver son attitude impassible et son mutisme face à ceux qui l'entouraient.

Après avoir contemplé le ciel pendant quelques minutes, elle posa ses mains sur la barre d'exercice près de la fenêtre et tendit une jambe. Elle essaya de faire un rond de jambe par terre, mais sans réussir à garder ses hanches droites. Elle ne pouvait plus faire un rond de jambe en l'air, ni de développé, ni même garder son en-dehors une seconde. Elle avait tout perdu : l'écriture, la musique et la danse. Tout ce qui lui avait permis de survivre depuis l'âge de sept ans.

Elle s'assit et pleura. C'était injuste. Elle n'avait plus rien. Excepté les larmes. Toute la nuit Annabelle pleura. Elle relut son manuscrit, revit tout sa vie et son cœur saigna. Pour se justifier, les enfants malheureux déclarent souvent qu'ils ne se souviennent pas du passé. C'est vrai. L'esprit efface miséricordieusement l'insoutenable. L'enfance est une prison dont on ne peut s'échapper, la seule condamnation sans appel. Tous nous purgeons notre peine.

Ce fut à sept ans qu'elle comprit toute la vérité : son père ne les battait pas parce qu'il était ivre ; il s'enivrait parce qu'il avait plaisir à les battre et trouvait ainsi le courage de le faire. Quand il rentrait le jeudi soir, les deux autres enfants commençaient à pleurer, avant même que le pas lourd du butor ne retentisse dans l'escalier. Alors, Annabelle se dirigeait vers la chambre de ses deux frères et essayait d'étouffer leurs sanglots contre sa poitrine. Elle entendait son père tituber dans la cuisine, les remontrances plaintives de sa mère. À l'âge de sept ans, Annabelle apprit qu'il n'y avait pas d'espoir, seulement de l'endurance. Elle endura.

En écrivant son histoire, Annabelle s'était efforcée de retrouver la fille qu'elle aurait pu être, la fille que le père aliénant avait détournée de sa vie. Pendant huit mois, elle avait remonté le cours des années, ne s'autorisant aucun mensonge, aucune dissimulation, ne revendiquant, pour elle, que la sagesse paisible du temps qui a passé. C'est Florida Scott-Maxwell, une ancienne actrice devenue auteure dramatique puis analyste jungienne, qui a écrit : «Pour devenir soi-même, il suffit d'assumer sa propre histoire.» Lorsqu'on possède réellement ce que l'on a été et ce que l'on est, ce qui peut prendre un certain temps, on est quitte avec la réalité. Annabelle voulait être quitte avec la réalité. C'est cela qui l'avait décidée à écrire son histoire.

Elle rangea son manuscrit sur son bureau et se coucha. En jetant un dernier coup d'œil à la photo sur la table de chevet, elle se demanda ce qui se serait passé, si seulement son père n'avait été aussi con et si elle n'avait pas été aussi lâche.

— Si seulement ! soupira-t-elle.

«Si seulement» résumait bien la vie d'Annabelle Sirois.

LIVRE PREMIER

Confession
d'un masque

CHAPITRE PREMIER

Annabelle,
Sherbrooke : 1955-1972

Si tu me touches, doucement, gentiment
Si tu me regardes et me souris
Si tu m'écoutes parler parfois avant de parler de toi-même
Alors, je pourrai m'épanouir vraiment...
(Annabelle)

L'un des plus lointains souvenirs d'Annabelle Sirois lui montrait son père et sa mère se poursuivant, se frappant, se criant des injures autour de son petit lit à barreaux blancs. Elle avait cinq ans et se rappelait la terreur qui l'avait envahie cette nuit-là. Les cris de son petit frère et les siens se mêlaient à ceux de leur mère qui, écrasée par terre près du petit lit, subissait, impuissante, la brutalité de son mari.

Ce fut son premier regard sur la vie. Au cours de ses premières années d'enfance, sa mère qu'elle voyait chaque jour pleurer ou en colère était devenue à ses yeux un personnage vague et triste, sans consistance, qui se plaignait constamment de sa situation.

Élevée en serre chaude par une famille ambitieuse et sévère, en possession d'un emploi de secrétaire juridique, Régine Bélanger, dix-sept ans, épousa Gilles Sirois, un ouvrier inculte de vingt-cinq ans, sans tenir compte de l'opposition des siens qui jugeaient cette union mal assortie. Elle dut alors confier à ses parents la triste vérité : elle était enceinte. L'éducation et les mœurs étant ce qu'elles étaient à l'époque, le mariage eut lieu.

Régine Bélanger était convaincue, pour sa part, que la naissance d'un enfant consoliderait leur union tumultueuse. Mais le drapeau blanc constitué par la naissance d'Annabelle et de Claude, dès la première année de vie commune, fut de courte durée. Deux mois après l'accouchement, malgré de belles résolutions, la guerre reprit. Gilles Sirois voulait décider pour sa femme. Elle devait se taire, jouer et rejouer le même scénario, avec la même mise en scène, les mêmes rôles répartis de la même façon, et devenir spectatrice d'un destin qu'elle n'avait pas souhaité, reléguée au même niveau que ses accessoires de cuisine.

Porté sur l'aventure et la boisson, Gilles Sirois ne représentait pas l'homme modèle. Il se laissait facilement entraîner à la taverne par des compagnons de travail qui, comme lui, ruminaient les mêmes angoisses. Moins d'un an après son mariage, son rôle ne consistait plus qu'à pourvoir aux besoins matériels de sa famille. Tout ce qu'il voulait, le soir en revenant de son travail, c'était la paix. Il appliquait, en quelque sorte, cette culture occidentale de la fin des années cinquante, qui voulait que certains pères ne s'occupent pas de leurs enfants : c'était le rôle de la mère.

Ils habitaient un petit logement, choisi par les parents de Régine, au-dessus d'une cordonnerie située à quelques minutes de marche de l'usine, où Gilles Sirois et son père travaillaient. Les deux familles ne se côtoyaient guère et lorsque la mésentente entre le couple parvint aux oreilles de madame Bélanger, une autre guerre se déclara, cette fois entre la mère et la fille. Il était hors de question que celle-ci divorce, la religion catholique n'admettant pas le divorce. Régine Bélanger, maintenant Sirois, avait commis une erreur, il lui fallait donc en subir les conséquences.

Elle devait consacrer sa vie à son époux et surtout à ses enfants. Elle avait épousé Gilles Sirois pour le meilleur et pour le pire. À chacune de ses visites, à chacun de ses appels, elle se faisait un devoir de rappeler ce constat à sa fille, ignorant les répercussions qu'entraînerait cet entêtement.

Avec les années, les efforts constants de Régine pour accepter sa situation, la naissance de trois autres enfants et l'échec toujours inadmissible de son mariage engendrèrent, chez elle, un déséquilibre qui allait à jamais marquer sa personnalité. Les sentiments ambivalents qu'elle entretenait envers les hommes se manifestaient par de fréquentes attaques contre son mari. Elle passait d'un extrême à l'autre. Le soir lorsqu'elle bordait ses filles, les hommes étaient beaux, grands, tendres et très respectueux de la fragilité féminine. À l'heure des repas, en présence de leur père, ceux-ci rendaient les femmes malheureuses, misérables, les abandonnaient pour s'enfuir avec leur meilleure amie ou les trahissaient d'une autre manière. Ils étaient en général égoïstes et non fiables, incapables de tendresse et d'amour.

Ce comportement aura, plus tard, des effets désastreux sur Annabelle. Elle cessera peu à peu de ressentir et de réagir. Elle consacrera toutes ses énergies à être bonne et à aider ses frères et sœurs. Tant qu'elle s'occuperait d'eux ou de son esprit, elle ne ferait pas attention à elle et ainsi ne ressentirait pas sa propre douleur.

À sept ans, Annabelle fut inscrite à sa première école. Le premier jour de classe, elle lut ses manuels jusqu'au bout et, parce qu'elle s'ennuyait, elle passa le reste du trimestre à mettre de la vie dans les cours. La solution qu'on trouva, pour remédier à ce problème, fut de la faire monter à une classe supérieure, davantage à son niveau, selon l'expression de la maîtresse. Elle gradua ainsi plusieurs fois, sans jamais trouver son niveau. En revanche, elle se retrouva avec des camarades de classe plus âgées, plus lourdes et surtout cent fois plus délurées. Étant la plus jeune de la classe, il lui était impossible de nouer des liens d'amitié, mais cela ne sembla pas la déranger. Même cela l'arrangeait; elle passait le plus clair de son temps à rêvasser, à lire et à dessiner. Elle acquit très rapidement une réputation de solitaire. Elle se forgea alors une armure d'indifférence dont elle se revêtait pour se protéger contre les attaques des autres enfants et de sa situation familiale. Elle entretenait, avec ses condisciples, des relations distantes et méfiantes. Les professeurs, qui prenaient sa réserve pour de la suffisance, la terrorisaient.

Lorsqu'on perçait cette armure, Annabelle ripostait avec un esprit caustique et tranchant. Elle cherchait ainsi à décourager ses tourmenteurs pour qu'ils la laissent en paix. Elle obtint cependant un résultat inattendu : ses camarades se mirent à répéter ses remarques et on la reconnut bientôt comme le bel esprit de l'école.

Annabelle s'efforçait, avec l'énergie du désespoir, de gagner l'amour de ses parents. À l'école, elle s'appliquait à faire maintes choses pour eux : des dessins puérils, des aquarelles et des cendriers maladroitement modelés. Chaque vendredi, lorsque la maîtresse leur remettait leurs travaux, Annabelle s'élançait en courant à la maison pour leur en faire cadeau. Elle espérait toujours leur entendre dire :

— C'est joli Annabelle, tu as beaucoup de talent.

Mais lorsqu'elle présentait ses offrandes d'amour, sa mère les regardait distraitement en s'écriant :

— C'est tout ce que l'on vous apprend à l'école, dessiner ?

Le soir, lorsque son père revenait de l'usine et qu'il apercevait les dessins soigneusement étalés sur son assiette, il maugréait :

— Tu ne peux pas mettre ça ailleurs ? Regarde ce que tu as fait ! Mon assiette est toute tachée de peinture.

Annabelle quittait alors la table en pleurant, apportant avec elle ses offrandes qu'elle déchirait ou brisait en mille morceaux dans sa chambre.

En désespoir de cause, Annabelle prit les grands moyens. Un samedi matin, alors que sa mère était occupée à faire sa lessive dans la salle de bains, le téléphone sonna. Tandis que Régine Sirois racontait ses malheurs, Annabelle quitta le salon, où elle dessinait en compagnie de son frère Claude, et se dirigea vers la salle de bains. Quelques instants plus tard, un hurlement de terreur retentit.

Régine et Claude se précipitèrent dans la salle de bains, où ils découvrirent un horrible spectacle. Annabelle avait le bras pris entre les deux rouleaux compresseurs de la lessiveuse et elle hurlait à en perdre haleine. Elle perdit bientôt conscience sous les regards et les cris hystériques de sa mère et de son frère. Lorsqu'elle ouvrit les yeux, ses parents et un médecin étaient à son chevet. Pendant quatre jours, elle fut bercée, cajolée et mi-nouchée.

Cette période fut la seule où Annabelle eut un contact phy-sique avec son père et sa mère. De ce triste incident, elle conclut qu'elle n'obtiendrait jamais l'amour de ses parents autrement que par des actes similaires. Elle préféra renoncer. Elle prit alors des résolutions et en dressa la liste pour les apprendre par cœur :

Garde-toi d'être agaçante ;
Rends-toi intéressante ;
Ne te plains jamais de rien, surtout pas de tes parents ;
Ne leur laisse surtout pas voir que tu te sens abandonnée ;
Ris beaucoup pour qu'ils te croient heureuse.

Ces notes équivalaient à une prière, une offrande à Dieu. Si elle observait toutes ces règles, peut-être... Mais cela ne changea rien du tout. Cette carence affective entraîna donc par la suite, ce que l'on nomme dans le jargon psychologique : le rocking. Seule dans sa chambre, elle s'étendait sur le côté et se balançait sur elle-même de droite à gauche, dans un mouvement perpétuel, de plus en plus rythmé. Plus tard, ce comportement s'était asso-cié à de la musique qu'elle écoutait, fuyant ainsi pendant des heures le jour et surtout le soir avant de s'endormir sa solitude et son besoin de tendresse. Le stress créé par le climat familial engendra aussi une réaction physiologique, Annabelle urina au lit jusqu'à sa puberté.

Claude, un enfant silencieux, réservé, replié sur lui-même, entravé par des secrets qu'il gardait pour lui, était comme sa jumelle affamé d'amour mais incapable d'en donner. Il était insaisissable, tantôt ceci ou cela. Ils grandissaient côte à côte mais non ensemble. De temps à autre, Claude s'éloignait de sa sœur qui le poursuivait. Claude se retirait plus loin, réticent, taciturne, un escargot dans sa coquille. Il fixait sa sœur avec l'un de ses regards obliques, presque démoniaques, avec un nonchalant petit sourire de contentement secret.

— Qu'est-ce que c'était ? Dis-le moi ! Explique-toi ! lui disait-elle alors.

Mais non, Claude ne disait rien. Il ne répondait jamais, ne le ferait jamais. Ce n'était pas juste. Ils avaient vécu sept mois et demi pelotonnés l'un contre l'autre. Ils auraient dû savoir leurs secrets, combler leur besoin d'affection. Annabelle se confiait à lui, lui disait tous ses secrets, mais lui rien. Avare, sournois ce Claude, furieux la moitié du temps, indifférent le reste, il souffrit du faux croup jusqu'à l'âge de douze ans. Était-ce ainsi que se conduisaient des jumeaux ?

Régine Sirois décida, lorsqu'Annabelle atteignit neuf ans, qu'elle serait ballerine. Elle grappilla de l'argent pour faire suivre à sa fille des cours de ballet classique. Au début, Annabelle se montra réticente à cette idée, mais à sa grande surprise, elle adora la danse. Cette activité lui permit de fuir l'ambiance familiale deux soirs par semaine et contribua, d'une certaine façon, à former l'univers personnel dans lequel elle s'enferma.

À onze ans, Annabelle en était venue à la conclusion que le monde est atroce et ce, sans l'apport des journaux, de photos de catastrophes maritimes ou aériennes, de villes en flammes, de comptes rendus de crimes ou d'autres phénomènes sociaux. L'épouvantable existait chez elle. Un monde colérique et clos où l'on ne discutait jamais de rien. Il y avait toujours entre son père et sa mère des querelles qu'elle ne comprenait pas, et souvent aussi entre sa mère et elle. L'attitude de son père envers sa mère et eux, les enfants, lui avait fait découvrir les hommes sous leur aspect le plus ignoble, avec toute leur brutalité, leur sauvagerie.

Elle avait en face d'elle une caricature abjecte de la virilité, et cela la réconfortait un peu dans son renoncement à tout contact avec les hommes. Elle avait l'impression qu'elle, ses frères et ses sœurs se retrouvaient au cœur d'une guerre dans laquelle les armes étaient les assiettes et les couteaux, les chaises et les tables brisées qui rebondissaient à travers la maison et blessaient intérieurement tout le monde d'une manière inévitable.

Annabelle se demandait alors si l'intérieur de chacun était aussi tumultueux, explosif que le sien. Elle regardait sa mère et voyait un chagrin amer et de la rancune sur son visage ; sur celui de son père, c'était de la haine et de la déception. Elle-même leur portait des sentiments débordant de fougue: amour, haine, colère, rancune et le douloureux manque d'affection physique. Elle ne bronchait jamais, ne se jetait jamais contre l'un ou l'autre avec amour ou haine. Le désordre familial ne permettait pas un tel comportement. En elle-même se trouvait un champ de bataille vociférant. Elle entra alors, peu à peu, dans un monde où elle imaginait des histoires à propos d'elle-même. L'inconvénient était que la fin de ses histoires était toujours ennuyeuse et qu'on ne pouvait jamais aller au-delà de cette fin. Elle essayait d'imaginer la vie quand tout serait parfait, mais n'y parvint jamais.

Lorsqu'elle atteignit treize ans, son corps commença à montrer les promesses de la femme. Des heures durant, elle s'examinait dans la glace et ruminait des moyens de détourner ce qu'elle considérait comme un désastre. Ses cours de ballet n'avaient que renforcé une silhouette délicate et légèrement musclée. Intérieurement, par contre, elle était Marilyn Monroe et affolait les hommes par sa beauté. Mais la glace, sa pire ennemie, lui montrait une blonde tignasse, de solennels et perçants yeux bleus, une bouche qui semblait s'agrandir d'instant en instant et un nez un peu gros.

43

— Peut-être, se disait-elle avec prudence, ne suis-je pas vraiment laide... Mais d'un autre côté, il lui semblait que les hommes ne s'évanouiraient pas sur son passage. Elle s'imaginait alors mannequin pour un grand photographe et essayait différentes poses et regards, différentes expressions pour se donner du sex-appeal. Mais il n'y avait rien à faire, elle ne ressemblait à rien. Ce corps longiligne qui ne cessait de grandir, sans doute parfait pour la danse, n'avait rien d'exceptionnel dans la vie. C'était précisément ce qui lui importait plus que tout autre chose : être différente, avoir quelque chose d'exceptionnel, être quelqu'un, laisser sa trace dans le monde, un souvenir et ne jamais, jamais mourir.

Une autre année passa où elle accorda encore plus d'attention à son corps. À ses cours de ballet, elle répétait sans cesse cette supplique, en effectuant ses grands pliés à la barre, face à la grande glace :

— Oh ! gentil miroir, montre-moi un corps merveilleux !

Mais pour tout changement, cette année-là, elle n'eut qu'une nouvelle irruption d'acné sur le menton et un bouton au milieu du front. Elle renonça aux sucreries et aux miroirs.

La famille Sirois fut dans l'obligation de déménager dans un triste petit logement d'un quartier pauvre de la ville. Son père travaillait moins, buvait davantage et entretenait une maîtresse. Sa mère continuait à lui lancer des récriminations, lesquelles chassaient Annabelle, ses frères et ses sœurs hors de la maison. Annabelle se rendait alors jusqu'au parc à quelques rues de chez elle, s'asseyait seule sur un banc, fixait l'horizon et laissait le vent donner des ailes à son corps mince. Elle passait ainsi de longues heures à contempler la nature, empreinte de quelques curieux désirs auxquels elle ne pouvait donner de nom. Parfois, subitement, elle ressentait une intolérable souffrance qu'elle s'empressait alors de maîtriser.

Elle avait découvert Virginia Woolf et les *Mémoires d'une jeune fille rangée*, de Simone de Beauvoir. Ces livres ressemblaient à la nostalgie douce-amère qui la tourmentait, comme si ailleurs, dans une autre vie, elle avait connu une existence merveilleuse qu'elle désirait à toute force retrouver. Elle avait aussi parfois d'horribles pensées : par exemple, que ses parents n'étaient peut-être pas les siens, qu'on avait peut-être commis une erreur à la pouponnière. Elle était tellement différente d'eux.

Ses menstruations n'avaient pas encore commencé, mais tout en se transformant physiquement en femme, elle savait que ses besoins, ses envies, ce douloureux désir n'avaient rien de physique, rien à voir avec le sexe. Elle éprouvait un besoin pressant, farouche, de s'élever au-dessus des milliards d'êtres qui grouillaient sur la terre, de sorte que sur son passage, tout le monde puisse dire : « C'est Annabelle Sirois, la grande ! » La grande quoi ? Là était tout le problème. Elle ne savait pas ce qu'elle désirait, mais seulement que ce désir la faisait souffrir terriblement. Elle était naturellement attirée par les arts, en particulier par la danse et l'écriture. Depuis l'âge de onze ans, elle tenait son journal intime. Elle était aussi férue de télévision et de cinéma. Elle fit ses débuts de comédienne en s'imaginant dans la peau de Jeannine (Marie-Josée Longchamps), le grand amour d'Hector Milot (Réjean Lefrançois) dans le téléroman *Rue des Pignons,* de Mia Riddez-Morisset, puis de comique avec Denise Filiatrault dans *Moi et l'autre.* Enfin, elle créa de grands personnages grâce à Denise Pelletier, Janine Sutto et Andrée Lachapelle, en écoutant le *Théâtre Alcan* ou *Le Monde de Marcel Dubé.*

Elle trichait sur le prix de ses chaussures de danse, afin de se payer une séance de cinéma le samedi après-midi. Elle se jetait à corps perdu dans le monde féerique et sophistiqué de Fred Astaire et de Gene Kelly, elle rêvait avec Rock Hudson et Montgomery Clift, pleurait avec Ingrid Bergman et Greta Garbo. Elle se sentait plus près de ces vedettes que de ses parents.

Annabelle accomplissait sa dernière année d'école secondaire et la glace était redevenue finalement son amie. La jeune fille qui s'y reflétait avait un visage intéressant, des cheveux d'une blondeur magnifique, un teint d'un blanc crémeux et doux. Elle possédait de beaux traits, une bouche aux lèvres minces et bien dessinées, des yeux perçants et intelligents. Elle avait une silhouette harmonieuse, des seins fermes et bien galbés, de petites hanches bien formées et de longues jambes faites au tour. Son intérieur, par contre, ne s'accordait pas tellement avec son extérieur. Elle avait un air réservé et noble, une sorte de hauteur qu'elle ne ressentait pas. Sans doute cela provenait-il de la carapace qu'elle s'était forgée depuis ces premières années.

Deux jeunes hommes étaient tombés amoureux d'Annabelle : l'un désirait devenir avocat et avait une tête de moins qu'elle. Il avait le teint blême et des yeux myopes, humides et adorateurs. L'autre était gras et timide, il voulait devenir denturologiste. C'étaient les deux seuls qui s'étaient risqués à l'aborder, parce qu'Annabelle avait la réputation d'être la fille la plus inabordable. Il y avait chez elle quelque chose qui rendait les garçons timides à son égard. Il émanait d'elle une qualité toute spéciale, difficile à définir, comme si elle avait déjà atteint quelque chose qu'eux-mêmes n'avaient pas encore trouvé. Pour sa part, Annabelle n'était pas consciente de tout cela ; elle ne se préoccupait que de trois choses : rendre la vie le plus agréable possible à ses frères et sœurs, ses études et ses activités créatrices.

Un jour de novembre, à l'aube de ses dix-sept ans, une catastrophe s'abattit sur elle. Ce quelque chose de différent que les autres percevaient chez elle, lui fut dévoilé par le médecin de famille, puis confirmé par un spécialiste. C'est ce jour-là que le monde s'effondra sur elle. En présence de sa mère, on lui révéla qui elle était. On s'efforça de lui expliquer qu'elle n'était que la malheureuse victime d'une maladie récessive, d'une incidence génétique. Pendant deux jours, Annabelle resta enfermée dans sa chambre sans boire ni manger. Sa mère se disait que sa fille allait sûrement tomber malade. Mais fallait-il la tourmenter davantage ? Elle s'interdisait la moindre remarque. Si la volonté d'Annabelle avait été de mourir, sa mère ne serait pas allée contre sa volonté. Elle avait trop l'intelligence du malheur pour ne pas respecter celui de sa fille jusqu'au bout.

Elle crut alors de son devoir d'en parler à sa sœur. Le deuxième jour, en début de soirée, Gertrude Bélanger se présenta chez la famille Sirois pour s'entretenir avec Annabelle. Elle lui confessa alors qu'elle était atteinte de la même maladie. Cette découverte lui avait été aussi un choc, mais elle s'était raisonnée et avait finalement compris qu'elle n'avait pas d'autre alternative que d'accepter cette fatalité. Elle avait eu raison, puisqu'elle s'était mariée et vivait pleinement sa vie malgré ce handicap.

Après le départ de sa tante, sa détermination à devenir quelqu'un, à laisser sa marque sur le monde, lui traversa l'esprit. Elle avait souhaité être différente, exceptionnelle, son vœu était exaucé.

De sa fenêtre, elle regardait le ciel. « Que d'étoiles inutiles » songea-t-elle. Des images déferlaient dans sa tête : celles, brutales, de son père abruti par tout ce qui lui arrive ; celles, flottantes, de sa mère déchue, subissant en silence son malheur. Sa mère, elle n'était plus qu'une ombre pâle qui s'évanouissait sous le soleil de sa mémoire. Elle s'efforça de se remémorer des souvenirs de joies partagées, de moments où elle et sa mère s'étaient rapprochées l'une de l'autre. À quoi avait-elle servi ? Non, elle ne finirait pas dans une tombe anonyme, sans que personne ne sût ou se souciât de savoir qu'Annabelle Sirois avait vécu, était morte, était retournée à la poussière. Elle l'avait pourtant souhaité ces deux derniers jours, mais elle comprenait subitement qu'elle avait eu tort. Au moment où la faible lueur du jour levant filtra à travers sa fenêtre, Annabelle avait choisi de vivre.

***

Annabelle ne se préoccupait plus que d'une seule chose maintenant : entrer au Cégep. Les problèmes financiers de ses parents devenaient aigus. Ils étaient en retard de quatre mois pour le loyer et, s'ils n'étaient pas encore expulsés, c'était parce que le propriétaire était sous le charme d'Annabelle qui venait le voir à chaque fin de mois, lui demandant de lui faire confiance, qu'elle s'en occupait et qu'il serait bientôt payé. Il ne pouvait mettre à la rue une si charmante enfant.

Bien qu'étant éligible aux Prêts et Bourses, et même si elle obtenait l'une des bourses octroyées aux meilleurs étudiants, cela serait difficile. Le temps approchait, elle le savait, où elle devrait abandonner ses études pour devenir soutien de famille. Elle était douée d'une grande habileté manuelle qui, conjuguée à son imagination créatrice, lui permettait par exemple de se créer vêtements et tricots. Pour le moment, ses talents de couturière et de conceptrice ne servaient qu'elle-même et sa famille, mais elle pourrait peut-être les exploiter. Elle se disait que, même si elle devait abandonner ses études, elle ne renoncerait jamais au rêve qui devait donner un sens si profond à sa vie. Le fait qu'elle ignorait ce qu'était ce rêve et sa signification ajoutait à sa condition une tristesse, une futilité intolérables. Elle quittait définitivement l'adolescence et c'était l'enfer.

Elle trouva, par hasard, un poste de commis à la petite bibliothèque municipale. Le travail consistait à répondre aux gens, effectuer les entrées et les sorties des livres. Du même coup, sa passion des livres se trouvait comblée. Mais cette acquisition du savoir et du langage, loin de la rapprocher des autres, l'en éloignait davantage. Il existait une sorte de mur entre elle et les jeunes de son âge. Sa maturité précoce, son sens de l'observation et de l'analyse, ses opinions sur la vie, l'avenir et plus particulièrement sur l'amour faisaient fuir ses interlocuteurs qui la trouvaient ennuyante et trop sérieuse. Elle était belle, intelligente et seule !

Elle n'avait qu'une seule façon d'exprimer ce qu'elle pensait et ce qu'elle ressentait : écrire. Son premier roman, elle l'écrivit dans le cadre de son cours de français, à la fin de ses études secondaires. Le sujet du roman lui fut donné dans son cours d'histoire.

— Les Grecs, affirmait son professeur, utilisaient deux termes différents pour faire la distinction entre deux types d'amour : *Éros* et *Agapê*. *Éros* désignait l'amour passionnel et *Agapê*, la relation stable, engagée et dénuée de passion, qui existe entre deux êtres profondément attachés l'un à l'autre.

Annabelle était en parfait accord avec le principe de l'*Agapê*, mais la passion n'était-elle pas nécessaire ? Autre interrogation : comment vivre plus d'un quart de siècle avec le même homme sans sombrer dans l'habitude ou l'ennui ? Ce fut le point de départ de ce qui allait devenir *Noble Passion*. Elle fut reçue avec grande distinction et le commentaire de son professeur fut le suivant :

Chère amie,

Je te félicite sincèrement pour cette belle réussite. Je t'ai signalé déjà les éléments positifs et les faiblesses. Mais je suis convaincu qu'un éditeur devrait le voir tel qu'il est présentement avant de le refaire. Je serais très heureux que ce premier jet me soit laissé en souvenir. Meilleurs vœux pour l'avenir ! Ce fut un plaisir de travailler avec toi cette année. Il est important que tu te ménages des temps de repos durant cet été.

Elle n'envoya pas le manuscrit à un éditeur mais se laissa finalement convaincre de participer au prix littéraire Marie-Claire Daveluy. Ce concours s'adressait spécialement aux jeunes auteurs âgés de quinze à vingt ans. Une bourse de sept cents dollars récompensait l'œuvre originale jugée la plus marquante et ce premier roman d'Annabelle ne manquait ni d'audace ni d'originalité. Elle expédia son manuscrit corrigé, deux semaines avant la date limite.

L'été s'étirait lamentablement. Annabelle avait atteint dix-huit ans et ne savait pas encore ce qu'elle attendait. Elle ne savait même pas s'il y avait quelque chose à attendre. Pour elle, la saison estivale était toujours un enfer, n'ayant plus ses activités scolaires ou artistiques pour calmer ses tourments. Elle se retrouvait alors face à elle-même, à sa vie, à ses cauchemars. Elle s'était composé un masque et imposé une ligne de conduite où, tant qu'elle refuserait de reconnaître que quelque chose n'allait pas bien, rien n'allait mal. Mais la vérité, plus simple, était qu'Annabelle n'avait pas d'armure protectrice contre le terrible sentiment de solitude qui l'accablait.

Bien que prouvant admirablement le contraire, elle était convaincue qu'elle ne valait rien. Elle redoutait de se faire des amies, de crainte qu'elles ne découvrent que derrière cette aura d'admiration et d'envie qu'elle suscitait parfois pour ses réussites, pour le dévouement absolu et sincère qu'elle manifestait envers sa famille, elle méritait peu d'être aimée. Elle n'était pas du tout sûre d'elle-même face à l'adversité, mais plutôt d'une timidité quasi pathologique. Elle était non désirée et avait été privée de tendresse. Toutes ces années, elle n'avait jamais su comment faire face au désespoir et en vint à la conclusion qu'elle était incapable d'inspirer de l'amour. La révélation de sa véritable nature n'avait fait que confirmer ses allégations. C'était sa destinée, et elle ne pouvait rien y changer. Comme sa tante Gertrude, elle n'avait d'autre solution que de l'accepter.

Annabelle avait pris sur ses épaules une grande part des responsabilités et difficultés familiales. En gardant constamment un contrôle sur elle-même, elle essayait de se redonner un sentiment de sécurité. Elle n'avait pas été la seule affectée ; jusqu'à leur puberté ses frères et sa sœur avaient souffert de différents troubles physiologiques. La haine, qu'entretenait Régine Sirois envers son mari, se répercutait sur eux par de violentes bastonnades qui se terminaient parfois par un membre dans le plâtre. Annabelle essayait de son mieux de leur donner un peu d'amour et de bonheur, mais elle se heurtait à des enfants étrangers, chacun enfermé dans son propre univers, fuyant à leur façon la souffrance, cachant leurs sentiments, aimant en cachette, s'efforçant de donner un sens à leur vie. Tout cela sous l'indifférence des parents qui ne se souciaient aucunement d'eux, obnubilés par leur propre malheur.

Dans l'entourage scolaire et social d'Annabelle, on s'interrogeait parfois à savoir pourquoi une si belle jeune fille n'avait pas de petit ami, fuyait les hommes. Pourtant bien des jeunes gens papillonnaient autour d'elle... à distance. Personne n'osait l'aborder, on prenait son indifférence pour du snobisme et de la suffisance. La vérité était tout autre, Annabelle ne se rendait pas compte qu'elle était devenue belle, il lui était plus simple de croire la vérité du passé. Si elle n'avait jamais su, si son père avait été semblable au portrait que sa mère brossait le soir en la bordant et non ce butor violent et stupide, peut-être alors ces regards admiratifs auraient-ils eu une toute autre signification. Maintenant, elle ne voulait aucun contact physique ou sexuel avec un homme. Depuis qu'elle savait les mots *amour, désir, tendresse, affection, sincérité, partage, mariage* elle les avait rayés définitivement de son vocabulaire.

Pourtant le soir, dans sa chambre, Annabelle avait une vie affective secrète. Elle s'était acheté un immense ours de peluche avec lequel elle s'enroulait sous les couvertures. Il était son amoureux, son confident, son protecteur. Entre ses bras, Annabelle oubliait. Elle oubliait l'irruption des policiers qui venaient séparer ses parents au terme d'un des innombrables assauts de son père, l'ambulance qui emportait sa mère suite à une tentative de suicide, les cris de frayeur de ses frères et de sa sœur qui assistaient aux combats de leurs parents. Elle oubliait l'enfer familial, sa vie, la sinistre comédie qu'il fallait jouer pour arracher le consentement de sa mère à réintégrer l'institut psychiatrique, les voisins qui signaient régulièrement des pétitions pour obtenir leur expulsion. Elle oubliait les corvées de cuisine, de couture, de lessive pour des enfants et des parents ingrats et méprisants. Elle oubliait... elle oubliait tout dans les bras d'un animal de peluche.

CHAPITRE 2

Serge, Sherbrooke : 1972-1973

L e jour d'inscription à la session d'automne au Cégep avait pour Annabelle une signification toute particulière, bien qu'elle fût incapable de l'exprimer. Une semaine plus tôt, en revenant de son travail, une lettre adressée à son nom avait été déposée sur sa commode. Son cœur se mit à battre plus vite. Nerveusement, elle décacheta l'enveloppe et fut transportée au septième ciel. On lui annonçait qu'elle était la récipiendaire du prix Marie-Claire Daveluy. Elle était écrivain. Voilà peut-être la clé qui ouvrirait les portes de son rêve.

Le prix qui accompagnait cet honneur tombait à point. Elle parcourut du regard le hall d'entrée où des centaines d'étudiants se pressaient pour s'inscrire et songea : « Vous ignorez tous qui je suis. Mais un jour vous direz : j'ai été au collège avec Annabelle Sirois, la grande. »

Ce matin-là, elle vit son nom sur la liste des Prêts et Bourses.

***

Serge Denoncourt descendait de sa voiture. Annabelle ne l'aurait pas remarqué si un klaxon infernal ne lui avait péremp-

53

toirement signalé qu'il avait garé sa voiture dans un emplacement réservé. Quelques jours plus tard, Annabelle le croisa à nouveau dans un couloir du collège. Son comportement l'étonna, il la salua poliment. Plus tard, elle l'aperçut dans la salle de judo à la sortie de son cours d'escrime. Ces trois apparitions successives bouleversèrent Annabelle.

Pendant les jours qui suivirent, malgré la profonde impression laissée par ses regards et son attitude, elle ne pouvait élucider à quoi rimait l'attention de cet homme, de quelle nature était l'intérêt qu'il lui portait. Qu'est-ce qui éveillait tout à coup chez elle cet intérêt et cette curiosité. Sur le campus, on parlait beaucoup de sexe, en fait, on parlait presqu'uniquement de cela, dans les salles de cours, aux toilettes, à la cafétéria. Vers la fin de la session, Annabelle en avait conclu qu'elle devait être la seule vierge sur le campus. Elle n'avait d'ailleurs jamais vraiment songé à cela.

— France ! Georges m'a donné rendez-vous ce soir, qu'est-ce que je fais ?

— N'y va pas. Il y a rien là. Il m'a amenée au cinéma la semaine dernière. Il m'a caressée, j'ai fait de même et j'ai rien trouvé.

Rires.

— Qu'est-ce que tu penses de Roger Desbiens ?

— Avec lui, on a le goût d'être lesbienne !

Elles s'esclaffaient, se félicitaient, se lançaient des défis. Les garçons en faisaient autant. Annabelle s'efforçait de ne rien laisser paraître de son aversion pour ce genre de propos vulgaires. D'ailleurs, qui s'en souciait ? Aucun garçon ne s'approchait d'elle. On disait d'elle qu'elle était froide comme la lune.

Un nom émergeait des conversations érotiques des filles, celui de Serge Denoncourt, celui précisément qu'elle s'efforçait d'oublier. De temps en temps, Annabelle le voyait traverser le campus en compagnie d'une fille, chaque fois différente et parfois avec deux ou trois admiratrices.

Dans son lit solitaire, elle songeait maintenant à toutes ces filles qui dormaient avec leur petit copain et elle jetait un regard nostalgique sur son ours de peluche.

***

La session d'hiver débutait, Annabelle avait obtenu d'excellents résultats à sa première session et entreprenait donc fermement cette première semaine de cours. Ce mercredi-là, elle franchit la porte de la classe où se donnait le cours de mathématique. Quel choc d'apercevoir, assis au fond de la classe, Serge Denoncourt en train de discuter tranquillement avec une camarade. Elle s'installa à la première table libre et tenta de reprendre contrôle d'elle-même. Ses gestes et ses attitudes lui semblaient gauches ; avait-on remarqué qu'elle avait rougi et qu'elle avait failli perdre l'équilibre ?

Le lendemain, elle s'inscrivit dans un autre groupe.

Régulièrement, après le cours du jeudi, Serge Denoncourt s'installait au fond de la cafétéria. Sa table devenait vite le lieu le plus animé de la place. Assise à quelques tables de lui, Annabelle lisait sans lever les yeux, de peur de chercher son regard et de trahir son trouble. Mais la décision qu'elle avait prise, en désespoir de cause, une certaine nuit de novembre, la mauvaise pensée, rangée comme tant d'autres dans l'un des recoins obscurs de la conscience, s'acharnait à regagner la lumière.

En effet, depuis le début de la session, cet homme croisait fréquemment sa route. Il nourrissait les commentaires des filles, les récits des garçons à propos de ses prouesses sportives, et sa photo était souvent reproduite dans les pages du journal étudiant. Annabelle le voyait, de temps à autre, dans le bureau du professeur de mathématiques et il avait pris l'habitude, depuis maintenant un mois, d'étudier à la bibliothèque et de s'installer à proximité d'Annabelle, carrément dans son champ de vision. Ce voisinage l'intimidait, la mettait mal à l'aise et alors, comme ce soir, elle s'emparait de ses livres et de ses notes et quittait les lieux.

***

C'était une autre froide soirée de février. Un ciel de velours noir et les étoiles semblaient à portée de la main. Annabelle se dirigeait d'un pas lent vers la maison familiale, songeuse. Elle se demandait combien de temps encore elle serait capable de subir les apparitions incessantes de Serge Denoncourt. Il lui semblait que le sort s'acharnait contre elle. Était-ce vraiment le hasard ou faisait-il exprès de se trouver constamment en sa présence ? Si c'était le cas, qu'est-ce qu'il lui voulait ?

— Je divague certainement ! pensa-t-elle.

Elle était à deux pas de chez elle lorsque le bruit d'un klaxon attira son attention.

— Eh ! Annabelle, où tu vas ?

C'était Serge Denoncourt. Il lui souriait par la vitre baissée de sa voiture. Annabelle hésita à répondre.

— Alors le chat t'a mordu la langue ?

À bout d'émotion, Annabelle contourna la voiture comme une vraie folle et s'enfuit à toutes jambes dans la direction opposée à la maison familiale. Le froid la transperçait, ses jambes tremblaient de fatigue. Elle s'appuya à un lampadaire qui, ironiquement, portait un signe d'arrêt. Ses paupières écrasaient de chaudes larmes irrépressibles qui se transformaient en glace sur ses joues. Soudain, un coup de frein la fit sursauter, l'arrachant à cet état de désespoir. Avec stupéfaction elle réalisa que Serge Denoncourt venait vers elle, le visage souriant, sans doute amusé par sa petite scène du chat et de la souris morte de peur.

— Qu'est-ce qui te prend ? Qu'est-ce que j'ai dit ? articula-t-il.

Il était visiblement dérouté par la timidité maladive d'Anna-belle et la figure éplorée qu'elle ne parvenait pas à détourner de lui.

— Pour l'amour du ciel, regarde-moi pas comme si je t'avais invité chez le diable ! Je te proposais un « lift », c'est tout. Je mords pas, j'ai pas de griffes...

Quelques mots jaillirent de sa gorge de marbre :

— Qu'est-ce que tu me veux ?

Il ne sembla pas trop offusqué et lui expliqua calmement :

— On m'a dit que tu étais la plus calée en math. Je voulais te demander de m'aider à réussir ces maudits examens que je n'arrive pas à passer.

Annabelle le regardait. Quelque chose l'avertissait qu'il mentait. Mais son explication n'était-elle pas vraisemblable ? Elle excellait réellement dans cette matière qui le tenait en échec.

Le froid de loup les ramena à la voiture. Avant de démarrer, Serge répéta sa demande.

— Non, je ne peux pas, rétorqua Annabelle. Je n'ai pas de temps à consacrer à cela.

— Quand on veut, on peut, tu dois savoir cela ?

Annabelle se sentait au bord de la panique, misérable :

— Pourquoi moi, précisément ?

— Je viens de te le dire. Tu es la plus calée, à ce qui paraît. Si on prenait un café ensemble, mercredi après le cours, nous pourrions en discuter ?

— Je ne peux pas, je travaille ce soir-là.

— Alors après ton travail. À quelle heure termines-tu ?

— À neuf heures, mais j'ai de l'étude après cela, s'empressa-t-elle d'ajouter.

— Ce n'est pas quelques minutes de ton temps qui changeront quelque chose. Je t'attendrai chez Jim à neuf heures un quart.

— Je n'y serai pas.

Elle ouvrit la portière.

— Moi j'y serai.

Elle ferma la portière. Elle ne répondit pas au signe de la main qu'il fit à travers la vitre et rentra chez elle.

Le froid l'engourdissait mais les mauvais souvenirs ne tardèrent pas à refaire surface, gâchant son état d'esprit plutôt satisfait par la démarche de Serge. Son pas incertain traînait tandis que ses méninges fonctionnaient à plein, roulant sous son crâne l'image de cette fille à la langue de serpent, qui semblait mieux qu'Asmodée percer le silence des murs, connaître les secrets les mieux gardés et les livrer aux cancans, à la médisance et à la calomnie des autres. Elle lui en avait beaucoup appris sur Serge, cette fille, et ses rapports n'étaient pas discrets. Serge Denoncourt était le fils d'un chirurgien, il avait un frère et tous deux fréquentaient le Cégep : Serge, uniquement pour son cours de mathématiques, prérequis à son admission définitive à l'Université en éducation physique, et André, son frère, en pharmacologie. Beaucoup de ragots avaient été rapportés par cette fille, dont la question : pourquoi change-t-il toujours de fille ?

Un frisson gagna Annabelle. Tout le monde avait accueilli la question avec une sorte d'approbation tacite, comme si elle promettait d'éclaircir l'affaire grâce à un effort collectif de toutes les filles éligibles pour l'enquête. Dégoûtée et empressée de retrouver la chaleur et le silence de sa chambre, Annabelle parcourut les derniers mètres qui l'en séparaient, le cœur givré par des pensées qui n'étaient pas à elle. Cette nuit-là, elle dormit sans son ours.

***

La semaine s'écoula, très longue, presque douloureuse. Pourtant, le nom de Serge dansait constamment devant ses yeux, comme un feu clignotant dans l'obscurité la plus totale.

— Es-tu prête ? Nous allons vérifier la liste, veux-tu ? On a classé deux cent illustrés, trente junior et quatre-vingt-quinze romans. Il faut vérifier la liste, Annabelle !

Mademoiselle Gilbert remarqua sa distraction :

— Mais qu'est-ce que tu as ce soir ? lança-t-elle, un brin impatiente.

Annabelle rougit de confusion mais ne parvint pas à articuler la moindre excuse. Son esprit courait la prétentaine, et la curiosité de sa compagne de travail n'arrangeait rien. Les doigts serrés sur les fiches incomplètes, elle observait Annabelle avec attention, l'œil froid, scrutateur, soupçonneux. Enfin, l'examen terminé, elle prit sa belle voix d'alto, tout en rondeur, tout en douceur :

— Il s'est passé quelque chose à la maison ?
Annabelle ne répondit pas toute de suite et, lorsqu'elle essaya de balbutier quelque chose, elle ajouta :

— Je crois que je sais ce que tu as !

Soudain, la panique s'empara d'Annabelle : l'aurait-elle percée à jour ?

— Ah oui ! Qu'est-ce que j'ai donc ? dit-elle d'une voix blanche.

— Tu ne peux rien me cacher, tu le sais bien. Allez, dis-moi son nom. Je veux tout savoir de lui. Sûrement qu'il est beau et intelligent...

Mademoiselle Gilbert était une femme dans la soixantaine qui aimait Annabelle comme sa propre fille. Lorsqu'elle avait su qu'Annabelle était l'auteur de *Noble Passion,* elle en avait acheté une dizaine d'exemplaires qu'elle avait ensuite placés sur un présentoir, en prenant soit d'indiquer que l'ouvrage avait reçu un prix et que l'auteur travaillait sur les lieux.

Donc, à défaut de recevoir les confidences d'Annabelle, elle lui fit partager pour la millième fois le récit de son premier amour. Heureusement, c'était l'heure de la fermeture de la bibliothèque ; son imagination, stimulée par l'insistance de sa compagne de travail à étaler ses souvenirs romantiques, déformait tout ce qui l'entourait ; les objets les plus inoffensifs entraient dans la sarabande infernale.

Bouleversée, la gorge serrée, incapable d'en entendre davantage, Annabelle risqua une fracture à descendre quatre à quatre les marches du grand escalier, tandis que mademoiselle Gilbert la poursuivait de ses recommandations maternelles. Si elle connaissait sa peur, son secret, serait-elle capable de pitié, de compréhension ? Mais elle ne pouvait en parler à personne. Personne ne devait savoir jamais.

***

Annabelle bougeait sur place, elle lorgnait du regard l'autobus qui ne se pointait toujours pas. Il lui semblait qu'elle allait se transformer en statue à cet arrêt d'autobus. Elle était impatiente et désireuse de retrouver la sécurité de sa chambre, le plus rapidement possible. L'idée lui vint de prendre un taxi, mais elle n'en avait pas les moyens. Annabelle se sentait ridicule et idiote; depuis qu'elle avait rencontré Serge Denoncourt, elle n'avait plus un instant de répit. Elle détestait cet homme pour le mal qu'il lui infligeait.

Une main lui saisit fermement le bras, alors que l'autobus se pointait :

— Où vas-tu comme cela ?

Elle se retourna pour dévisager son possible assaillant. Le plus simplement du monde, Serge était là, l'attrapant au vol. Que faisait-il là, comment l'avait-il trouvée. Il ne lui offrit aucune explication et elle se trouva bientôt assise en face de lui au petit café du coin. Sans se laisser impressionner le moins du monde par sa froideur, Serge lui demanda :

— Veux-tu boire quelque chose ?

— Non, répondit-elle d'un ton glacial.

— Manger peut-être ?

— Non plus, reprit-elle sur le même ton.

Il enchaîna d'un air amusé :

— J'ai l'impression que tu n'es pas dans ton assiette ce soir !

Annabelle le regarda, les yeux chargés d'une colère subite et envahie d'une haine dont elle ne se serait jamais crue capable.

— C'est ta présence Serge Denoncourt qui me met dans cet état. Je ne suis pas intéressée ni à t'aider, ni à te revoir ! Est-ce clair ! Fous-moi la paix ! dit-elle, les dents serrées.

Elle se leva toute tremblante et se dirigea vers la sortie. Serge la rattrapa et lui fit face. Elle remarqua qu'il avait une curieuse façon de vous regarder, pénétrante, gênante, à travers le bleu de sa prunelle.

— Qu'est-ce que tu as contre moi ?

— Laisse-moi partir ou je crie !

Serge lui prit le bras, ce geste la déchaîna :

— Ne me touche pas, s'écria-t-elle tout en se libérant d'un mouvement brusque.

— Puis-je vous aider, mademoiselle ? s'enquit le caissier qui les observait.

Il n'obtint aucune réponse car Annabelle avait déjà quitté les lieux.

***

De retour à la maison, Annabelle s'enferma dans sa chambre et pleura, comme jamais elle ne l'avait fait. Cet homme allait la rendre folle. Elle s'était organisée une vie paisible, bien à elle, prenant toutes les précautions nécessaires pour rendre sa condition la moins douloureuse et affligeante possible. Ses études allaient bien, elle avait un bon emploi, elle poursuivait ses études de danse, elle avait un avenir prometteur, elle avait des dons manuels en couture, en tricot. Elle avait tout. Annabelle n'était ni malheureuse, ni heureuse jusqu'à ce qu'elle rencontre ce Serge Denoncourt. Il la ramenait sans cesse à ce qu'elle s'efforçait d'oublier, ce qu'elle s'efforçait de fuir de toutes ses forces : elle-même.

Deux années d'efforts pour fuir l'insoutenable réalité, depuis ce jour maudit où sa mère l'avait amenée chez ce médecin. Pourquoi avait-il fallu qu'elle apprenne si jeune cette chose abominable ? Avant ce jour-là, même si elle s'était édifié un rempart face aux hommes, vivant chez elle l'épouvantable cauchemar de l'homme dans tout ce qu'il peut contenir de dégoûtant et de méprisant, magnifiquement représenté par son père, il lui semblait, lorsqu'elle regardait certains couples amoureux, que les hommes ne ressemblaient pas tous à son père. Elle s'était dit que ce bonheur-là, cet abandon dans les bras d'un homme pourrait peut-être lui arriver. Annabelle commençait à peine à s'ouvrir à cette perspective, mais il n'avait suffit que d'un simple rendez-vous chez le médecin pour que ce fragile espoir s'effondre.

Elle revivait quelquefois la scène, la nuit en rêve. Elle se revoyait dans ce petit bureau médical aseptisé, elle entendait la voix du médecin lui révéler qui elle était vraiment. Ces nuits-là, elle se réveillait en sueur, serrant son ours en peluche contre elle, l'implorant de la serrer dans ses bras pour la consoler. Comme si un animal de peluche était susceptible de lui procurer tendresse et compréhension.

Pour la première fois de sa vie, Annabelle se trouvait confrontée à elle-même, elle devait bien admettre que cet homme ne la laissait pas indifférente, qu'il éveillait en elle quelque chose qu'elle se refusait à vivre. S'il s'avérait que cet homme était comme son père ? Que cachait-il sous ce zèle déroutant, derrière ce sourire tentateur ? Serait-il plus machiavélique que les autres, que son père ? Pourquoi s'acharnait-il sur elle ? Ne voyait-il pas combien il la bouleversait, la traumatisait ? Et si Annabelle se laissait aller à écouter son cœur, comment réagirait-il à l'annonce de son terrible secret ? Pourrait-il comprendre, un homme pourrait-il comprendre qui elle était ?

Annabelle avait beaucoup trop peur, n'avait que trop conscience des conséquences tragiques que pourrait avoir sur elle un rejet, pour prendre un tel risque. Non, il fallait qu'elle continue à lutter de toutes ses forces, contre ses émotions, ses désirs, ses envies, ses rêves. Elle ne s'octroyait même pas la possibilité de s'assumer.

Cette nuit-là, elle décida qu'elle ferait la guerre à ce Serge Denoncourt, qu'elle l'affronterait. Annabelle avait décidé de foncer, tant pis pour les conséquences. Il y avait longtemps qu'Annabelle avait perdu ce qu'elle avait à perdre et elle espérait que cet homme le comprendrait.

***

La porte de l'ascenseur s'ouvrit sur le vestibule. Serge Denoncourt était là, adossé au mur. Il portait une chemise blanche aux manches soigneusement roulées, une paire de jeans et des espadrilles. L'apercevant, il vint vers Annabelle et, avant qu'elle n'ait pu prononcer le moindre mot, il lui déclara d'un ton neutre :

— Je t'attendais. Je voulais te voir avant le cours pour m'excuser pour hier soir et te dire que tu n'as plus à t'en faire, je ne te harcèlerai plus.

Annabelle le regarda s'éloigner, le cœur battant.

— Serge ! s'écria-t-elle.

Il se retourna, surpris.

— Si nous prenions un café ensemble ?

Ils se retrouvèrent assis tous les deux dans un coin discret du Cafcom, lieu de rencontre des étudiants. Devant leurs cafés, sans rien à se dire, Annabelle n'osait pas le regarder. Les yeux baissés, elle débitait les banalités d'usage, d'un ton monocorde, pour enrayer la panique qui s'emparait d'elle. Serge était détendu, parlait de lui, de sa vie, de ses ambitions sportives. Ensuite, il lui posa des questions auxquelles Annabelle répondit évasivement, sur sa propre vie, sa famille, ses ambitions, son premier roman.

Ils étaient assis depuis vingt minutes à cette table et il n'avait pas été question de son comportement de la veille, elle n'osait pas lui demander comment il l'avait trouvée. Annabelle baissait constamment les yeux devant lui, elle ne se sentait pas vraiment à l'aise. Elle percevait la distance incroyable entre sa propre vie et la sienne. La présence de Serge l'incitait au silence, et elle songeait à la petite phrase que l'on ajoute toujours avant d'exiger le témoignage d'une personne inculpée : tout ce que vous direz pourra être retenu contre vous.

Ce ne fut qu'une fois arrivé à la porte du local de mathématiques qu'il aborda le sujet des cours et renouvela sa demande d'assistance.

— Alors, c'est oui ou c'est non ?

Ce projet la laissait songeuse, elle ne connaissait que trop la portée de sa question. Il enchaîna :

— Tu ne devrais pas te fier aux cancans, Annabelle. Toi aussi tu les connais, j'imagine ? Donne-moi une chance de te prouver que tu te trompes sur moi. Accepte ma proposition.

Sous l'éclairage verdâtre des néons du corridor, il la fixait, et Annabelle brava son regard. Y lirait-il qu'elle ne savait pas ce que tous devaient savoir et qu'elle avait une raison bien singulière d'entretenir cette ignorance et d'autres ? À ce jeu, Serge Denoncourt semblait très fort, son regard possédait la profondeur et la transparence hypnotique des yeux de certains félins ; Annabelle ne pouvait détacher ses prunelles fascinées des siennes, bien que consciente du risque qu'elle courait, et en fin de compte, elle accepta sa proposition.

＊

Jour béni que le mercredi, Annabelle mettait de l'ordre dans ses travaux et achevait de préparer le test de mathématiques, qui l'assurerait que Serge pouvait réussir le prochain examen. Ils étudieraient chez lui ce soir. Depuis deux mois, Annabelle vivait dans une euphorie totale. Elle écoutait Serge qui lui parlait de stratégie sportive, définissait sa philosophie de la vie. Elle aimait l'observer tandis qu'il parlait, ses immenses yeux bleus étincelaient d'enthousiasme, brûlaient d'une irrésistible vitalité. Il ne ressemblait à personne et elle constatait de jour en jour qu'elle avait porté un jugement trop rapide sur lui. Il possédait une grande ouverture d'esprit, une chaleur, son amour de la vie s'exprimait sans calcul, sans réticence. Les gens venaient à lui parce qu'il était accueillant et bon.

Annabelle l'aimait de toutes ses forces, à son insu. C'était difficile de résister à sa séduction et sa pensée était constamment rivée sur lui, qu'il soit loin ou proche. Serge n'avait eu aucun geste déplacé, aucune attitude négative, le seul contact entre eux était le baiser sur les joues lorsqu'ils se quittaient. Annabelle ne cherchait pas vraiment à comprendre, elle était littéralement écrasée sous le poids de ses émotions brutales. Elle ne lui avait encore rien confié sur elle ou sa famille. Elle ne croyait pas qu'il lui faudrait le faire. Elle se contentait naïvement des moments présents, croyant que des aveux effaroucheraient son partenaire.

Elle était véritablement heureuse, même si elle redoutait constamment que son bonheur éclate comme un ballon percé par une aiguille. Elle voyait la vie sous des couleurs nouvelles, vives et éclatantes. Pour que ce bonheur dure, elle avait besoin de la joie et de l'insouciance de Serge, et le moindre nuage sur son front la plongeait aussitôt dans l'angoisse.

Ce soir, par exemple, Annabelle flairait des préoccupations risquant de gâcher leur travail et peut-être davantage. Serge, habituellement calme et rassurant, faisait nerveusement la navette entre le living-room où ils étaient installés et la cuisine. Chaque fois, il revenait avec une nouvelle bouteille de bière qu'il vidait à une vitesse record. Annabelle ne comprenait pas cette attitude, d'autant plus que Serge ne prenait jamais d'alcool. Ce comportement provenait-il du stress suscité par ce fameux examen qu'il devait réussir ?

Elle l'entendit prononcer son nom, d'un ton monocorde. Annabelle leva la tête, alertée par quelque chose de plaintif, d'étouffé dans cet appel. Aussitôt, elle voulut soulager son inquiétude, lui rendre confiance.

— Voyons, Serge ! Ce n'est pas la fin du monde un examen, même quand on le rate !

— Je ne pensais pas à l'examen, Annabelle, riposta-t-il, la tête baissée, le corps inerte.

Cela lui ressemblait si peu. Du moins, elle ne l'avait jamais vu ainsi, aussi agité intérieurement, aussi visiblement dépassé par des pensées qui échappaient à son contrôle habituel.

— À quoi penses-tu, alors ?

Ça y était, Annabelle sentait qu'il allait exploser. Il la regarda, droit dans les yeux, se leva brusquement, et la bouteille qu'il tenait à la main fracassa le mur. Annabelle, stupéfaite, apeurée, était incapable de réagir, de riposter, envahie par la même frayeur qui la gagnait lors des colères de son père. Serge se reprit un peu, mais son œil sombre dardait quelque ennemi imaginaire :

— N'aie pas peur, Anna, ce n'est pas contre toi que je suis en maudit, c'est contre moi et tous les autres.

Ce n'était peut-être pas ce qu'elle pouvait entendre de plus rassurant, mais elle respirait un peu mieux.

— Toutes ces maudites folles qui me courent après, j'en ai assez ! Tu sais ce qu'elles veulent ? Mon corps. J'ai pas de cœur moi, pas de tête, pas de tripes non plus. Rien qu'un sexe. Elles se le passent de copine à copine, avec le mode d'emploi, si tu veux savoir ! Pas de danger qu'elles se risquent à m'aimer. Est-ce qu'on aime ça, une machine ? On la manipule, on la programme, puis hop ! On retourne gentiment à son petit ami de cœur. Le beau Serge, le grand sportif, le tombeur de ces dames, il n'a qu'à aller se rhabiller !

Serge reprit son souffle, mais Annabelle n'osait intervenir avec des paroles même vaguement consolatrices. Elle sentait qu'il n'avait pas terminé, que sa hargne jusqu'ici bien contenue n'était pas épuisée. D'ailleurs, le monologue, interrompu brièvement, continua de plus belle :

— Tu sais, il y en a même qui résistent à mes avances ! Elles veulent être désirées, elles, suppliées, traitées avec des gants blancs. Tu imagines ça ? J'en ai assez d'être une machine, je suis un homme ! Et les gars, tu penses qu'ils comprennent ? Absolument pas, ils voudraient en faire autant, collectionner les filles puis les balancer, être de vrais machos, champions de sport et de sexe. Jamais, jamais tu m'entends je n'ai pu être moi-même durant ces vingt-cinq ans. J'ai grandi avec l'idée que l'on se faisait de moi : un fils modèle, l'idéal masculin, en fait. Sauf que derrière cette image, il y a moi. Moi, Serge Denoncourt, faux intellectuel au physique attirant. Tout ça pour bien jouer mon rôle dans cette maudite société pourrie, morte, empoisonnée, qui me ferait taire si j'osais être vraiment moi-même.

Le regard de Serge se posa sur Annabelle, insistant, plein de questions, mais elle continuait à se taire, plongée dans ses propres pensées. Des pensées si nouvelles, si étrangères pour une fille qui n'avait vu chez lui que le mâle triomphant. Des images, des pensées, des mots explosaient à un rythme effréné dans sa tête. Elle espérait qu'il se taise avant qu'il n'en dise trop. Il continuait toujours et elle prêta attention :

— ...un romantique, un faible, un gars qui n'a aucune confiance en lui. J'ai follement besoin d'être aimé et respecté. La seule personne qui m'a donné cela jusqu'à maintenant, c'est toi. Tu sais ce que les gars pensent de toi ? Ils croient que tu aimes les femmes, que tu es lesbienne. Lorsqu'ils parlent de toi, c'est aussi ridicule que lorsqu'ils parlent de moi.

Annabelle se sentait rassurée et dans l'eau bouillante, vaguement à la merci de Serge qui faisait de la lumière sur son comportement bizarre. Il s'approcha d'elle, la prit dans ses bras. Annabelle s'écarta, saisie d'une frayeur qu'elle ne pouvait contrôler.

— Non, Serge !

— Anna...

Annabelle se blottit dans un coin, son corps entier tremblait.

— Je t'en supplie, reste où tu es !

Il la regardait, complètement dérouté, désemparé, les yeux brillants de larmes, il ne savait que faire.

— Pourquoi, Anna ? Ne comprends-tu pas que je t'aime ? Je t'aime, Anna.

C'en était trop. Si elle ne partait pas immédiatement, elle savait qu'elle deviendrait complètement hystérique, elle ne pouvait plus se contenir, ne pouvait plus contrôler les émotions enfouies en elle. Bien que perdue dans le monde de ses propres cauchemars, elle entendit :

— Je ne peux plus supporter ce regard dégoûté que tu poses sur moi...

— Tu te trompes, Serge, c'est pas ça !

Il fit mine de s'approcher et elle cria :

— Reste où tu es !

Le souffle court, les yeux hagards, il tenta une dernière fois de comprendre :

— Mais alors, qu'est que c'est ? Explique-toi...

Serge s'effondra littéralement dans un fauteuil, le visage dans ses mains. Annabelle ne comprenait plus rien, elle devait sûrement rêver. Elle se secoua, mais Serge était toujours dans son fauteuil, immobile, la tête dans ses bras repliés, il pleurait. Incrédule, elle le regardait, sentant la honte l'envahir à la pensée qu'elle était responsable de sa souffrance. Fébrilement, elle cherchait un moyen de réparer le mal dont elle était responsable, de lui redonner confiance en lui. Mais comment ? Une idée lui vint brusquement et elle se demanda si elle pouvait...

— Peux-tu m'écouter, Serge ?

Maladroitement, cherchant ses mots, elle lui confia tout. Tout ce qu'elle avait caché durant toute sa vie. Elle ne pouvait le regarder pendant que les mots coulaient de plus en plus rapidement de ses lèvres. Visiblement atteint par ces paroles, Serge la fixait, pétrifié, la dure réalité qui était la sienne effaçant son propre tourment qui lui semblait maintenant dérisoire.

— Quand on est différent, on t'oblige à avoir honte, à te cacher. J'essaie depuis ce jour-là de ne plus y penser, de me convaincre que ce n'est pas vrai...

Ne trouvant pas de mots pour exprimer ce qu'il ressentait, Serge s'approcha d'Annabelle et l'enlaça tendrement. Elle s'était tue et maintenant pleurait. Serge la berça doucement, comme une enfant, leurs larmes se mêlant. Le silence les enveloppait, plein des échos de ces confessions. Annabelle ne reconnaissait plus sa peine, celle-ci étant sortie de l'ombre pour être partagée. Rien au monde ne pourrait la faire bouger, ni prononcer une syllabe de plus. Une froideur mortuaire étreignait ses os.

Serge enlaçait étroitement ce corps glacé, les larmes d'Annabelle baignaient sa poitrine dure et musclée. Doucement, tendrement, il lui murmurait des paroles qu'elle n'entendait pas mais qui la berçaient, la consolaient, adoucissaient l'affreuse haine qu'elle ressentait envers son père.

Serge se sentait ému, Annabelle avait douté de son affection, mais comment aurait-il pu en être autrement. Elle lui avait fait don de ses malheurs pour apaiser sa propre douleur, jamais il n'avait perçu ce côté secret de sa vie. Longtemps, ils restèrent ainsi enlacés, rivés l'un à l'autre, se consolant mutuellement par leur simple présence.

***

Lorsqu'Annabelle ouvrit les yeux, elle était étendue sur la moquette, couverte d'un édredon. Serge était assis à la table du living, un crayon entre les doigts. Silencieusement, il la regardait d'un regard indéchiffrable. Elle se sentait faible, qu'allait-il arriver maintenant, qu'adviendrait-il d'eux. Ce mutisme la glaçait intolérablement, qu'il la gifle ou l'insulte mais qu'il cesse de lui montrer cet air atterré, visiblement perdu dans une profonde méditation. Annabelle le fixait, elle retenait sa respiration, elle attendait un signe, n'importe quoi.

Serge se leva pour aller s'asseoir sur le sofa près d'elle.

— Qu'est-ce que tu connais de la vie ? Je crois qu'il n'y a pas de vie, Anna, rien que le temps qui passe, des moments qu'il faut savoir prendre pour cueillir ce qu'ils offrent de meilleur. La vie, c'est de ne jamais renier ce qu'on a choisi de faire. Pas de regrets, pas de surprises, pas de scrupules ni de remords. Il faut vivre intensément. Rien que ça, Anna.

Il se dirigea vers une autre partie de la maison, un bruit d'eau se fit entendre. Elle n'osait pas bouger, elle restait là, immobile. Elle se sentait perdue dans un moment terrible et l'acceptait simplement. Elle se sentait nerveuse et avait envie de pleurer. Serge revint, les cheveux humides, vêtu d'une robe de chambre blanche qui éclairait la pénombre.

— Si tu veux prendre une douche, la salle de bains est au fond, à droite. Je prépare le petit déjeuner. Ça va ?

Dès qu'il tourna le dos, elle s'élança vers la salle de bains où elle se dévêtit rapidement. Annabelle se regarda dans la glace. Depuis ce jour de novembre sa nudité lui semblait insolite. Elle avait l'impression que son anatomie la trahissait, et tout cela parce qu'elle était amoureuse. Le médecin lui avait dit qu'elle devrait subir une exérèse, une ablation chirurgicale peu après sa puberté. Elle examinait ce corps sans vie, ce corps qu'elle n'exposait jamais à la vue des autres, ce corps envié pour sa perfection, voué à une jeunesse sans fin, stationnaire.

Seize ans plus tard, lorsqu'elle se regarderait à nouveau, avec la même intensité, ce moment lui reviendrait en mémoire, elle constaterait que son corps n'avait pas changé, sauf son visage, son visage du futur, celui de la douleur qui se serait incrustée. Elle essayerait alors de se souvenir du visage de sa jeunesse sans y parvenir.

Soudain un rire grotesque, sans joie, éclata en elle mêlé de pleurs. Ce débordement d'émotions l'épuisait, elle perdait pied, elle perdait la tête. Qu'à cela ne tienne, elle savait comment on traite les folles. La douche, la douche froide. Elle fit jaillir sur elle un puissant jet glacé. Quel plaisir ! Quel délice ! Son rire dément s'était tu et elle revint à la vie, sans anxiété. L'eau coulait sur son visage, glissait sur sa peau fiévreuse et retombait sur ses pieds. Elle transpercerait son corps de mille petites aiguilles.

Renversant la tête, Annabelle ouvrit la bouche, laissant l'eau étancher sa soif. Cette eau fraîche purifiait son corps et son âme et la guidait vers l'oubli. Sous le jet sauvage, de plus en plus glacé, son corps se raidissait, son cœur cessait de battre, pour recommencer fébrilement puis s'arrêter à nouveau. Sortant de sa torpeur, Annabelle tenta de fermer le robinet mais ses doigts ne lui obéissaient plus, ses muscles paralysés ne répondaient plus. Jamais elle n'avait connu pareille vacuité, comme si elle se retrouvait la nuit, nue au milieu d'une poudrerie déchaînée qui transformait son corps en statue de glace. Son corps s'évanouissait, il ne restait plus que le dernier souffle, celui qui frémit et geint. Mourir et renaître de la neige, du froid, de la pureté originelle du vent.

— Es-tu folle ? Ferme le robinet, c'est l'eau froide qui coule...

Du fond de sa paix, la voix de Serge lui parvenait comme un écho vide qui se répercutait sur l'apesanteur qu'elle ressentait. N'était-il pas beau de mourir ainsi, elle voulait éloigner ces ombres qui dansaient autour d'elle.

Quelqu'un s'occupe de son corps, l'emporte, l'enveloppe, le berce. Annabelle ouvrit les yeux sur un feu qui brillait dans la cheminée. Elle sentait une friction sur sa peau maintenant douloureuse, une odeur d'eau de cologne lui montait au nez. La conscience lui revenait, mais elle restait sans voix. Elle distinguait la forme de Serge, accroupi près de ce corps qui était le sien, un Serge complètement dérouté par ce qu'il voyait, le visage durci par la tension et le malaise. La nudité d'Annabelle disparut dans l'édredon dont il enroulait son corps comme une momie. Elle sentait un escadron de fourmis envahir ses jambes, ses bras, ses mains, sa nuque. Maladroitement, elle essayait de les chasser en bougeant ses membres aussi lourds que du plomb. Elle ne pouvait desserrer les dents ; patiemment, Serge les écarta pour lui faire avaler un peu de café et de cognac. Ce mélange bouillant lui fit reprendre complètement conscience et elle lui sourit.

Il s'était allongé contre elle sous la couverture et la chaleur de son corps, couplée à celle du feu, acheva de lui rendre vie. Elle l'entendit murmurer doucement :

— Tu m'en veux pour la scène d'hier soir. Je m'en veux aussi mais j'avais bu et je ne savais plus vraiment ce que je disais. C'est grave ce qui nous arrive. Avoue que ce n'est pas une situation ordinaire. Il faut que tu me donnes du temps. Tu comprends ?

— Laisse-moi t'expliquer Serge. J'ai quelque chose à te dire...

Il l'interrompit :

— J'ai pas fini Anna. Je ne voulais pas te contraindre à me faire ces aveux. Je comprends un peu ce que tu vis, ce ne doit pas être facile, surtout dans l'environnement où tu es, mais...

Blanche de rage, Annabelle sentit sa pitié, sa compassion sous le déluge d'excuses.

— J'ai pas besoin de ta pitié, Serge Denoncourt. Tu ne comprends rien et cela m'est égal. Tu peux aller au diable avec ta pitié ! Si je me suis confiée à toi, c'était uniquement parce que je me sentais responsable de ta douleur. Je regrette maintenant de t'avoir dit tout ça... je peux aussi te dire que l'incident de la douche n'avait rien à voir avec... avec...

Annabelle s'embrouillait dans ses explications, elle perdait pied et se mit à sangloter. Serge la prit dans ses bras, essuya ses larmes. Annabelle comprit alors que ses efforts ne servaient à rien, elle se détendit soudain et perçut l'affreuse vérité. Elle ne pouvait pas embrouiller davantage les pensées de Serge, surtout pas avec le genre d'explication qu'elle s'apprêtait à lui servir. Elle ne passerait pas sa vie à s'expliquer, à se sentir coupable d'une chose dont elle n'était pas responsable et contre laquelle elle ne pouvait rien. Qu'il croit n'importe quoi, cela n'avait plus d'importance maintenant.

***

Après l'examen de math, Serge lui remit une enveloppe cachetée. Elle ne porta pas attention à son silence. Après les péripéties de la nuit, ils étaient épuisés, vidés. L'enveloppe blanche dormait entre ses doigts, elle pouvait la jeter, la déchirer en mille morceaux, mais la curiosité, et peut-être un espoir fugitif, étaient plus forts que son intuition. Annabelle retira le feuillet de son enveloppe.

Chère Anna,

Je pars pour l'Europe demain soir. Ne crois pas que je m'enfuis, ce voyage est une tradition dans ma famille et je pars chaque été. Je veux en profiter pour faire le point sur nous. Tu dois rester en dehors de mon débat pour le moment. Ne crois pas à un rejet de ma part, tu sais que je t'aime, je te l'ai dit et je te le répète encore. Sans vouloir te blesser ou te torturer davantage, je dois t'avouer que j'avais prévu fonder une famille avec la femme de ma vie. Peut-être que ces mois de réflexion me prouveront que ce n'est pas si important. Nous pourrions toujours en adopter. Ce que tu as à m'offrir a beaucoup de valeur à mes yeux. Je sais aussi que si je prends cette voie, elle peut nous conduire loin, trop loin pour que nous y entrions sans réflexion.

Je te téléphonerai à mon retour. D'ici là, porte-toi bien.

Je t'aime.

Serge

La voici poliment, officiellement congédiée, renvoyée à ses petits chagrins, à son désespoir. La veille, il avait parlé de fuite, des moments à vivre, à savourer sans regrets ni remords, de la fidélité que l'on ne doit qu'à soi-même.

Une foule nombreuses assistait à la soirée d'ouverture du second Salon international du livre de Québec. Plus d'une centaine d'invités étaient réunis à la salle de bal du Château Frontenac ; Henri Vernes, René Goscinny et Albert Uderzo, l'écrivain forçat Henri Charrières, aussi conférencier au banquet inaugural, et beaucoup d'autres.

Annabelle se trouvait là parce que l'éditeur de *Noble Passion* faisait partie du conseil d'administration du Salon et aussi parce qu'elle était récipiendaire d'un prix littéraire. L'originalité de son œuvre avait attiré l'attention de quelques critiques et le livre se vendait bien.

D'un ton monocorde, un éditeur montréalais expliquait à Annabelle les difficultés de diffusion du livre québécois. Tout en l'écoutant distraitement, Annabelle regardait autour d'elle, songeant que l'élégance des invités, le buffet exquis, les vins de haute qualité et le service sans faille donnaient une impression de bonheur assez illusoire.

Annabelle n'était pas heureuse, la seule voix qu'elle aurait aimé entendre était morte depuis trois semaines. Elle ne possédait pas le détachement nécessaire pour profiter du luxe de la réception et des plaisirs qui s'y rattachaient. Pouvait-elle vraiment en vouloir à Serge de s'être enfui ? Elle s'était confiée à lui pour le rassurer, le délivrer de sa propre torture, et aussi parce qu'elle le croyait différent. Pourquoi avait-elle pensé cela ? Sans doute parce qu'il lui avait confié qu'il n'avait personne à aimer, comme Annabelle. Parce qu'il était différent, un étranger parmi les siens, parmi les autres qui ne voyaient que l'apparence. Ses nombreuses maîtresses lui avaient donné leur corps mais pas d'amour, lui avaient prêté leur corps mais jamais leur cœur.

Soudainement, elle quitta l'éditeur et se fraya un chemin vers le buffet. Elle fut bientôt accostée par un éditeur célèbre, intrigué par sa solitude. C'était un homme sombre, grand et maigre, au visage intense. Son nom faisait loi dans le milieu, et obtenir un contrat de cet homme représentait presqu'une garantie de succès.

— Il est difficile de croire qu'une jeune femme aussi belle et élégante que vous puisse être écrivain.

Annabelle se retourna et l'aperçut.

— L'ironie est la bravoure des faibles et la lâcheté des forts, lui répondit-elle.

— Intelligente en plus.

— Vous avez lu mon livre ?

— Non. Par contre, j'en connais le sujet. Très intéressante, cette idée de geisha occidentale.

Il l'examinait, ses yeux la parcouraient lentement des pieds à la tête. Annabelle se laissa examiner sans broncher.

— Que cherchez-vous au juste, mademoiselle Sirois ?

— La paix, monsieur, seulement la paix.

Annabelle déposa son verre et quitta la réception.

CHAPITRE 3

La camarde, Sherbrooke : été 1973

*I*l y a des douleurs qui tuent lentement et qui ne s'effacent qu'avec la mort. Tout au long de la vie, elles laissent des traces indélébiles, de plus en plus intolérables avec le temps. Elles sont inoubliables, malgré tous les efforts entrepris pour fermer la petite trappe entre le conscient et l'inconscient. On finit toujours par les retrouver en face de soi, un jour ou l'autre. On croit que le temps les apaisera, mais elles sont toujours présentes en nous, se manifestant par certains comportements, certaines attitudes qui se signalent subtilement ou avec fracas. L'entourage, le plus souvent inexpérimenté en la matière juge, accable, condamne, sans chercher à savoir vraiment et encore moins à comprendre.

Le plus cruel, pour les victimes de cette forme de douleur, c'est que celle-ci se retourne inexorablement vers elles. Il n'est pas de partage possible non plus ; cette douleur attire l'incompréhension, le dégoût, la peur, parfois la pitié ou le remords, si elle ne choque pas ses interlocuteurs en les forçant à réfléchir sur ce qu'ils se refusent à voir.

Annabelle devint ainsi, contre son gré, une de ces victimes par une nuit d'été. Cette nuit, elle se transforma en camarde. Pourquoi ? Parce qu'elle était un être à part. De toute façon, c'est arrivé et il a fallu qu'elle l'assume. Seule. Rien pourtant ne laissait présager qu'un tel drame puisse se produire, c'était carrément impensable. C'est pourquoi, au cours des années subséquentes, Annabelle préféra le silence à la culpabilité, la souffrance à la pitié, et le mensonge à la vérité.

De cette nuit, il ne lui resta que de l'amertume, quelques images et des sons. Elle eut l'impression de mourir et de renaître durant un court instant. Elle était dans un état d'agitation indescriptible, possédée par le démon de la douleur, elle pleurait et libérait un flot incohérent de paroles, de rires et de lamentations. Un médecin et un ambulancier se mettront en devoir d'arrêter la crise, la secouant, la baignant d'eau froide, la giflant pour finalement avoir recours à une compression des globes oculaires, qui la calma. La dernière chose qu'elle entendit fut une voix autoritaire crier :

— Sortons-la d'ici.

Était-elle morte ? Non, elle dérivait dans un monde à part, éthéré, elle sentait plus qu'elle ne voyait les gens qui entraient dans la pièce, qui la déposaient sur une table de métal à roulettes. Elle sentait la froideur du métal à travers le mince tissu de la chemise d'hôpital. Le chariot roulait dans le couloir et elle se mit à compter les lumières qui passaient au-dessus de sa tête. Elle devait les compter sans se tromper, mais elle ne pouvait se rappeler pourquoi. On la conduisit dans une salle d'opération, toute blanche, aseptisée. Quelqu'un tenta de la réconforter en lui tapotant le bras.

— Là, là, vous n'allez rien sentir.

On lui plaça un masque sur le visage et une voix commanda :

— Inspirez profondément.

Annabelle sentit qu'on soulevait sa chemise et qu'on lui écartait les cuisses. Elle sentit un objet d'acier froid s'approcher de ses jambes et entendit une voix hurler :

— Arrêtez ! Arrêtez !

Annabelle leva les yeux vers les visages étonnés, penchés sur elle, et comprit que ces cris venaient d'elle. De nouveau, on appuya le masque sur son visage, elle tenta de s'asseoir, mais des courroies la retenaient. Son esprit se mit à tournoyer de plus en plus vite et la dernière image à s'inscrire fut celle d'une énorme lumière blanche qui semblait décrire des cercles autour d'elle.

***

Dans la blancheur de son no man's land, Annabelle s'abandonnait doucement, glissait peu à peu dans la folie. Son regard scrutait inlassablement la blancheur infinie qui l'entourait, cherchant désespérément le regard de Serge, le corps de Serge pour rompre ce silence perpétuel. Elle ne savait pas où elle se trouvait ni pourquoi, mais elle s'y sentait bien. Quelquefois, des bruits de voix lui parvenaient par bribes. Elle n'y portait pas vraiment attention, elle n'était attentive qu'à la blancheur qui l'entourait. Il ne lui restait plus que ce regard scrutateur qui sondait l'horizon à la recherche des bras consolateurs de Serge. Elle se souvenait alors qu'elle aurait pu être la femme d'un homme, la femme de Serge. Quelquefois elle crut l'apercevoir, mais quelque chose de chaud et d'humide embrouillait sa vision, lui faisant confondre le visage de Serge avec la blancheur ambiante.

Peu à peu, cette luminosité s'estompait pour laisser voir les contours d'une pièce toute blanche où elle se déplaçait de long en large, de large en long, dans un chemin de croix infini, incessant. Cela la soulageait un tout petit peu de l'absence de Serge. Épuisée, elle se recroquevillait dans un coin, se faisant le plus petite possible, et elle l'appelait, elle appelait Serge doucement, secrètement. Mais il ne venait pas. Pourquoi ne venait-il pas ? Aussitôt, la douleur au cœur et au corps revenait, refaisait surface. Elle criait, hurlait. Elle sentait qu'on traînait son corps sale, anorexique, mort, sur le lit. Il lui semblait qu'on l'immobilisait pour toujours. Ce corps qui n'était plus là que pour supporter sa tête, elle geignait comme un animal blessé à mort par un chasseur maladroit. Elle ne souhaitait plus qu'une chose, que la mort la délivre. Mais elle non plus ne vint pas.

Quinze jours plus tard, la raison lui revint, elle ouvrit les yeux, elle était vivante.

***

Deux jours plus tard, sa mère vint la voir. Elle était atterrée, complètement vidée. Dès qu'Annabelle l'aperçut, elle s'écria :

— Va-t-en maman, je ne veux pas te voir.

Elle avança néanmoins vers le lit de sa fille.

— Annabelle, je t'en prie, écoute-moi. Il faut que je te parle.

— Je t'en prie, épargne-moi ce spectacle de martyre éplorée. Ça ne prend plus.

Elle essaya encore :

— Annabelle, je n'ai rien à voir...

Annabelle l'interrompit, les dents serrées :

— Qu'est-ce que ça change que tu y sois ou non pour quelque chose. Tu crois que cela suffira à effacer ce qui s'est passé ? Te rends-tu compte seulement de ce qu'il a fait ? De ce que ton mari a fait ?

— Ton père ...

— Ne parle plus jamais de lui devant moi, tu m'entends ? Jamais.

— Annabelle, je suis ta mère, tu n'as pas le droit de me parler ainsi, de me traiter de cette façon.

— Ma mère, toi ? Ce mot-là sonne vraiment faux.

Madame Sirois ne savait plus que dire.

— Tout cela est de ma faute, c'est ce que tu te dis ?

Annabelle laissa sa rancœur l'envahir totalement.

— Oui ! C'est de ta faute. Si tu avais eu le courage de
quitter cette ordure, il n'existerait pas quatre enfants dépossédés
de la vie, abandonnés à eux-mêmes, à un sort qu'ils n'ont pas
voulu.

Madame Sirois était désespérée.

— Ne dis pas ça, je t'en prie.

Mais Annabelle ne pouvait plus contenir sa hargne, refoulée
depuis si longtemps.

— Ça effraie de m'entendre ? Ça effraie d'entendre la vérité ?
Eh bien, laisse-moi te dire que cela m'effraie encore bien plus
de te la dire. Dix-huit ans que je la subis, cette vérité, que je te
vois la fuir, cette réalité, maman.

Annabelle s'assit sur son lit.

— Regarde-moi dans les yeux, maman ! Je veux que tu me
regardes droit dans les yeux !

Régine Sirois, qui lui avait tourné le dos, se retourna. Elle
regarda sa fille droit dans les yeux.

— Tu m'as enlevé mon enfance, mon adolescence, ma vie.
Tu ne m'as jamais donné de tendresse, d'affection ou d'amour.
Tu m'as obligée à mûrir rapidement, à prendre tes responsabi-
lités de mère, sans te soucier du mal que tu me faisais. T'es-tu
déjà souciée de tes enfants, de ce qu'ils pouvaient endurer ?
Subir ? Je ne sais pas ce qui serait advenu d'eux si je n'avais pas

été là pour en prendre soin. Et le pire, c'est que je n'avais même pas le choix.

Madame Sirois détourna la tête.

— Regarde-moi, cria Annabelle.

Régine Bélanger-Sirois obtempéra, regardant sa fille les yeux pleins de larmes, sa tête se mit à trembler.

— T'es-tu seulement demandé si j'étais d'accord ? T'es-tu demandé ce qui se passait dans ma tête ? Ce que je pense réellement ? Veux-tu que je te le dise ?

Sa mère ne dit rien.

— J'ai pensé vous tuer, tous les deux, et tu sais quoi ? Je crois que si je l'avais fait, aucun juge ne m'aurait condamnée parce qu'il aurait constaté que c'était un bien pour l'humanité. Maintenant tu pleures, maman. Allez vas-y, ta vie se résume à ça, une vallée de larmes due à un apitoiement égocentrique.

Elle essaya de lui faire comprendre qu'elle était sa mère :

— Je mérite peut-être ta haine, mais cela ne te donne pas le droit de me juger. Même si tu ne le crois pas, je t'aime. Je vous aime tous les quatre.

— Aimer, toi ? Tu ne sais pas ce que c'est que d'aimer. Ce que vous offrez, toi et ton butor, ce n'est que le dégoût de soi, la haine. Et le plus dégoûtant, maman, c'est que je suis convaincue que tu n'es pas venue ici pour me voir mais plutôt pour t'assurer que je ne dirai rien.

Régine Sirois se leva, maîtrisant péniblement son tremblement. Annabelle attendait désespérément un mot, un geste.

— Tu n'as pas à t'inquiéter, je ne parlerai pas. Parce que, même si je le faisais, personne ne me croirait.

***

82

Depuis qu'elle avait quitté l'hôpital, Annabelle traînait dans un brouillard si épais, si gluant, qu'il lui était, dans son état de faiblesse, pratiquement impossible de se dépêtrer. Elle aurait voulu ne jamais avoir existé. Mais au fond, peut-être, était-ce ce qui lui était arrivé.

Annabelle demeurait chez sa tante Gertrude, à qui elle avait demandé de l'héberger pour quelque temps. Il était hors de question qu'elle retourne à la maison « familiale ». Elle avait assuré sa tante qu'elle était en convalescence suite à l'opération prescrite voilà deux ans et qu'elle avait besoin de solitude. Gertrude Bélanger n'avait pas exigé davantage d'explication et elle était même allée chez sa sœur pour y prendre les effets personnels de sa nièce. Personne ne lui avait posé de questions. La politique de la famille était toujours de rigueur : on ne voit rien, on n'entend rien et surtout on ne dit rien.

Dans la petite chambre, offerte par sa tante, Annabelle recréa son environnement habituel, son cocon. Il faisait chaud en ce mois de juillet, elle entendait le chant des oiseaux dehors et le parfum des fleurs du jardin se rendait jusqu'à sa fenêtre, mais elle demeurait insensible à tout cela. Son attention était essentiellement rivée sur le bruit de sa plume sur le papier.

JOURNAL

Serge, 22 juillet 1973

Depuis combien de temps n'ai-je pas bougé de mon antre ? Mes pas m'étourdissent, mes yeux s'embrouillent et tante Gertrude essaie maladroitement de me retenir. Elle a une drôle de petite voix fêlée, ma tante, de celles que je suis incapable d'entendre distinctement. Elle a peur de moi, elle tremble pour moi, sans savoir pourquoi. Depuis six jours, je ne fais qu'écrire, ou je fais du mur à mur dans cette chambre stérile. Je n'ai pas encore dix-neuf ans, tu sais, et déjà j'ai pris l'odeur fade des livres qu'on ne lit pas. Il m'arrive la nuit de serrer mon ours très fort et de crier ton nom à voix haute jusqu'à ce que ma gorge brûle. Je sais bien que tu es en Europe, que tu ne peux pas m'entendre, mais cela m'est égal, je crie ton nom quand même.

Tante Gertrude écoute à ma porte, mon oncle m'épie par le trou de la serrure, cela n'a pas d'importance. Si tu étais resté, si tu n'étais pas parti, Serge, cela aurait-il changé quelque chose ? Je me pose la question. Je ne sais plus qui je suis. J'ai eu un court entretien avec le médecin, le jour de ma sortie de l'hôpital. Il a établi un verdict de dépression postopératoire, rien de plus naturel dans mon cas. Tu imagines ça, pas un mot sur ce qui m'est arrivé réellement. Il a cru ce que le butor lui a dit. Comment pourrait-il en être autrement ? Comment un père pourrait-il être responsable d'un acte aussi abject ?

Tu sais, je me fous royalement de ces diagnostics, j'entre maintenant, de plain-pied dans la phase la plus intense de mon repli sur moi-même. Je pars à la reconquête de ma solitude. Tout ce qu'on a pu me dire, me suggérer, sous-entendre, affirmer, prescrire ne m'atteint plus. Je n'ai plus ni force, ni volonté. Ma forteresse s'effondre. Je ne pense pas m'en sortir. C'est trop difficile, et les témoins de ce drame ne se rendent pas compte de ma souffrance. Tu sais, ma vie reposait entièrement sur toi. Je ne te l'ai jamais dit, mais c'était vrai. Maintenant, sans toi, il ne me reste plus rien.

2 août 1973

Ma mort est vieille de trente-cinq jours et je ne la comprends toujours pas. La mort est-elle faite pour qu'on la comprenne ? La rentrée scolaire approche mais je n'y serai pas. Cela m'indiffère. Mon procès se passera à huis-clos. Il ne reste plus personne autour de moi. Le butor, ma mère, Claude, Sébastien et Pauline, leurs caprices et leurs drames ne font plus partie de ma conscience. Je les ai toujours tenus à distance, tant pour les protéger que pour me protéger. En éveillant mon appétit de bonheur, Serge, tu me préparais à une vocation de regrets et à l'amertume. Mais tu ne pouvais savoir, comment aurais-tu pu concevoir pareil drame ? Tu m'abritais, à ton insu, sous tes grandes ailes patientes, inventant le ciel sur terre. Maintenant tout est fini. Le frêle espoir que j'entretenais à ton égard est à jamais disparu. Jamais je ne pourrai te regarder sans avoir honte, sans éprouver du remords, et peut-être de la haine. Près de toi, je marchais la tête haute, les épaules droites, le rire aux lèvres.

Maintenant, je traîne les pieds, je m'affaisse, mon visage, le visage de l'avenir, est plâtré ; je suis, en fait, un pantin dont toutes les ficelles sont brisées. J'ai pensé au suicide, mais je n'ai pas ce courage, si c'en est. Si je sors de mon mutisme, je recommencerai infailliblement à me chercher une identité, un nom, des preuves, une explication, une voie... la vacuité n'est-elle pas meilleure que le supplice qui semble m'attendre. Obnubilée par l'image que tu me renvoyais de moi, je me retrouve avec des traits flous, des lignes incomplètes, un profil vague et fuyant.

Qui suis-je donc ? Ton intérêt pour moi a-t-il idéalisé ma vie ? Je fuis le regard des autres afin de retarder le plus possible, le moment où les interrogations dans leurs yeux se traduiront en paroles. Tante Gertrude m'entend frapper à coups de poing dans les murs de la chambre, elle entend aussi mes crises de larmes. Mais je ne peux rien dire à personne parce que je n'ose pas me le dire. Par moments, je crois que le délire, le drame sont choses du passé, que j'accepte ton absence d'une manière sensée, c'est-à-dire définitive. Mais les crises succèdent aux crises...

6 août 1973

Je sais maintenant qu'aux termes du calendrier, l'éternité dure six semaines. Mon sens pratique a refait surface, et j'ai commencé à ramasser les morceaux en prévision d'un certain avenir. Ma mère a téléphoné à plusieurs reprises, mais j'ai refusé de lui parler. Comment le faire après tant de lâcheté. Je ne vivrai plus dans cette ville, ni dans cette famille qui ne tolérait ma présence qu'à cause de ce que je pouvais lui apporter. Je les quitterai donc autant parce qu'ils comptaient sur moi que parce que je n'ai jamais pu compter sur eux.

20 août 1973

J'ai pris une décision, je pars pour New York dans trois jours. Je viens de recevoir une réponse affirmative à ma demande d'audition dans une école de formation artistique. Je ne sais pas si je réussirai à y être admise, ni ce qui m'y attend. Je ne sais rien, si ce n'est qu'il me faut quitter cette ville, ce cauchemar, et me refaire une nouvelle vie pour oublier. Mes activités artistiques et créatrices m'ont toujours aidée à mieux supporter ma douleur et mon isolement ; il est donc naturel que mon avenir y soit lié intimement. Ce projet représente l'évasion essentielle à ma survie. Je partirai donc sans laisser de traces. Dois-je fidélité aux miens ? J'ai reçu un lettre du butor accompagnée d'un chèque, j'ai déchiré le tout sans y porter le moindre intérêt. J'ai quelques économies et mon éditeur m'a remis un chèque pour la vente de mon premier roman. C'est peu, mais je me débrouillerai sur place. Je sais que rien ne m'empêchera de partir. J'ai terminé ma tâche ici. Je dois m'effacer à jamais, trancher les liens qui m'ont unie à cette famille, et faire maison nette.

***

Annabelle ne connut jamais la décision de Serge, car en ce début d'automne, elle quitta Sherbrooke pour ne plus jamais y revenir. Elle apprit, dix ans plus tard, qu'il n'avait pas terminé ses études et qu'il travaillait pour une compagnie de téléphone. Il était marié et père de deux petites filles, dont l'une se prénommait Annabelle.

CHAPITRE 4

Annabelle, New York : 1973-1975

*P*ersonne n'attendait Annabelle à sa descente d'avion. Elle arrivait dans une ville étrangère où personne ne l'avait précédée. Dans un anglais médiocre, elle s'enquit, auprès du chauffeur de taxi, d'un endroit pas trop dispendieux où elle pourrait loger quelques jours. Il la conduisit dans une maison de chambres miteuse de la 57e Rue. La chambre en question était minuscule, avec un canapé bosselé et un ameublement sortant tout droit des magasins de l'Armée du Salut. À l'étage se trouvait la salle de bains commune avec une fenêtre recouverte de peinture noire.

— Après tout, ce n'est que temporaire. Réussissons l'audition et on verra, se dit Annabelle.

Elle se rendit donc à l'école de Performing Arts, située Madison Avenue, pour y passer une audition. Chaque candidat devait passer quatre épreuves : un extrait de pièce de théâtre, une épreuve de danse, une de chant et finalement une de musique. Annabelle venait de terminer la récitation de son extrait de *A Street Car Named Desire,* de Tennesse Williams, devant quatre professeurs au regard hostile et scrutateur. Elle avait l'impression d'avoir échoué, même sentiment d'échec pour le chant et la musique où on l'avait interrompue avant les dix minutes réglementaires. Maintenant, elle mourait d'appréhension dans les coulisses pour sa dernière épreuve, la danse. Une femme d'une cinquantaine d'années, le visage inexpressif, posa sa main froide sur le bras nu d'Annabelle et lui dit :

— On your tœs, Miss, you are next !

Elle la détailla un bref instant et s'éloigna. La candidate précédente sortit de scène et lui souhaita bonne chance. La pianiste attaqua le thème de son solo. Sans comprendre pourquoi, Annabelle resta figée sur place, incapable de bouger. La vieille dame revint et lui dit :

— Hurry up ! Hurry up, Miss. Don't keep us waiting !

Elle poussa Annabelle vers la scène et celle-ci se retrouva devant le même quatuor de professeurs. Intimidée, elle n'avait plus qu'une envie, en finir au plus vite et s'enfuir. Elle ferma les yeux et se laissa emporter par la musique. Lorsque les cinq minutes réglementaires furent écoulées, quelques applaudissements polis fusèrent. On l'applaudissait. Quelque chose se détraqua en elle et Annabelle continua à danser, la pianiste avait cessé de jouer mais elle dansait. Elle dansait, transportée dans son monde où la musique continuait de jouer. Ahurie, la pianiste se remit à jouer et les applaudissements fusèrent de nouveau. Dans les coulisses, la vieille dame gesticulait furieusement, le visage crispé par la colère.

**

En début de soirée, plusieurs candidats attendaient que les résultats soient affichés dans le grand hall. Annabelle était parmi eux. Il lui était impossible d'attendre au lendemain pour connaître le verdict. Il valait mieux en finir au plus tôt. Aussitôt que l'un des dirigeants se présenta dans le hall avec la liste, il y eut un mouvement de masse. Les candidats se dirigèrent en bloc vers le babillard. Certains cachaient mal leur déception, d'autres criaient leur joie. Lorsqu'Annabelle réussit à se frayer un chemin à travers la foule bigarrée, son cœur se mit à battre la chamade et ses yeux, à s'embrouiller. Elle posa son regard sur la liste, à la recherche de son nom de famille. Elle écarquilla les yeux et crut défaillir, elle était admise.

***

Avec de l'aide de la délégation du Québec à New York, Annabelle trouva un trois-pièces dans un immeuble avec concierge et ascenseur de la 79ᵉ Rue. L'appartement était ensoleillé et elle disposait d'une semaine pour s'y installer confortablement. Elle effectua les achats essentiels, histoire de calmer sa nervosité. Dès lundi prochain, commencerait sa nouvelle vie en cet automne 73. Elle avait prévu que ses débuts ne seraient pas faciles mais elle était déterminée à réussir.

***

Quatre jours par semaine, huit heures par jour, les cours se succédaient à une cadence infernale : théâtre, pose de voix, chant, gestuelle, danse, escrime, maquillage, le tout sanctionné périodiquement par des examens. On ne tolérait pas les retards. Les trois autres jours étaient réservés aux travaux de recherche, aux répétitions et à l'étude. L'école semblait une vraie usine qui ronronnait au même rythme que la ville. Une vraie jungle.

Tout le monde fumait un paquet de cigarettes par jour et consommait des litres de café, espérant ainsi contrôler ses nerfs et améliorer sa performance. La glace leur renvoyait une image fragmentée d'eux-mêmes : un pied mal cambré, un postérieur un peu mou dans l'arabesque, un visage flou, des notes fausses, des interprétations sans âme, des gestes vaguement esquissés, des mains maladroites.

— Ai-je encore un nom ? Vais-je m'écrouler de fatigue ou être saisie de panique ? Qu'est-ce que je fais ici ? Et eux ? N'avons-nous pas d'autre ambition que de devenir des partenaires acceptables dans ce marathon artistique ?

Ces questions tournaient inlassablement dans la tête d'Annabelle; lorsqu'elle n'était pas à l'école, elle lisait les rubriques d'annonces en quête d'un emploi, lavait ses vêtements qu'elle faisait sécher sur une corde dans la salle de bains et pratiquait des pas plus complexes, des mimiques plus expressives. Si bien enfermée dans cet étourdissant programme, elle en perdait presque le goût de vivre, incapable de consentir le moindre effort pour autre chose que ses cours.

— Vais-je aussi perdre toute faculté de juger les résultats de mon travail? On peut se tuer à l'ouvrage et ne connaître qu'un piètre succès. Il n'y a pas plus de justice ici qu'ailleurs, songeait-elle parfois à voix haute.

Heureusement, ils évoluaient dans une sorte de grande famille où étudiants et professeurs se fréquentaient à l'extérieur de l'école. Un de leurs rites consacrait le mardi soir au théâtre ou au ballet, et ils se retrouvaient parfois au restaurant pour prolonger leurs discussions ainsi que leurs brefs moments de loisir.

***

Annabelle se demanda longtemps ce qui avait provoqué sa métamorphose: le succès remporté à l'audition ou le courage de s'affirmer. Toujours est-il que son sentiment d'isolement, bien que toujours présent, semblait vouloir quelquefois s'estomper. Elle alla jusqu'à se lier avec certains camarades de classes, ce qui causa une certaine stupéfaction. New York ne faisait pas exception à la règle pour ce qui est des racontars, et Annabelle avait toujours refusé les invitations qu'elle recevait. Un soir, elle apparut sans prévenir à l'une de ces petites fêtes.

— Ça alors! Voyez qui est là! Nous étions certains que tu ne viendrais pas.

Une forte odeur de fumée régnait dans la pièce. Annabelle n'était pas sans savoir que certains s'adonnaient au haschisch et, lorsque l'hôtesse de la soirée, une Bostonienne, s'approcha en lui tendant une cigarette, elle se sentit obligée de l'accepter. Elle prit la cigarette et la glissa dans sa bouche pour en aspirer la fumée. Il lui sembla que son visage prenait une teinte verdâtre et que ses poumons se rebellaient dans sa cage thoracique, mais elle parvint à contenir la fumée et remercia d'une voix étouffée la Bostonienne.

Aussitôt que son interlocutrice s'éloigna, Annabelle en profita pour s'effondrer dans un fauteuil. Elle se sentait prise de vertige, mais le malaise s'estompa rapidement. Curieuse, elle tira une seconde bouffée et eut aussitôt la sensation de s'alléger. Annabelle avait entendu parler des effets du *pot*. On disait que cette drogue libérait la personnalité des freins qui la paralysaient. Annabelle prit une autre bouffée qu'elle aspira plus profondément et eut l'impression de flotter, de dériver en état d'apesanteur. Elle voyait les autres, les entendait, mais tout, autour d'elle, s'estompait, et les sons lui parvenaient de très loin.

Les lumières lui parurent trop brillantes et elle ferma les yeux quelques instants. L'impression de flotter s'accentua et devint délicieuse ; Annabelle se voyait dériver au-dessus de l'Empire State Building dans une mer de nuages moutonneux. Soudain quelqu'un prononça son nom et elle ouvrit les yeux à regret.

— Ça va, « Sirouais » ?

Annabelle sourit d'un air satisfait et répondit :

— C'est merveilleux ! C'est la première fois que je fume du haschisch.

La Bostonienne sursauta.

— Du haschisch ? Mais je t'ai donné une gauloise !

***

91

Le jour vint où l'ensemble de ses frais, joint à la difficulté de se trouver un emploi, obligèrent Annabelle à transformer une pièce de son appartement, pour inviter une compagne à s'y installer. La contribution de Nancy Bennaham lui permit de terminer son année scolaire. Fille d'un industriel riche et régulièrement absent, Nancy parlait quatre langues, dont le français, et sa présence donna l'occasion à Annabelle d'améliorer son anglais. Elles se complétaient comme des sœurs, Nancy possédait une énergie incroyable, des yeux et des cheveux noirs magnifiques, un caractère ferme et tenace. Annabelle comprit rapidement qu'elles partageaient des goûts et des habitudes similaires. En résumé, Annabelle avait fait d'une pierre deux coups.

Le seul nuage depuis l'arrivée de Nancy dans son intimité, c'était sa curiosité. Annabelle n'ignorait pas que ses camarades n'avaient pas renoncé à découvrir la vérité sur son compte, et la curiosité de Nancy la blessait plus qu'elle n'aurait cru. Ce soir, par exemple, tandis qu'Annabelle s'affairait à la préparation du repas, Nancy papillonnait autour d'elle, pleine d'allusions à son isolement, ses rapports avec Andrew et le froid qu'elle flairait entre eux.

Patiemment, Annabelle tenta de détourner son attention, râpant les carottes avec adresse, et d'éviter ainsi d'être entraînée dans un examen de ses présumés sentiments pour son partenaire de danse. L'insistance de Nancy était étrange, insinuante, comme si elle préparait quelque chose et qu'elle ne pouvait plus l'éviter.

— Au fait, Annabelle, j'ai invité Miles Steppelton à souper, lança-t-elle à bout de ruse et de patience.

Comme tout le monde à l'école, Annabelle savait que Miles était une sorte de playboy, engagé à titre d'assistant professeur, plus à cause de la contribution financière annuelle de son père que pour ses talents d'artiste ou de danseur. Annabelle se demandait pourquoi elles le recevraient ici alors que ni une ni l'autre n'était intéressée par lui. En riant, Nancy énuméra ses qualités : bon baiseur, dixit Joan, figure agréable et caractère souple. Annabelle se dit qu'elle irait au cinéma pour lui laisser le champ libre. À sa grande surprise, Nancy insista pour qu'elle assiste à ce souper pour tenir compagnie à l'autre invité.

— Qui donc ? demanda Annabelle.

— Andrew !

***

À cause d'une répétition qui se prolongea jusqu'à six heures, Annabelle rentra à la maison complètement exténuée. Une odeur alléchante flottait dans l'air. Dans la cuisine, Nancy tranchait des oignons et des pommes de terre. Annabelle jeta un coup d'œil dans le four, un énorme morceau de bœuf ficelé, farci d'ail et d'anchois, rissolait. Annabelle émit un sifflement d'admiration.

Annabelle ne parvenait toujours pas à s'imaginer ce que Nancy manigançait. Prévoyait-elle conquérir Miles en le prenant par l'estomac ? Annabelle lava et rangea le gigantesque désordre qui régnait dans la cuisine et s'assit dans le living, égrainant des interrogations farfelues jusqu'à ce que le bruit de la sonnette retentisse.

Un Andrew souriant, vêtu d'un pull et de jeans délavés se découpa dans le cadre de la porte. Au même moment, Nancy apparut dans un ensemble deux pièces couleur océan. Voyant son air surpris, Andrew s'empressa d'excuser Miles qui, retenu chez des amis, viendrait les rejoindre plus tard. Il tendit les fleurs qu'il avait à la main à Nancy, de la part de lui et Miles souligna-t-il.

— Mon Dieu ! Qu'elles sont belles ! s'écria Nancy.

Annabelle prit les fleurs des mains interdites de sa copine.

— Merci Andrew ! Je vais les mettre dans l'eau.

Un vase ne faisant pas partie des choses essentielles, Annabelle dut improviser. De la cuisine, elle entendait Nancy et Andrew échanger des platitudes avec plus d'embarras que de brio. Ils semblaient mal à l'aise et manquaient totalement d'enthousiasme. Annabelle n'était pas de la meilleure humeur du monde, elle ne comprenait rien à cette mise en scène absurde où les protagonistes piétinaient lamentablement dans le living.

Le retard de Miles semblait plonger Nancy dans l'eau bouillante, ce qui était totalement incompréhensible pour Annabelle. Elle apporta les fleurs au living et proposa un drink qu'elle s'affaira à préparer. Ils trinquèrent, ne trouvant rien à se dire. Le seul espoir résidait dans les quelques bouteilles d'alcool de Nancy, donc de nouveau chin-chin, toujours pas de Miles mais des rires plus bruyants de Nancy et d'Andrew. Lorsqu'Annabelle alla pour la troisième fois se chercher un verre d'eau à la cuisine et arroser le rôti, Miles arriva enfin.

À quoi bon décrire la soirée ? Une seule chose avait de l'importance, ils avaient cru qu'Andrew était puceau et timide et Annabelle, une vierge apeurée. Miles et Nancy espéraient que leur exemple les inciteraient à faire de même et ils passèrent la soirée à se caresser devant eux. Le dégoût traversa Annabelle de part en part. Elle les quitta sans dire un mot et trouva refuge dans sa chambre, assommée par cette découverte. Quand lui ficherait-on la paix ? Quand cesserait-on de s'interroger à son sujet ? Pourquoi le célibat était-il donc une chose anormale pour une femme ?

Étendue sur son lit, Annabelle comprit qu'on finirait par l'obliger à expliquer son comportement, encore et toujours. À moins qu'elle ne trouve une solution pour y remédier. Il en existait deux : la vérité ou le mensonge. Sa souffrance et sa tragédie ne susciteraient-elles pas de la consternation et des racontars sans fin ? Elle serait à jamais pointée du doigt, sujette à des regards intimidés ou mitigés, à de la pitié et de la compassion. Non, la vérité serait beaucoup trop horrible à supporter, et la divulguer ne ferait qu'aggraver la situation. Elle se dit alors qu'elle n'avait pas à livrer ses émotions, ses angoisses, ses peurs, sa honte, ni sa culpabilité parce qu'au fond, cela ne regardait personne. Personne ne comprendrait. Comment pouvait-elle ex-

pliquer qu'elle s'était laissée détruire physiquement et morale-
ment par l'aliénation du butor?

— Si seulement j'étais morte cette nuit-là! Qui blâmer?
demanda-t-elle, en larmes, à son ours l'étreignant.

— Qu'est-ce que je dois faire? Dis-moi ce que je dois faire!
implorait-elle son compagnon d'infortune.

Sa tête s'activait, travaillait à un rythme incroyable. Tout à
coup le déclic se fit, l'épais brouillard se dissipa peu à peu, à
mesure que se dessinaient sous son crâne effervescent un plan
d'action et que les réponses à ses interrogations s'accumulaient.

Au moment où le jour pointa à sa fenêtre, Annabelle Sirois
avait résolu ses problèmes.

***

L'occasion rêvée, pour clarifier sa situation, lui fut offerte
la semaine suivante. Depuis cette sinistre soirée, Nancy et elle ne
s'étaient plus adressé la parole, elles se fuyaient mutuellement.
Andrew et Miles ne savaient comment réagir en sa présence.
Depuis six jours, la tension montait aussi bien à l'appartement
qu'aux cours, mais personne n'osait aborder directement la question avec Annabelle.

Ce mercredi-là, dans le cadre d'un cours de théâtre, chaque
étudiant devait raconter, en présence des autres, un événement
heureux ou malheureux qui avait marqué son adolescence. Annabelle prit place au banc des accusés, sous le regard attentif de
ses condisciples assis par terre, en demi-cercle autour d'elle. Elle
savait pertinemment que tout le monde attendait ce qu'elle avait
à dire, ce n'était pas tous les jours que l'on rencontrait des
originaux de son genre.

Annabelle leur raconta donc, sans entrer dans les détails, sa
relation avec Serge Denoncourt et conclut que sa venue à New

York avait été motivée par la mort tragique de Serge, décédé dans un accident d'auto quelques semaines avant leur mariage.

Un long silence suivit cette déclaration publique. La compassion dont Annabelle fut l'objet par la suite, provoqua en elle, une grande douleur, non pour l'acte commis, mais pour la souffrance qu'elle s'infligeait pour se défendre d'elle-même. Elle comprenait qu'en agissant de la sorte, elle aggravait sa situation et qu'elle devenait à jamais prisonnière d'elle-même. La dénégation ne suffisant plus, elle y avait ajouté le mensonge. Ce qui avait commencé par une histoire de quatre sous, s'infiltrerait de plus en plus profondément dans son esprit, se substituant peu à peu à celle, plus tragique, qui lui était vraiment arrivée. Elle s'y accrocherait avec l'énergie du désespoir pour maintenir son équilibre.

Au cours des années subséquentes, à travers les hauts et les bas de ses activités fébriles, un vide se creusera, de plus en plus transparent dans sa vie. Sans cesse, elle cherchera à corriger sa façon de se percevoir, à l'ajuster selon son entourage, mais elle se retrouvera terriblement seule, à l'âge où la vie amoureuse accapare normalement la plus large part des énergies humaines. Son ascétisme involontaire et forcé aura des conséquences sur son organisme. La nuit, ses spectres et ses fauves la terroriseront, et elle ne l'abordera plus qu'avec l'aide de somnifères, ou s'étourdira dans des activités créatrices nocturnes. Elle tentera aussi désespérément de reléguer l'intimité affective au rang des activités sans importance, avec des explications si ténues qu'elle n'en sera jamais dupe.

Tout ceci sera aussi accompagné d'un insidieux sentiment de culpabilité, qui corrodera la plupart des sensations qu'elle tentera de détourner du centre de son corps. Malgré des succès professionnels éclatants, qui mettront le monde à ses pieds, elle ne saura où aller, ni se définir, car le désespoir est une émotion terrifiante et que nier ses sentiments et ses émotions ne les font pas disparaître. Par contre, Annabelle n'avait aucun autre choix que de nier ce désespoir pour éviter la catastrophe. Le simple fait de s'accrocher exigera de sa part un fantastique effort de volonté et doublera son désespoir, créant une culpabilité irréelle et irréversible. Elle s'enlisera dans un processus d'auto-destruction féroce qui envahira tous ses sentiments, qui empêchera toute spontanéité et qui la forcera à s'isoler au milieu de la société.

C'était ça l'avenir d'Annabelle Sirois.

***

Annabelle baptisa ses vacances du nom de « sangsues masculines », car plusieurs amis ou cousins de Nancy, rejetons de familles riches, papillonnèrent autour d'elle. Partout où elles allaient, Annabelle et Nancy étaient constamment sollicitées par l'un ou l'autre pour une soirée ou une promenade. Ce fut aussi la première fois qu'Annabelle entra en contact avec des soupirants. Toutefois, leur ardeur ou leurs espoirs s'évanouissaient rapidement dès qu'elle leur parlait de Serge, tout en jouant avec sa bague de fiançailles.

Depuis sa confession de l'hiver dernier, Annabelle avait perfectionné son *frame-up,* en répondant aux nombreuses questions que suscitèrent cette révélation. Elle s'était donc passé la bague au doigt, une bague supposément offerte par Serge, qui lui avait été offerte par sa tante Gertrude lors de son départ pour New York. Elle possédait aussi un portrait de Serge, peint par un artiste de Soho, d'après une photographie qu'elle lui avait subtilisée. Cette toile reposait au-dessus du lit qu'elle occupait pour les vacances. Désormais, cette toile suivrait Annabelle dans tous ses déplacements. Pour renforcer sa crédibilité, Annabelle avait aussi commencé la rédaction de cette histoire, sous forme de roman qui s'intitulait provisoirement *Chimère.*

Ses soupirants ne savaient que faire d'elle, ils ne comprenaient pas qu'une fille si jeune et jolie s'obstine à vivre dans un état de deuil perpétuel. Ils soutenaient qu'elle devrait ouvrir son cœur et qu'elle trouverait sûrement un homme aussi merveilleux que Serge. Annabelle demeura inflexible. Il ne vint jamais à l'esprit d'aucun d'eux que cette histoire fut fausse, Annabelle semblait si sincère lorsqu'elle racontait son histoire qu'il ne pouvait y avoir aucun doute sur son authenticité. Elle faisait aussi de Serge un tel modèle de perfection masculine qu'aucun homme ne pouvait rivaliser avec lui. De toutes façons, que ces hommes la croient ou pas ne lui était d'aucune importance. Elle voulait simplement qu'on la laisse tranquille.

Malgré cela, quelques-uns s'entêtèrent et s'efforcèrent de l'attirer dans leur lit. Ils sentaient sa peur et sa virginité, elle n'avait pas voulu faire l'amour avec Serge avant leur mariage et par une aberration fréquente chez les mâles, chacun était certain que lui ravir sa virginité équivaudrait à la rendre follement amoureuse. Toutes les soirées se terminaient par un « chez ta copine ou chez moi ? » Par égard pour Nancy, dont ils étaient des parents ou amis, Annabelle se retenait de toutes ses forces pour ne pas les gifler, elle répondait un non ferme et poli. Cette situation l'ennuyait et la dégoûtait et elle se promit de passer ses prochaines vacances et toutes les autres seule.

Clark Jefferson se présenta à la villa Bennaham, le week-end précédant la fin de leur congé. Il était le beau-frère du père de Nancy ainsi que son conseiller juridique et fiscal. Annabelle fit connaissance avec lui à l'occasion du premier spectacle auquel elles participèrent. Il était apparu dans la loge des jeunes filles après le spectacle, pour remettre à sa nièce, un cadeau de la part de ses parents.

— Ils voulaient venir en personne, expliqua Clark à Nancy, mais un contretemps les a retenus à Genève.

Nancy comprit alors qu'elle s'était encore une fois illusionnée, et qu'au fond, elle savait que ses parents ne seraient pas dans la salle. Ils échangeaient toujours les mêmes propos au cours des années. À force de répétition, cette litanie avait perdu toute signification : ça va l'école — très bien — merci — aucun souci — non papa, maman — merci. Trois étrangers qui s'entretenaient de tout et de rien sans écouter vraiment ce que disait chacun. Les parents de Nancy comprenaient et résolvaient les problèmes matériels, donc concrets, mais, devant leur fille, ils avaient l'impression de se trouver devant un problème sans savoir quoi au juste. Si quelqu'un s'était avisé de le leur révéler, ils se seraient exclamés :

— Voyons, quelle sottise ! Nous lui donnons tout !

Nancy s'efforça de taire sa déception mais Clark la lut dans son regard. Elle secoua la tête, mécontente de tout et surtout d'elle-même, plaça le petit cadeau, sans y prêter la moindre attention, sur la coiffeuse. Annabelle qui avait observé la scène s'approcha d'elle. Avant qu'elle ne puisse prononcer le moindre mot, Clark les avait rejointes et déclarait :

— Je t'invite à dîner, toi et ta copine !

Cette proposition épouvanta Annabelle. Elle s'imagina entrer dans un restaurant chic en compagnie de Nancy et Clark, eux extrêmement élégants et beaux, elle mal fagotée et sans classe.

— Non merci, dit Annabelle à l'intention de Clark. Je travaille à un roman et j'ai beaucoup de retard.

Nancy et Clark ne l'entendirent pas ainsi. Ils n'acceptèrent pas de refus. Se rendant à l'insistance de Nancy, Annabelle les accompagna.

La limousine de Jeffrey Bennaham les conduisit chez Lutèce pour un dîner somptueux. Cet endroit ne ressemblait en rien, à ce qu'aurait pu imaginer Annabelle. Un drapeau tricolore flottait à l'entrée de l'édifice, à l'intérieur un couloir étroit menait à un bar de petites dimensions qui débouchait sur une salle à manger pimpante et gaie agrémenté d'une verrière, de meubles en osier et de nappes à carreaux. Tandis que Clark commandait pour elles, Annabelle regardait les femmes drapées de vison et couvertes de bijoux arrivant avec leur escorte. Nancy confia à Annabelle que ce restaurant était le préféré de Jacqueline Kennedy et était reconnu pour son excellente cuisine. Le repas fut un succès douteux pour Annabelle qui ne mangea qu'une salade. Clark les laissa ensuite devant leur immeuble.

— Je ne sais pas comment te remercier Clark, c'était merveilleux !

— Oui, vraiment agréable, monsieur Jefferson, renchérit Annabelle.

— Tu remercieras tes parents, ce sont eux qui en ont eu l'idée ! dit Clark en souriant à Nancy.

Annabelle apprécia le geste qu'il avait eu à l'égard de Nancy.

Annabelle fut ravie de le revoir et s'étonna même en constatant combien la présence de cette homme la stimulait. Il lui semblait aussi plus séduisant qu'elle ne s'en souvenait. Clark parut heureux de la revoir.

— Bonjour mademoiselle Sirois. Comment se portent nos héros ?

— Que voulez-vous dire ?

— N'êtes-vous pas en train d'écrire un roman ?

— Oui ! dit-elle en rougissant.

Jeffrey Bennaham s'approchant d'eux, ils l'abandonnèrent à son travail pour s'installer et discuter à l'écart. À quelques reprises, Annabelle surprit le regard de Clark sur elle et elle se surprit à écouter leur conversation d'affaires. Cela la fascinait ; ils parlaient de fusion, de lancement de produit, de la construction d'une usine, d'un produit dont la vente avait échoué. Ils parlaient aussi de leurs concurrents et dressaient des plans d'attaque, de contre-attaque.

Monsieur Bennaham partit pour un déjeuner d'affaires et Clark invita Annabelle, celle-ci étant seule. Elle le regarda jouer aux dards avec les habitués du bar de Luchow. Il paraissait à l'aise partout, en toute circonstance. Il semblait un homme bien dans sa peau et cela suscita de l'admiration chez Annabelle. Ils s'installèrent dans un coin de la pièce autour d'une petite table couverte d'une nappe de soie verte. Clark l'interrogea sur ses études.

— Nous apprenons beaucoup, mais c'est un véritable enfer, conclut Annabelle après quelques instants de bavardage.

— Bien peu de gens vont aussi loin dans leur démarche. Savez-vous ce que vous désirez faire ensuite ? lui demanda-t-il.

Elle s'était maintes fois posé la question.

— Non, pas vraiment. Je voudrais surtout réussir comme écrivain, mais à New York cela ne paraît pas facile.

— Vous n'avez pas envie de vous marier ?

Le cœur d'Annabelle manqua un battement puis elle réalisa que ce n'était pas une question d'ordre personnel.

— Je n'ai encore trouvé personne à mon goût. Elle pensa alors à son *frame-up,* à Serge, et eut un sourire mitigé.

— Un secret ? demanda Clark.

— Oui, un secret.

Elle ne voulait pas lui faire part de cette histoire et cela la surprit. Normalement, lorsque quelqu'un faisait mine de s'insinuer dans sa vie privée, Serge faisait surface, tel le héros venant au secours de sa bien-aimée. En présence de Clark, elle ne ressentait pas le besoin de le faire, ce qui l'étonna. C'était sans doute parce qu'elle ne le connaissait pas vraiment et qu'elle ne le reverrait jamais. Charmant, bel homme, il avait eu, un certain soir, pitié de sa nièce et lui avait offert une soirée magnifique, ce geste l'avait frappée. Elle savait aussi que le père de Nancy s'en remettait complètement à lui et qu'il était un avocat brillant. Par contre, elle ne savait rien de sa vie privée et qui il était en réalité. L'observant, Annabelle se compara à lui ; comme elle, il ne révélait pas toute sa personnalité et il manifestait certains sentiments pour en cacher d'autres. Annabelle se demanda alors s'il ne pratiquait pas, lui aussi, le *frame-up.*

Le reste de l'année scolaire s'écoula rapidement. Il fut temps de penser sérieusement à l'avenir et Annabelle se souvint de la question que lui avait posée Clark sur ce qu'elle désirait faire ensuite. Elle était encore à s'interroger. Elle était écrivain et elle pouvait aussi envisager des explorations en théâtre, danse ou musique. Mais elle n'était pas la seule finissante d'une école d'art à chercher du travail dans le domaine.

Entre-temps, elle avait complété la rédaction de *Chimère* et l'avait expédié à François Legault, un éditeur qu'elle avait brièvement rencontré lors du Salon du livre de Québec. Les chances qu'il lise son manuscrit étaient minces, mais elle ne possédait pas assez l'anglais pour publier aux États-Unis.

Le bail de l'appartement tirait à sa fin et le propriétaire avait demandé à Annabelle si elle avait l'intention de le renouveler. Elle lui demanda trois semaines pour réfléchir. Avec réticence, il lui accorda ce délai parce qu'elle était une étudiante étrangère et surtout une bonne locataire.

Déterminée, Annabelle passa ses journées à lire des offres d'emplois susceptibles de lui convenir. Elle ne put contacter personne par téléphone et on ne lui retourna pas ses appels. Il lui fallut deux jours pour réaliser qu'elle n'était qu'une finissante d'une école et qu'il lui était impossible de trouver du travail sans être citoyenne américaine.

Le travail au noir existait, mais peu d'employeurs étaient prêts à assumer ce genre de risque. Elle se demandait ce qu'elle allait devenir. Tout ce qu'elle voulait faire, la seule chose qui l'intéressait vraiment, c'était écrire. Annabelle décida alors de se présenter à des agents de théâtre, des compagnies de ballet, des bars, des restaurants. Elle entrait sans se faire annoncer, donnait son nom à la réceptionniste et demandait à voir le responsable à l'embauche ou aux auditions. On lui accordait parfois une entrevue. Tout ce qu'elle récolta fut des propositions d'hommes intéressés à son corps, mais pas le moindre emploi.

Au bout de deux semaines, Annabelle arriva au bout de ses ressources. Elle aurait voulu trouver un appartement moins cher mais il n'y en avait pas. Elle commença à sauter les petits déjeuners et les déjeuners et à prendre ses repas dans des Steak & Brew où, pour un prix modeste, on avait droit, en plus du plat principal, à de la salade et de la bière à volonté. Annabelle détestait la bière mais c'était nourrissant.

Elle avait compté sur les royautés, versées deux fois par année, par son éditeur québécois pour *Noble Passion*. Malheureusement, les sommes versées étaient minimes et, avec le taux de change, elle en perdait près du quart. Nancy avait reçu de ses parents un magnifique appartement comme cadeau de fin d'études. Annabelle avait donc perdu sa principale source de revenu. Nancy lui avait offert de s'installer avec elle, mais elle avait refusé car elle voulait se débrouiller toute seule. Résultat : elle était sans nouvelles de Legault, sans emploi, et n'avait plus les moyens de se payer un timbre-poste.

Annabelle se souvint alors de la proposition faite par Clark Jefferson lors du déjeuner d'avril dernier. À cette occasion, il lui avait remis sa carte d'affaires, à l'endos de laquelle il avait inscrit son numéro de téléphone personnel.

— Si un jour vous vous trouvez en difficulté, n'hésitez pas à me téléphoner, lui avait-il dit.

Annabelle l'avait remercié, fermement décidée à s'en remettre à elle-même. Mais elle était présentement en difficulté et ne pourrait s'en sortir toute seule. Si François Legault ne donnait pas de ses nouvelles d'ici vendredi, elle téléphonerait à Clark Jefferson.

CHAPITRE 5

Clark Jefferson, New York : juin-octobre 1985

V ingt minutes après avoir parlé à Clark Jefferson, Annabelle se dirigeait vers le World Trade Center. Elle n'avait aucune nouvelle de François Legault et n'avait pas d'autre choix. Elle ouvrit la porte de son bureau ; l'antichambre était bondée de filles, debout, assises, appuyées aux murs. La secrétaire assiégée tentait vainement de rétablir un peu d'ordre.

— Monsieur Jefferson est occupé. Je ne sais quand il pourra vous recevoir, répétait-elle.

Annabelle regarda la cohue sans rien comprendre. La porte du couloir s'ouvrit et trois filles s'introduisirent dans la pièce, repoussant Annabelle.

— Est-ce que la place est prise ? demanda l'une d'elle.

–– Il aimerait peut-être un harem, nous pourrions toutes rester, suggéra une autre.

La porte du bureau s'ouvrit et Clark Jefferson parut. Les cheveux noirs, coiffés vers l'arrière, les tempes argentées, les yeux bleus, il contempla cet attroupement de femelles assiégeant son bureau, d'un air effaré.

— Que diable se passe-t-il ici, Donna ? dit-il d'une voix grave et autoritaire.

— Ces demoiselles ont entendu parler de l'emploi vacant, monsieur Jefferson.

— Mais je ne suis au courant que depuis une heure !

Son regard fit le tour de la pièce, et lorsqu'il se posa sur Annabelle, elle se redressa et le gratifia d'un sourire. Il lui sourit en retour et lui dit:

— Voulez-vous entrer, mademoiselle.

Annabelle le suivit sous les regards hostiles des autres filles. Elle entra et il referma la porte. Son bureau ressemblait aux autres bureaux d'avocats, marqué de son style personnel en mobilier et objets d'art.

— Asseyez-vous Annabelle. Que puis-je faire pour vous ?

Annabelle regretta soudainement d'être venue. Elle ne lui avait jamais donné signe de vie, et voilà qu'elle reparaissait brusquement dans sa vie pour lui demander de l'aide. Elle ressentit un certain dégoût.

— Je crois qu'il serait peut-être préférable que je revienne un autre jour.

Clark Jefferson la regarda pensivement.

— Est-ce le charivari dans le bureau de ma secrétaire qui vous intimide ?

— Bien, je ne voudrais pas vous faire perdre votre temps...

— Si vous me racontiez plutôt ce qui vous amène ?

Annabelle hésita encore un peu et, finalement, se décida à lui expliquer sa situation.

— Je vois, dit Jefferson en souriant ; son visage rude en devint moins impressionnant. Est-ce qu'un emploi de secrétaire vous conviendrait ?

Annabelle ne put s'empêcher de penser au butor. Il lui avait posé la même question deux semaines avant le drame.

— Je ne sais pas quoi vous dire... je possède mon doigté en dactylo mais pas de sténo. De plus, je ne maîtrise pas encore parfaitement votre langue.

— J'ai déjà eu des secrétaires moins qualifiées que vous. Pour ce qui est de votre citoyenneté, je pourrais vous payer en argent.

— Je ne sais pas quoi vous dire, monsieur Jefferson. De plus, ce n'est que temporaire... et...

— Pourriez-vous commencer demain ?

— Oui, je crois... c'est-à-dire, certainement.

Il se pencha vers l'intercom.

— Donna, voulez-vous remercier ces jeunes femmes. Dites-leur que le poste est rempli.

— Entendu, monsieur Jefferson.

Il se tourna vers Annabelle.

— Cent cinquante dollars par semaine vous iraient ?

— Certainement, monsieur Jefferson !

— Alors, disons-nous à demain, neuf heures.

**

En quittant, Annabelle s'arrêta au bureau des renseignements.

— Bonjour monsieur ! Je suis la secrétaire de monsieur Clark Jefferson, dit-elle d'un ton dégagé. Il me faudrait quelques renseignements.

— Quel genre de renseignements ?

— Sur Clark Jefferson. J'ai l'intention d'écrire un article sur lui. Vous le connaissez ?

— Bien sûr, mademoiselle, je le connais et même très bien. D'ailleurs, tout le monde le connaît...

Une heure plus tard, Annabelle en savait autant que quiconque sur Clark Jefferson. Il avait trente-cinq ans, était diplômé de Cambridge avec une mention spéciale. Il avait été avocat dans une agence de publicité, au New Jersey, qui était l'une des plus prospères au monde. Lors d'un voyage d'affaires, il avait fait la rencontre de Jeffrey Bennaham. Celui-ci lui avait demandé de s'occuper d'une affaire délicate dans l'acquisition d'une mine de fer. Une fois l'affaire conclue, Bennaham lui demanda s'il voulait travailler pour lui. Il accepta et devint le conseiller personnel de Bennaham et faisait partie de son conseil d'administration. Depuis lors, tous les hommes d'affaires importants réclamaient ses services. Il était quasi millionnaire, célibataire, possédait une maison dans le New Hampshire et une propriété à Hawaii. Ses distractions comprenaient le racket-ball, la plongée sous-marine et la voile. Il était l'un des hommes à marier les plus désirables de New York.

De retour chez elle, Annabelle téléphona à son propriétaire pour lui dire qu'elle renouvelait son bail et elle annonça la nouvelle à Nancy. Nancy voulait fêter cet événement, mais Annabelle refusa. Toute la soirée, elle songea à Clark Jefferson. Il lui était sympathique et lui inspirait du respect; elle ne ressentait pas le moindre petit frisson en sa présence. Ce qui l'inquiétait, c'était son dévouement; s'il faisait cela dans le but de la séduire, il aurait une surprise. Il se rendrait compte très rapidement que même si toutes les femmes de New York se jetaient à ses pieds, elle ne se mêlerait pas à la cohue.

Le lendemain, Annabelle arriva au bureau à huit heures et demie. La lumière était allumée à la réception et elle entendit une voix d'homme dans l'autre bureau. Clark Jefferson dictait sa correspondance. Il leva la tête et arrêta son dictaphone.

— Vous êtes en avance.

— Je voulais me repérer un peu avant de me mettre au travail.

— Asseyez-vous. Je n'aime pas les espions, Miss Sirois ! dit-il d'une voix qui contenait une nuance de colère.

— Je... je ne comprends pas, dit-elle tout en rougissant.

— Cet immeuble est un sacré village. Rien ne s'y passe sans que tout le monde soit au courant en moins de cinq minutes.

— Je ne vois toujours pas...

— L'agent de renseignements m'a téléphoné une heure après votre départ pour me demander pourquoi ma secrétaire faisait de la recherche sur mon compte. J'espère qu'il vous a dit tout ce que vous désiriez savoir ?

La confusion d'Annabelle se changeait lentement en colère.

— Je ne vous espionnais pas, dit-elle en se levant. Si je cherchais à me renseigner sur vous, c'était afin de savoir pour quel genre d'homme j'allais travailler. Je pense qu'une bonne secrétaire doit s'adapter à son patron et je voulais savoir à qui je devrais m'adapter, poursuivit-elle d'une voix tremblante d'indignation.

Sans rien dire, Jefferson conservait son expression hostile. Au bord des larmes, Annabelle le détestait.

— Inutile de vous inquiéter davantage, monsieur Jefferson. Je pars ! dit-elle en se dirigeant vers la porte.

— Asseyez-vous, dit Jefferson d'une voix qui la cravacha. Je ne supporte pas les fichues saintes nitouches.

— Je ne suis pas une....

— Bon, je vous demande pardon. Voulez-vous vous asseoir ?

Il prit une pipe sur son bureau et l'alluma. Annabelle, humiliée, ne savait plus que faire.

— Je ne crois pas que cela marcherait... commença-t-elle.

Jefferson tira sur sa pipe et secoua l'allumette.

— Mais si, Annabelle, ça marchera, dit-il d'une voix raisonnable. Vous avez besoin de cet emploi. De plus, pensez au mal que j'aurais à dresser votre remplaçante.

Annabelle surprit une lueur d'amusement dans ses yeux bleus. Il lui sourit et, à regret, elle répondit par un petit sourire. Elle se laissa tomber dans un fauteuil.

— C'est mieux ! Vous a-t-on déjà dit que vous étiez trop susceptible ?

— Non.

— À moins que cela ne soit moi. C'est emmerdant de s'entendre surnommer l'un des hommes à marier les plus désirables de New York. N'importe quelle femelle célibataire vous prend pour cible. Vous ne me croiriez pas si je vous disais à quel point les femmes peuvent être agressives.

Annabelle ne put s'empêcher de penser au discours de Serge un certain soir d'avril.

— Cela suffirait à vous faire devenir pédé, soupira Jefferson. Mais puisque nous en sommes aux enquêtes, parlez-moi de vous. Des petits amis ?

— Non, c'est-à-dire personne de spécial.

— Vous êtes trop jeune pour demeurer veuve. Sachez qu'il n'y a personne d'irremplaçable sur cette terre.

Stupéfaite, elle comprit ensuite qu'il avait dû s'informer d'elle auprès de Nancy.

— Je vais vous apprendre sur moi une chose que personne ne vous dira. Comme patron, je suis un vrai salaud. Je suis juste mais je demande la perfection. Cela me rend difficile à vivre. Croyez-vous pouvoir vous en tirer ?

— J'essayerai, dit Annabelle.

— Bon, Donna vous mettra au courant. Le plus important, c'est de vous rappeler que je bois du café sans arrêt. Brûlant et fort.

— Je m'en souviendrai, dit-elle en se levant.

— Et aussi, Annabelle...

— Oui, monsieur Jefferson !

— En rentrant ce soir, exercez-vous à dire des grossièretés devant le miroir. Si vous faites la grimace toutes les fois que j'en dirai une, vous me ferez grimper au mur.

Une fois de plus, il lui donnait l'impression qu'elle était une gamine. Elle faillit claquer la porte en sortant. L'entrevue ne s'était pas déroulée comme prévu. Clark Jefferson ne lui inspirait plus rien d'autre que du dédain.

Malgré elle, Annabelle trouva son travail passionnant. Le téléphone sonnait sans arrêt et les noms des correspondants la fascinaient. D'autre part, Jefferson avait une liste sans cesse renouvelée de rendez-vous, à son bureau, à son club ou dans l'un des meilleurs restaurants de la ville. Au bout de quelques semaines, Annabelle commença à savoir qui il voulait voir et qui il préférait éviter. Son travail était si absorbant, que lorsque vint la fin du mois, elle en avait totalement oublié ses soucis personnels.

Ses relations avec Jefferson demeuraient sur un plan strictement professionnel, mais elle le connaissait maintenant assez bien pour se rendre compte que son air distant n'était pas de l'hostilité, mais plutôt de la dignité, un mur de réserve qui le protégeait du monde. Elle avait l'impression qu'en réalité, il était très seul, comme elle.

Elle allait parfois au cinéma ou au théâtre. Une soir qu'elle assistait à une représentation d'Hamlet dans laquelle jouaient deux de ses amis, Annabelle aperçut Clark Jefferson dans une loge, en compagnie d'une fille ravissante dans une somptueuse robe du soir. Elle ne savait rien de ses rendez-vous personnels et ignorait totalement qui pouvait être cette fille. Lui aussi aperçut Annabelle. Le lendemain, il attendit la fin de la séance de dictée pour faire allusion à la soirée.

— Comment avez-vous trouvé Hamlet ?

— La pièce n'était pas mal, mais je n'ai pas tellement aimé l'interprétation.

— J'ai trouvé excellente la fille qui jouait Ophélie.

Annabelle se disposa à sortir.

— Ophélie ne vous a pas plue ? insista Jefferson.

— Si vous désirez mon opinion, je l'ai jugée incapable de surnager.

Elle tourna les talons et sortit.

***

Au cours des semaines suivantes, Annabelle fit la connaissance des autres secrétaires. Plusieurs d'entre elles avaient une liaison avec leur patron, qu'il soit marié ou non. Elles enviaient son poste auprès de Jefferson.

— Comment est-il vraiment ? Vous a-t-il déjà fait des avances ? demanda l'une d'entre elles.

— Il ne s'embarrasse pas de ça. J'arrive à neuf heures, nous nous roulons sur le divan jusqu'à une heure et nous faisons la pause pour déjeuner, dit Annabelle sérieusement.

Voilà le genre d'histoire que ces sottes désiraient entendre.

— Non, mais dites comment le trouvez-vous ?

— Ordinaire, dit Annabelle.

Ses sentiments à l'égard de Jefferson s'étaient considérablement adoucis depuis leur première querelle. Il aimait la perfection et elle était réprimandée pour chaque erreur. Par contre, il était juste et compréhensif. Elle l'avait vu maintes fois prendre du temps pour venir en aide à d'autres et s'arranger chaque fois pour n'en tirer aucun crédit.

Un jour où ils avaient beaucoup de travail, Jefferson l'invita à dîner chez lui, afin qu'ils puissent travailler plus tard. Son appartement semblait sortir d'un magazine de design, sur deux étages, ultra-moderne. Un valet en veste blanche ouvrit la porte.

113

— Duke, voici Miss Sirois.

— Bonjour Duke, nous nous sommes parlés souvent au téléphone.

— En effet, je suis content de vous rencontrer Miss Sirois.

Du vestibule montait un escalier en spirale recouvert de tapis blanc comme dans l'ensemble du premier étage.

— Ça vous plaît ? demanda Clark.

— Si ça me plaît ? Oh oui !

Il sourit et Annabelle se demanda si elle avait montré trop d'enthousiasme, comme l'une de ces femelles agressives qui le poursuivaient sans cesse.

— C'est... c'est agréable, acheva-t-elle gauchement.

Jefferson la considérait d'un air moqueur, comme s'il lisait en elle.

— Venez dans le bureau.

Annabelle le suivit dans une vaste pièce tapissée de livres, aux boiseries sombres. Elle respirait l'odeur des livres, une atmosphère qu'elle connaissait bien.

— Alors ? demanda Jefferson gravement.

— C'est plus petit qu'une bibliothèque, fit Annabelle sur la défensive.

— Vous avez raison, dit-il dans un éclat de rire.

Duke entra, avec un seau à glace qu'il posa sur le bar d'angle et demanda à quelle heure il voulait dîner.

— À sept heures et demie.

— Que voulez-vous boire ?

— Rien merci.

— Vous ne buvez pas, Annabelle ?

— Seulement de l'eau ou des boissons gazeuses.

— Je ne savais pas.

— Vous n'êtes pas censé le savoir. C'est pour ça que vous me donnez chaque semaine un salaire royal.

— Je vous donne combien ?

— Cent cinquante dollars cash, plus un dîner dans le plus bel appartement de New York.

Jefferson se prépara un martini, et Annabelle fit le tour de la pièce en regardant les livres. Tous les classiques y étaient en plus d'une série d'ouvrages en italien.

— Vous parlez italien ? demanda Annabelle.

— J'ai fréquenté, quelques temps, une actrice italienne.

— Je vous demande pardon, je ne voulais pas être indiscrète.

Jefferson l'enveloppa d'un regard amusé et, encore une fois, Annabelle eut l'impression d'être une écolière. Elle ne savait si elle détestait Clark ou si elle l'aimait. Mais elle était certaine d'une chose, il était l'homme le plus gentil qu'elle ait jamais connu. Elle ne comprenait pas encore comment elle pouvait être si à l'aise en sa présence. Habituellement, les hommes ne lui inspiraient que de la méfiance ou du dédain. Avec lui, elle ne ressentait pas ce genre de sentiments.

Pendant le dîner sensationnel, Jefferson demanda :

— Vous aimez ?

— Ça ne ressemble pas à ce que l'on mange à la cantine.

— Il faudra que j'y déjeune un de ces jours.

— À votre place, je n'en ferais rien.

— C'est si mauvais ?

— Je ne parle pas de la nourriture mais des femmes qui s'y trouvent ; elles se jetteraient toutes sur vous.

— Qu'est-ce qui vous fait croire ça ?

— Elles parlent constamment de vous. Elles posent des questions.

— J'imagine qu'elles doivent en être pour leurs frais.

— Vous vous trompez ; j'invente des tas d'histoires sur votre compte.

— Jefferson se détendait dans un fauteuil en dégustant un cognac.

— Quel genre d'histoires ?

— Eh bien, je leur dis que vous êtes un ogre et que vous passez la journée à m'injurier.

— Pas toute la journée, fit-il en souriant.

— Je leur dis que vous êtes un passionné, épris de fidélité, que vous vous promenez dans votre bureau avec un fusil de chasse chargé et que j'ai toujours peur qu'il ne parte et ne me tue... Elles passent de bons moments à découvrir qui vous êtes en réalité.

— Et vous, avez-vous découvert qui je suis en réalité ?

Son ton était sérieux. Elle posa son regard sur ses brillants yeux bleus et détourna la tête.

— Je le crois, dit-elle.

— Qui suis-je ?

Annabelle se raidit: fini de plaisanter. Une note nouvelle s'était glissée dans la conversation, la ramenant à ses préoccupations personnelles qu'elle s'efforçait toujours de nier. Elle ne dit plus un mot. Jefferson la dévisagea un moment, puis il sourit.

— Je suis un sujet sans intérêt. Désirez-vous autre chose ?

— Non, merci. Je ne vais plus manger de la semaine.

— Alors, au travail !

Ils travaillèrent tard dans la nuit et son chauffeur la raccompagna à sa porte. Pendant le trajet, elle pensa à Clark, sa force, son humour, sa compassion. Cette soirée avait été l'une des plus agréables de sa vie et cela l'inquiétait.

Très tôt le lendemain, elle reçut un appel de Nancy.

— Où étais-tu hier soir ? J'ai essayé de te joindre toute la soirée.

— J'étais chez Clark Jefferson, nous avons travaillé très tard.

— Seulement travaillé ? demanda Nancy d'une voix enjouée.

— Qu'est-ce que tu veux insinuer Nancy ?

— Je t'en prie, ne me fais pas languir plus longtemps, raconte-moi tout.

— Il ne s'est rien passé, Nancy, nous avons dîné et travaillé.

— Il n'a rien tenté ?

— Non, naturellement.

— J'aurais dû m'en douter.

— Qu'est-ce que tu veux dire ?

— Ce que je veux dire, mon cœur, avec tout le respect que j'ai pour ta tragédie amoureuse, c'est que tu devrais cesser de jouer à la vierge Marie. Je m'en veux de lui avoir fait cette confidence. Maintenant, il a probablement peur de poser la main sur toi, que tu ne cries au viol avant de t'évanouir.

— Clark Jefferson ne m'intéresse pas à ce niveau, fit Annabelle sur un ton guindé.

— Et je ne joue pas à la vierge Marie, dit-elle en raccrochant.

Rien n'avait changé dans sa vie et rien ne changerait jamais.

***

Au cours de la semaine qui suivit, Clark s'absenta pour Chicago, San Francisco et pour l'Europe. Sans lui, le bureau semblait désert, triste et vide, malgré le flot constant de visiteurs, des hommes pour la plupart. Annabelle était assaillie par leurs invitations, elle n'en accepta aucune et n'en parla jamais à son patron.

Un soir, tard, alors qu'Annabelle travaillait, Jefferson revint inopinément du théâtre.

— Qu'est-ce que c'est que ce foutu bureau ? Une galère ? grogna-t-il.

— Je voulais finir ce rapport pour que vous l'apportiez demain à San Francisco.

— Vous pourriez me l'expédier. Vous n'avez rien de mieux à faire de vos soirées ? dit-il en s'installant en face d'elle.

— Il s'est trouvé que j'étais libre ce soir.

Jefferson se carra dans son fauteuil, joignit les mains, y appuya son menton et regarda Annabelle.

— Annabelle, je sais que cela ne me regarde pas, mais toutes les jeunes filles de votre âge ont un petit ami, vont danser, s'amuser. Elles ne passent pas leur vie à travailler. Si vous ressembliez à une vieille pie, je comprendrais, mais ce n'est pas votre cas. Avez-vous l'intention de gâcher le reste de votre vie parce que votre premier fiancé est mort ?

Annabelle ne porta aucune attention à ses propos. Elle continuait de travailler comme s'il n'avait rien dit.

— Vous souvenez-vous de ce que je vous ai dit lors de notre première querelle ?

— Vous avez dit un tas de sottises.

— Je vous ai dit que personne n'était irremplaçable.

Annabelle abandonna son travail et le regarda droit dans les yeux.

— Monsieur Jefferson, nos rapports ne se sont toujours limités qu'aux affaires ; j'apprécierais qu'il en demeure ainsi.

— Vous êtes sûre que ...

— Monsieur Jefferson, je...

— Appelez-moi Clark.

— Monsieur Jefferson, si vous voulez que votre rapport soit prêt pour demain matin, je crois qu'il serait préférable que vous partiez.

Le lendemain, elle reçut un appel de son propriétaire. On lui avait livré un télégramme et, en son absence, il l'avait accepté pour elle. Le cœur serré, Annabelle lui demanda de le lire. C'était de François Legault, l'éditeur. Il revenait de voyage, avait lu son manuscrit et la convoquait le plus tôt possible à Paris. Annabelle était tellement surprise qu'elle raccrocha sans remercier son interlocuteur. Après avoir quelque peu repris ses esprits, elle alla trouver Clark Jefferson et le mit au courant.

— C'est fantastique Annabelle. Quand partez-vous ?

— Je n'en sais rien, je suis encore toute bouleversée. Je...

— Laissez-moi faire, je m'occupe de tout.

Il décrocha son appareil et passa une série de coups de fil. Son chauffeur conduisit Annabelle chez elle où elle jeta quelques vêtements dans une valise. Il la conduisit ensuite à l'aéroport où Jefferson lui avait trouvé une place dans l'avion.

CHAPITRE 6

Annabelle, Paris: octobre 1975

A nnabelle venait à peine de franchir la porte de débarquement, à l'aéroport Charles-de-Gaulle, que son nom retentit à travers les haut-parleurs. On la priait de se rendre immédiatement au comptoir de la PanAm. Après s'être informée au kiosque des renseignements, elle se rendit au comptoir le cœur battant, se demandant qui ou quoi motivait cet appel. Elle se sentait épuisée et le décalage horaire commençait à la perturber. Finalement, elle arriva au lieu dit. Un homme vêtu de noir, une casquette à la main l'attendait. Clark Jefferson avait pris soin d'organiser son séjour. Il avait réservé une chambre à l'hôtel, mis à sa disposition un chauffeur et une voiture, un crédit bancaire et s'était même permis de téléphoner à François Legault pour le prévenir de son arrivée. Elle avait rendez-vous avec celui-ci le lendemain, en début d'après-midi. Annabelle ne savait plus si elle devait être reconnaissante ou en vouloir à Clark pour son initiative. Dans la frénésie de son départ, elle n'avait pensé à aucun détail, Clark Jefferson y avait pensé pour elle.

Annabelle s'en voulait presque de sa dureté et de sa partialité à son égard. Pourtant, n'était-ce pas parce qu'elle lui vouait une amitié sincère et un profond sentiment de reconnaissance qu'elle le tenait à l'écart de sa vie et d'elle-même ? Elle comprenait qu'elle s'était placée dans une impasse émotive, mais ne savait comment elle allait s'en sortir. Il faudrait qu'elle y songe sérieusement.

Cette escapade arrivait à temps. Elle avait ressenti depuis quelques jours le besoin d'échapper à son quotidien, aux contraintes de sa nouvelle vie. Deux ans déjà. Comme le temps passe vite; c'est Léo Ferré qui dit, dans l'une de ses chansons qu'«avec le temps, va, tout s'en va». Il n'avait pas tout à fait tort. Ses nerfs, ses rêves, ses ambitions, son sang même, tout frémissait, car ce monde étrange où elle entrait, envoûtée et frileuse, s'appelait Paris, c'est-à-dire l'avenir, l'ailleurs.

Paris lui en mit plein la vue avec sa tour, ses terrasses, ses marchandes de fleurs, ses kiosques à journaux, sa foule élégante, sa circulation folle. La voiture qui l'amenait traversait des rues où elle avait envie de flâner, de courir, de s'asseoir. Une jeunesse soudaine la prenait au ventre, à la gorge, lui donnait des ailes, lui coupait le souffle.

L'hôtel était charmant, à proximité de deux gares et de célèbres boulevards. Il lui plut aveuglément, dans ses moindres détails. Son premier dîner parisien eut lieu à la salle à manger de l'hôtel où se déplaçaient, avec une adresse et une agilité merveilleuses, des serveurs portant des vestons noirs et ceintrés. L'un d'entre eux se fit un plaisir de la guider dans son choix, le menu étant chargé de mets aux appellations sophistiquées qui n'éveillaient aucun écho en elle. Paris lui convenait, flattait des goûts innés de luxe qu'elle possédait sans les identifier. Recrue de fatigue, elle se coucha aussitôt son dîner terminé. Pour la première fois, elle s'endormit sans son ours d'un profond sommeil réparateur.

***

— Ce que vous exigez, mademoiselle Sirois, n'a aucun sens.

François Legault vociférait maintenant ; ils discutaient depuis plus d'une heure. Assis derrière un bureau en acajou, Legault se balançait dans son fauteuil en caressant sa moustache. Il avait accueilli Annabelle chaleureusement, tout en conservant une attitude froide. Annabelle fut à même de constater qu'il avait peu changé depuis trois ans, mis à part cette moustache qui ne l'avantageait nullement. Après les banalités d'usage, il avait tout de suite abordé le sujet de son manuscrit. Selon lui, *Chimère* serait gagnant, mais à certaines conditions; chaque livre possédait ses propres qualités et il fallait les mettre en évidence. Lui remettant une copie de son manuscrit sur lequel il avait indiqué les coupures et les changements à effectuer ainsi que les chapitres à réécrire, il lui suggéra alors de demeurer dans la Ville lumière une quinzaine de jours afin de rédiger le manuscrit final.

Cette proposition ressemblait plus à un ultimatum qu'à une suggestion. Annabelle n'y voyait aucun inconvénient, à condition que Clark Jefferson l'y autorise. Elle ne pensait pas qu'il s'y objecterait, mais elle se devait, en tant que sa secrétaire, de lui demander son avis.

Legault lui présenta un contrat d'édition. Annabelle toucherait 4 450 francs à la signature, la même somme à la remise du texte final et encore la même somme à la publication. Elle toucherait aussi 10% de royautés sur les ventes du premier tirage. Ce n'était pas un pont d'or, mais à tout le moins le livre serait publié et il sortirait en librairie. Le contrat prévoyait aussi une clause d'exclusivité pour son prochain roman, comme c'est la règle dans certaines maisons d'édition. Là où un litige survint, ce fut lorsque François Legault aborda la question des entrevues et des rencontres avec la presse. Annabelle s'opposait farouchement à toute publicité la concernant. C'était la première fois que Legault se trouvait confronté à un auteur refusant de s'y conformer. Il n'avait aucune objection à ce qu'elle utilise un pseudonyme, mais il cherchait désespérément à connaître les raisons de son entêtement à demeurer dans l'anonymat. Annabelle prétexta simplement qu'elle détestait la célébrité et qu'elle désirait être une personne simple parmi tant d'autres.

C'était en partie vrai, mais la principale raison à son obstination était qu'elle craignait que sa renommée ait des répercussions. Elle craignait que son père ne la retrouve, et Dieu sait l'effet que cela pourrait avoir sur son esprit pervers. Elle se devait de prendre toutes les précautions nécessaires pour que l'on ne découvre jamais sa tragédie ni son secret. Annabelle n'avait pas pensé à cela avant ce jour et constatait encore une fois l'horreur de sa situation.

— Un auteur se doit de vendre son livre, mademoiselle Sirois. Comment voulez-vous que nous fassions de vous un auteur connu, si vous refusez de collaborer avec les médias ?

La voix de Legault retentit dans toute la pièce.

— Dans ce cas, je me vois dans l'obligation de refuser votre offre, répliqua-t-elle.

— Mademoiselle Sirois, ce que vous ne semblez pas comprendre, c'est qu'aucun éditeur n'acceptera de vous publier si vous refusez de vous conformer aux règles.

L'air méditatif de son interlocuteur, ses arguments surtout, la rendaient nerveuse. Elle le regardait les yeux brillants.

— Vous écrivez diablement bien... ajouta-t-il. Vous avez un grand avenir devant vous. Je ne vois pas en quoi la publicité peut nuire à votre vie. Il y a tout de même des limites à l'humilité.

Annabelle quitta la fenêtre et vint se rasseoir en face de Legault. Il ne fallait surtout pas se laisser endormir par de vaines flatteries.

— Je crois plutôt que vous me prenez pour une imbécile, monsieur Legault.

Legault fronça les sourcils.

— Plaît-il ?

— Vous n'êtes pas sans savoir que Gabrielle Roy et Réjean Ducharme ont songé à cela bien avant moi.

— Expliquez-vous !

— Si mon roman, comme vous le croyez, peut devenir un best-seller, on tentera désespérément de connaître l'identité de son auteur. Vous obtiendrez du fait même de la publicité gratuite, et ce jeu ne fera que promouvoir les ventes.

Legault se leva de son fauteuil et se mit à arpenter la pièce.

— Très intéressant comme idée, je n'y avais pas songé, dit-il en souriant.

— La publicité qui entoure généralement les auteurs m'a appris beaucoup de choses ; la façon de concilier vie privée et métier en est une. Je ne veux que profiter des erreurs des autres, poursuivit Annabelle.

François Legault sourit.

— Êtes-vous toujours aussi brillante ?

— Cela n'a rien à voir avec l'intelligence, monsieur Legault, ce n'est qu'une question de principe.

Annabelle se leva et décida qu'il était temps de prendre congé.

— C'est moi qui vous rends service, monsieur Legault, en vous choisissant comme éditeur.

Elle lui tendit la main.

— Alors, marché conclu ?

— Marché conclu, dit-il en lui baisant la main.

— Puis-je apporter le contrat ? j'aimerais l'étudier davantage.

— Bien entendu, dit Legault.

Bien après son départ, François Legault demeura assis dans son bureau à regarder fixement par la fenêtre, essayant de démêler ce que Annabelle pouvait bien chercher.

***

Dès son retour, Annabelle demanda la communication avec le bureau de Clark Jefferson à New York. Cinq minutes plus tard, elle s'entretenait avec Clark, lui résumant son entretien avec l'éditeur.

— Prenez tout le temps nécessaire, Annabelle. Je vais m'organiser.

Jefferson semblait heureux pour elle.

— Je vous remercie sincèrement pour avoir tout organisé pour moi. Soyez assuré que je vous rembourserai dès mon retour.

— Nous en reparlerons. Pour le moment, contentez-vous de bien travailler et de réussir. Cela sera la plus belle marque de reconnaissance à m'offrir.

— Au fait, je voudrais vous faire parvenir une copie du contrat. J'apprécierais votre avis, enchaîna-t-elle.

— Je vais faire mieux que cela, chère demoiselle, je serai à Paris vers la fin de la semaine.

Annabelle eut un bref malaise.

— Il n'est pas nécessaire que vous vous déplaciez pour cela, je...

— Je profiterai de cette occasion pour régler quelques affaires personnelles. Entre-temps, s'il y a quelque chose que je puisse faire pour vous, n'hésitez pas à me téléphoner.

Annabelle ne savait pas s'il mentait, mais elle connaissait suffisamment Clark Jefferson pour savoir qu'il était inutile de discuter une décision qu'il avait déjà prise.

Annabelle raccrocha, troublée. Les attentions de cet homme la rendaient perplexe. Elle n'était pas sotte et se rendait compte que ce dévouement cachait autre chose. Elle en vint à la conclusion que sa visite à Paris lui donnerait l'occasion de régler d'une façon définitive leurs rapports. Annabelle se mit alors au travail.

De quoi parlait ce manuscrit ? Ce document était assez étonnant; il suscitait des bouleversements, des remises en question. Le grand tournant des années soixante-dix, les mouvements étudiants, le féminisme n'avaient pas manqué d'impressionner Annabelle, ainsi que sa façon de voir et de ressentir les choses.

Il s'agissait pourtant, à première vue, d'une histoire assez banale. Le personnage féminin mis en scène s'impliquait totalement dans sa relation amoureuse avec Pierre. Le roman d'Annabelle avait quelque chose de dépassé, à une époque où le féminisme faisait rage et où les femmes étaient décidées à s'émanciper de plus en plus et à mener une vie sexuelle libre, tant à l'intérieur qu'à l'extérieur de leur mariage. Les deux héros, engagés totalement dans leur relation amoureuse et leur notion de bonheur, se retrouvaient à contre-courant de l'évolution, de leur temps. Les vieux réflexes conservateurs continuaient d'exercer leur emprise : le mariage restait le but suprême, garant d'une sécurité matérielle et sentimentale. Annabelle en dressait le constat suivant: une relation amoureuse solide débouche sur une union valorisante et grandissante. Aimer, c'est toujours vouloir en savoir davantage sur l'autre. Quand ce désir disparaît, il n'y a plus d'amour. C'est ce qu'elle affirmait dans *Chimère*. Le contraire était voué à la ruine, le succès était synonyme de corruption et l'indépendance ainsi que la solitude étaient sources de destruction.

Annabelle puisa dans toutes ses expériences. Elle se servit de son vécu en modifiant les scènes, les recomposant à sa manière et leur insufflant une vie nouvelle. La structure du roman reposait presqu'entièrement sur les quelques moments d'intimité platonique partagés avec Serge Denoncourt. Elle avait projeté dans le temps ce qui aurait pu logiquement survenir dans la réalité. La mort de Pierre, survenue quelques semaines avant leur union, n'était là que pour appuyer ses allégations. Lorsque l'être aimé meurt, l'émotion demeure. On peut, par la suite, aimer de différentes façons, mais le grand amour ne meurt jamais. Les relations subséquentes ne sont que des fragments de cet amour, on y recherche la même intensité, l'équivalent.

Pierre donna à Claude un amour d'une grande intensité, enrobé d'une texture si riche qu'il lui permettait d'ouvrir toutes grandes les portes du partage, du respect, de la confiance. C'était, dès le départ, un amour impossible, bien qu'il fût, sur tous les plans, un véritable enchantement, un constat vivant du pouvoir de l'esprit sur la matière, une sorte d'absolu. Claude n'oublierait jamais Pierre parce qu'il lui avait donné la seule chose à laquelle elle tenait vraiment, l'amour. Elle aurait besoin de son souvenir pour conserver son équilibre, mais, avec les années, elle comprendrait qu'il faille que l'un des deux meure pour que l'autre puisse vivre.

C'était la conclusion de *Chimère* et aussi la clé de l'équilibre émotif d'Annabelle. Elle s'y accrocherait avec toute l'énergie du désespoir pour ne pas mourir.

***

Le vendredi suivant, Clark Jefferson arriva à Paris. Entre ses périodes d'écriture, Annabelle se laissa entraîner par Clark à de tendres, de joyeux et de fous moments d'exploration et de vagabondage. Ils mangeaient n'importe où, au hasard de la ville et de leur faim. Clark Jefferson se grisait de Paris qu'il aimait à la folie et qu'il fit aimer à Annabelle. Il s'amusait de bon cœur et cette gaieté spontanée la ramenait sans cesse à des préoccupations sournoises. Elle se reprochait de manquer de courage et d'honnêteté envers lui, d'encourager ses illusions. Elle comprenait maintenant qu'il était amoureux d'elle, et il fallait que cela cesse. Tout l'après-midi, des pensées de ce genre lui tournèrent dans la tête, alors que Clark continuait de flotter sur un nuage. Elle devait lui parler ce soir et plus l'heure avançait, plus sa décision l'oppressait.

Ils avaient longuement discuté de son contrat d'édition. Clark avait reconnu, à la lecture du premier jet de *Chimère,* qu'elle serait un grand écrivain ; ce qui le surprenait, c'était que la célébrité ne soit pas son but. En fait, la gloire et la renommée ne l'intéressaient pas. Pourtant, être publié à travers le monde, être publiquement reconnu dans son art, représentait pour un auteur le couronnement de son succès. Mais pour Annabelle ce n'était qu'une simple formalité, un processus auquel elle ne désirait pas adhérer. Cette soudaine décision le plongea dans le plus total désarroi ; il n'avait pas la moindre idée de ce qu'elle cherchait vraiment. Quand il tenta d'en savoir davantage, elle se contenta de lui dire en souriant :

— La curiosité d'un grand esprit porte sur les idées ; la curiosité d'un petit esprit porte sur les personnes.

Elle avait aussi dit que le succès était synonyme de corruption. Clark la regarda longuement. De ne rien savoir sur cette femme dont il s'était épris le rendait fou. Elle demeurait une énigme, un mystère. En dépit de son instinct, de son expérience des femmes, Annabelle le médusait complètement. Au cours des deux dernières nuits, il était resté éveillé à concocter des stratagèmes, à analyser les comportements et les réactions d'Annabelle afin de percer sa nature. Il en venait toujours à la même conclusion: plus rien n'avait de sens avec elle, et il ne connaissait plus un seul instant de paix.

Il était certain que tous les hommes qu'elle rencontrait essayaient de la persuader de coucher avec eux. L'un de ses amis, un riche industriel, lui avait déclaré :

— J'ai enfin trouvé, pour la première fois, quelque chose qui ne s'achète pas.

— Annabelle.

— Précisément. Je viens de lui demander de fixer son prix, puisque toutes les femmes s'achètent. Tu sais ce que cette petite garce m'a répondu ? Elle m'a demandé combien on avait payé ma mère ! Tu peux me dire ce qui l'intéresse en toi, Clark ?

Ils roulaient lentement sur la route du Mont du Tremble. Clark avait proposé de l'emmener visiter une des forêts domaniales qui entouraient la capitale. Il avait choisi celle de Compiège pour la beauté des boisés couverts de hêtres, de chênes, de châtaigniers et de peupliers. Au milieu du bois, il y avait un musée appelé la Clairière de l'Armistice, où se trouvait une fidèle reconstitution du wagon du maréchal Foch qui reçut la reddition des Allemands en 1918. Ils virent la statue de cet homme, des photos et des documents. C'était aussi dans ce lieu qu'avait été signée une seconde armistice.

Ils étaient assis depuis quelques minutes sur l'herbe, loin de la cohue, observant la beauté du paysage. Le visage illuminé par un large sourire, Clark rapprocha sa main de celle d'Annabelle; aussitôt, elle la retira.

— C'est la troisième fois en quatre jours que vous me repoussez, Annabelle.

— Cela n'a rien à voir avec vous. J'ai simplement horreur que l'on me touche.

— Pourquoi donc ?

— Oh ! Je ne sais pas, c'est comme ça, sans raison particulière, murmura vaguement Annabelle en se dérobant.

— J'apprécierais que vous me disiez ce qui vous tourmente. N'avez-vous donc pas confiance en moi ?

Annabelle se raidit et lui dit d'un ton cassant :

— Je ne veux pas en parler, Clark. Je vous l'ai dit à plusieurs reprises.

— Pourquoi ? demanda-t-il furieux. Vous rendez-vous compte que cela alimente votre froideur et vous mine lentement ?

— Cela suffit, Clark, éclata Annabelle, exaspérée.

Devant son expression torturée, il s'adoucit un peu et, d'une voix grave, reprit patiemment :

— Pardonnez ma brutalité, mais j'aimerais tellement comprendre, vous aider, Annabelle ! Savez-vous ce que je pense ? C'est que votre histoire avec votre fiancé ne s'est pas passée comme vous vous plaisez à le raconter. C'est ce qui vous a conduite à détester tous les hommes.

Le visage hermétique, Annabelle répliqua :

— Pour la dernière fois, Clark, je vous répète que je ne veux pas m'expliquer à ce sujet !

— J'ai bien l'intention de percer à jour ce mystère, avec ou sans votre consentement. Je connaîtrai la vérité, fit-il, implacable.

La vérité, songea Annabelle, je ne sais plus ce que c'est.

— Nous nous aimons tous les deux, Annabelle, c'est l'évidence même ; à quoi bon la fuir ?

Annabelle le regarda, complètement déroutée. Il venait de confirmer ses appréhensions.

— Ce que je ressens pour vous, reprit-elle calmement, en pesant bien ses mots, n'a rien à voir avec l'amour. I like you but I don't love you. J'ai beaucoup d'estime pour vous et j'apprécie toute l'aide que vous m'apportez. Si vous le faites dans le but de me séduire, c'est votre problème et je n'ai rien à y voir. Je ne vous ai jamais laissé entendre que j'éprouvais un sentiment amoureux à votre égard.

— C'est ce qui me prouve incontestablement que vous m'aimez, enchaîna-t-il.

Annabelle se leva, mais Clark la retint et lui dit :

— Asseyez-vous, je vous en prie.

Ils s'affrontèrent quelques instants du regard.

— Je vous en prie, insista-t-il.

Elle reprit sa place à côté de lui.

— Je n'ai encore jamais aimé personne, Annabelle, lui déclara-t-il.

C'est ainsi qu'elle eut droit à l'histoire de sa vie, et elle le crut, constatant qu'ils avaient mené des existences similaires malgré les différences. Elle voyait en lui un frère de l'âme, un sosie masculin.

Fils unique de parents fortunés, appartenant à la meilleure société new-yorkaise, Clark Jefferson était le pur produit de son époque et de son pays. On fit de lui, jusqu'à sa majorité, un jeune Américain plus américain que l'Amérique, à l'image de Kennedy. Depuis deux générations, les Jefferson mâles étaient avocats spécialisés ou notaires. Ce fut son grand-père, Harrison Wislow Jefferson, qui donna à son petit-fils le goût du droit. Bien que Clark se soit spécialisé en droit commercial, il n'oublia jamais ces vendredis matins où son grand-père l'emmenait au Palais de justice pour l'entendre plaider des causes criminelles. Chaque fois que le jeune Clark écoutait ses plaidoiries, il en était tout remué. Il faut dire qu'Harrison Jefferson était reconnu comme l'un des grands criminalistes de son époque. Clark lui vouait une admiration sans borne, ce qui n'était pas le cas de son père. Le père de Clark n'attendait rien de moins de son fils qu'il atteigne le but inaccessible auquel lui n'était pas parvenu : surpasser H.W. Jefferson.

Mais si Clark avait hérité de l'acharnement à réussir de son grand-père, il n'étudiait pas le droit dans le but de réaliser les ambitions de son père, mais plutôt pour échapper à sa tyrannie et à l'amour abusivement protecteur de sa mère. Il s'était senti tellement soulagé lorsqu'il avait reçu sa lettre d'acceptation à Harvard. Finis les grands dîners d'anniversaire et les réceptions de fin d'année, où sa mère invitait d'innombrables jeunes filles de la meilleure société. Clark osait à peine regarder toutes les célébrités présentes et encore moins tous ces bouquets de jeunes filles en fleur. Son attention se portait constamment sur le petit vieillard dont il avait hérité une ressemblance physique et la couleur de ses yeux. Il avait tout subi en silence, se disant qu'à sa majorité, il vivrait loin de ses parents et ferait son chemin comme il l'entendrait, sans que le nom des Jefferson y soit pour quelque chose. Il se refusait à n'être qu'une photographie de plus dans le cabinet familial.

Lorsque Clark vint lui annoncer sa décision d'ouvrir son propre cabinet, le vieil homme fut sans doute blessé profondément, mais il n'en montra rien et se contenta de l'observer sans un geste. Clark savait que le patrimoine à transmettre à l'autre génération lui importait plus que tout. Pourtant, il ne dit rien, et Clark savait qu'il était inutile d'entamer une conversation dans ce sens. Les années suivantes furent consacrées uniquement à ses études et à sa réussite. Il n'eut pas le temps de songer sérieusement aux femmes. Il se dit que le destin s'en chargerait et qu'il placerait sur sa route celle qui lui était destinée. Il crut à deux reprises l'avoir trouvée, mais il s'aperçut à chaque fois, qu'elles n'étaient intéressées que par son argent et la position sociale qu'il offrait. Dès qu'il rencontra Annabelle pour la première fois, il sut que c'était elle. Elle était intelligente, ravissante et avait une forte personnalité.

— Vous êtes la seule femme qui m'ait respecté et réussi à m'inspirer de l'amour. Je ne veux pas vous perdre. C'est pour cela que je veux que nous en parlions.

— De quoi ?

— De votre histoire d'amour, de cet homme mort dont vous portez l'alliance et qui vous fait souffrir. Que s'est-il réellement passé entre vous et lui ?

— Ce que Nancy vous a dit ! répliqua-t-elle sèchement.

— Je veux l'entendre de votre bouche.

— Non !

— Cette histoire, vous l'avez racontée à tous, sauf à moi. Vous savez pourquoi ? Parce que vous savez que je serais capable de reconnaître si vous mentez ou si vous dites la vérité.

— Alors ne posez pas de questions et je ne vous répondrai pas par des mensonges.

Tout à coup, avant qu'elle n'ait pensé à se dégager, Clark l'agrippa violemment par les épaules et l'attira vers lui. Il enserrait sa nuque d'une poigne de fer et il l'embrassa. Dès que ses lèvres touchèrent les siennes, Annabelle devint la proie d'une terreur irraisonnée et lui mordit les lèvres. Clark lâcha prise sous la douleur, porta une main vers sa bouche en regardant Annabelle avec intensité.

— Pourquoi avez-vous fait cela ?

— Il le fallait, dit-il d'une voix sourde. Je voulais savoir à quel point vous détestez être touchée ou embrassée. Je croyais qu'il s'agissait seulement d'un subterfuge pour tenir les hommes à distance, une sorte d'habitude perverse.

Clark se passa nerveusement la main dans les cheveux avant d'ajouter mélancoliquement :

— Je suis navré, Annabelle, sincèrement désolé. Je vous aime tellement, si vous saviez.

— Vous croyez seulement m'aimer, Clark. Comme vous l'avez mentionné, je suis sans doute la première femme qui n'ait pas d'intentions malhonnêtes à votre égard. Une amitié sincère est la meilleure des possessions et c'est ce que je ressens pour vous. Réfléchissez sérieusement à cela et vous verrez que j'ai raison.

Lentement, il leva la tête, et la fixa d'un air triste. Il insista avec un regard suppliant :

— Vous ne pouvez vraiment pas me confier ce qui vous tourmente ?

— Non, Clark. Je ne peux pas le dire, ni à vous, ni à personne d'autre. Tout est au fond de moi et doit y rester. Vous savez, chaque individu a en lui un secret, une douleur ou une joie qui lui est propre et celle-ci ne doit jamais être révélée.

Clark l'écoutait attentivement.

— Vous savez, Annabelle, vous m'étonnerez toujours. Vous êtes si jeune et possédez une telle maturité, une telle sagesse.

Elle lui sourit faiblement.

— Peut-être devrions-nous rentrer, maintenant ?

— Vous avez raison, allons-y !

CHAPITRE 7

Annabelle, New York :
novembre-décembre 1975

*E*lle avait l'impression d'entrer dans une nouvelle phase de son existence. Une semaine plus tôt, elle avait remis à son éditeur la nouvelle version de *Chimère*. Avant son départ pour New York, Clark avait accepté d'être son conseiller juridique auprès de François Legault. Il avait réussi à lui obtenir le double de ce que l'éditeur lui avait proposé et celui-ci avait donné son consentement aux deux clauses spéciales. La première l'engageait à respecter l'anonymat d'Annabelle, la seconde concernait le legs d'une partie de ses redevances à un organisme pour l'enfance malheureuse. Legault et Jefferson avaient été surpris de cette initiative, mais Annabelle avait exprimé ce désir sur un ton sans appel et elle ne toléra aucune question. La parution du roman était fixée au printemps suivant.

Dès son retour, Annabelle reprit son emploi et retrouva la quiétude de son petit appartement. Clark refusa catégoriquement d'être remboursé pour ses frais de séjour à Paris, lui disant que c'était sa contribution à sa carrière d'écrivain. Leur conversation dans la forêt de la banlieue parisienne avait porté fruit ; il ne la harcelait plus. Il était cependant toujours aussi attentionné et compréhensif. Annabelle refusa qu'il assume les frais d'un nouvel appartement; par contre, elle finit par accepter les vêtements et les bijoux qu'il lui offrait. Elle avait résisté au début, mais il y prenait un plaisir si évident qu'elle avait fini par ne plus résister. Elle ne voulait pas non plus lui faire honte lorsqu'il l'emmenait dîner, au théâtre ou à l'opéra. Clark Jefferson fréquentait la meilleure société de New York, et Annabelle se devait de lui faire honneur.

Ce fut par son entremise qu'elle fit connaissance avec le révérend Ted Simmons. C'était un homme de race noire qui approchait la soixantaine; il était rayonnant, plein de vie. De temps à autre, il consultait Clark pour s'assurer de son aide personnelle ou professionnelle pour quelque paroissien. Invariablement, Jefferson lui remettait un chèque ou acceptait de défendre la cause d'une de ses brebis égarées, accusée de viol, de vol, de possession d'armes ou de drogues, d'agression ou de prostitution, et le tout sans frais.

— Je m'octroie une place au ciel, expliqua Clark à Annabelle.

Un après-midi, alors qu'Annabelle était seule au bureau, le révérend Simmons arriva pour une visite.

— Monsieur Jefferson est à l'extérieur de la ville, révérend Simmons.

— En réalité, c'est vous que je suis venu voir, dit-il.

Il s'installa confortablement dans l'un des fauteuils, face au bureau d'Annabelle.

— J'ai une petite fille qui a besoin d'aide.

Il commençait toujours de cette façon avec Clark.

— Voici. Sa mère s'est installée près de chez moi il y a quelques mois. Elle travaille le jour dans une petite usine et m'a demandé si sa Cynthia pouvait venir l'attendre au presbytère après la classe. C'est de cette façon que nous avons fait connaissance. J'ai remarqué, à quelques reprises, que la chère enfant avait des ecchymoses sur les bras et les jambes. Elle m'a dit qu'elle s'était fait cela en tombant. Les premières fois, je n'y ai pas porté attention, mais hier, j'ai remarqué une petite bosse sur le côté de sa tête ainsi que des marques aux poignets. Je soupçonne sérieusement sa mère d'en être responsable. Je me suis informé auprès du Citizen's Committee for Children et les avocats m'ont affirmé qu'ils ne pouvaient rien faire sans preuve. Alors, j'ai pensé à vous.

— Pourquoi ? s'enquit Annabelle inquiète.

— Parce que, d'après Clark, vous semblez avoir instinctivement des rapports privilégiés avec les enfants. J'ai pensé que vous pourriez peut-être la rencontrer et tenter d'en savoir plus long.

Annabelle se souvint alors d'un dimanche après-midi où elle se promenait en compagnie de Clark dans Central Park. Un groupe d'enfants jouaient à la marelle et Annabelle s'était jointe à eux, sous le regard ahuri de son compagnon. Après la partie, elle avait eu toutes les misères du monde à quitter les enfants qui la retenaient. Elle leur avait finalement promis de revenir le dimanche suivant pour jouer avec eux.

— Je vois, dit Annabelle.

— Je savais que vous accepteriez, fit le révérend.

— Quand désirez-vous que je la rencontre ?

— Tout de suite !

— Mais je ne peux pas quitter le bureau maintenant !

Il se leva et lui saisit le bras.

— D'accord, mais laissez-moi au moins le temps de brancher le répondeur !

C'est de cette façon qu'elle découvrit Saint Nicholas, Morningside, Manhattan Avenue, où le révérend Simmons œuvrait. Il lui apprit que dans ce périmètre de neuf kilomètres carrés vivaient deux cent trente mille Noirs, huit mille Portugais et environ un million de rats. Cette communauté regroupait aussi des Portoricains, des Mexicains, des Juifs, des Irlandais, des Grecs et des Italiens. Tous avaient un point commun : ils étaient pauvres, vaincus et perdus. La lie, les laissés-pour-compte que la société avait abandonnés derrière elle. Ils étaient usés par la pauvreté, le système et eux-mêmes, et ils avaient renoncé depuis longtemps à s'en sortir. Annabelle n'en croyait ni ses yeux, ni ses oreilles.

Annabelle et le révérend Simmons entrèrent dans la salle à dîner du presbytère situé près du Saint Luke Hospital. La petite Cynthia était assise à la table ; près d'elle, une femme âgée aux cheveux gris portait un tablier. Elle s'empara de la coupe de pouding vide et leva les yeux sur eux.

— Bonjour révérend, dit-elle.

— Bonjour Martha, je vous présente une amie, mademoiselle Annabelle Sirois.

— Très heureuse, madame, dit Annabelle en lui tendant la main.

— Et celle-là, c'est notre petite Cynthia.

Annabelle la regarda. L'enfant ne devait avoir que sept ans, huit tout au plus. Son visage exprimait un merveilleux contentement et elle réprima un frisson. Elle leva les yeux de son dessin et lui adressa un chaleureux sourire.

— Bonjour madame !

— Tu peux m'appeler Annabelle, si tu veux.

— D'accord, Annabelle. Tu aimes les chats ? lui demanda-t-elle en soulevant son dessin dans les airs.

Mais ce ne fut pas sur le dessin que se porta l'attention d'Annabelle mais sur le poignet bleuté de la petite fille.

— Tu as beaucoup de talent ! dit Annabelle d'une voix enrouée.

— Cynthia, j'ai plusieurs téléphones à faire, dit le révérend. Tu veux tenir compagnie à Annabelle ?

— Bien sûr !

Après son départ, Annabelle s'assit sur une chaise près de la petite fille. Elle remarqua aussitôt la petite bosse sur le côté de sa tête qu'on avait tenté de dissimuler par une mèche de cheveux.

— C'est pour qui ce dessin ? demanda Annabelle.

— C'est pour maman ! répondit Cynthia.

À ce moment, Annabelle eut l'impression de revivre son enfance. Toutes les réponses de Cynthia auraient pu être les siennes au même âge, tant et si bien que si quelqu'un lui avait demandé de citer les réponses de la fillette, elle aurait pu le faire. Un voyage à travers le temps, un douloureux périple qu'une autre enfant entreprenait contre son gré, à cause de l'indifférence, du dénuement émotif des adultes. Combien de temps dura cette conversation ? Annabelle n'aurait pu le dire ; par contre, viscéralement, elle avait la certitude que la petite Cynthia avait un urgent besoin d'aide.

Annabelle avait l'impression de se retrouver face à elle-même ; elle était confrontée à son passé. Une vague de souvenirs déferla sur elle et pendant quelques instants, elle resta là, assise, sans vraiment être consciente du lieu où elle était. Lorsqu'elle reprit ses sens, elle aperçut Martha qui rôdait derrière.

— Puis-je vous offrir quelque chose, Miss Sirois ? Du thé et du cake ?

— Non, merci.

Tout ce qu'elle souhaitait c'était de sortir de là aussi vite que possible. Le révérend apparut et l'entraîna à l'écart.

— Alors ? s'informa-t-il.

— Je... je suis navrée, j'aurais aimé...

Le révérend sourit et lui dit :

— Je vous en prie, vous avez fait votre possible.

Elle jeta un regard triste sur la petite fille qui lui sourit. Ce fut ce sourire qui la décida. Annabelle se souvint que c'était des larmes qu'elle versait et non des rires.

— Je voudrais rencontrer sa mère, s'entendit-elle demander.

— Croyez-vous que cela soit nécessaire ?

Elle continua malgré elle.

— Oui, je voudrais m'entretenir avec elle.

— C'est très gentil de votre part, dit le révérend.

Un accent de sympathie vibra dans la voix du révérend :

— Dois-je comprendre que mes soupçons s'avèrent exacts ?

— Je crois que oui.

— Alors, je vais voir ce que je peux faire.

Annabelle songea à ce que deviendrait la vie de cette petite fille assise là, totalement impuissante, jour après jour, mois après mois, année après année, si elle ne faisait rien.

— Vous savez, Annabelle, je suis content d'être allé vous voir. Je me sens déjà mieux.

Annabelle se dirigea vers Cynthia, et lui dit d'un ton embarrassé :

— Je suis contente de t'avoir connue, Cynthia, je vais revenir te voir.

De retour au bureau, Annabelle se promit de ne plus jamais succomber aux demandes du révérend Simmons, mais elle tiendrait sa promesse et elle parlerait à la mère de Cynthia. Rapidement, elle passa en revue les messages que lui avait laissés Donna. Il y en avait un de Clark ; il la prendrait chez elle à huit heures pour un dîner.

***

Quelque temps plus tard, ils étaient installés dans un charmant bistrot tranquille de la 56e Rue dans East Side.

— C'est un endroit peu fréquenté, tenu par un jeune couple français. Vous verrez la nourriture est excellente.

Annabelle dut le croire sur parole, elle était incapable de goûter quoi que ce soit. Elle n'avait rien mangé de la journée et elle était tellement angoissée qu'elle n'arrivait pas à forcer la nourriture dans sa gorge. Elle ne pensait qu'à sa rencontre avec la petite Cynthia. Elle essaya, en vain,de se détendre.

— Vous semblez absente ce soir, Annabelle.

— Un peu de fatigue, c'est tout, mentit-elle.

Elle chassa Cynthia de ses pensées et demanda à Clark d'une voix qu'elle s'efforça de rendre vivante :

— Alors, comment ça c'est passé avec Bill ?

Quelques mois plus tôt, Clark s'était associé à Bill Steward, le directeur d'une importante revue de mode. Ils préparaient le *spécial Hommes* du printemps prochain. Plusieurs centaines de mannequins s'étaient présentés. Bill et Clark avaient passé les deux dernières semaines à lire des curriculum vitae et à rencontrer des mannequins pour sélectionner les six candidats requis.

— En fait, c'est la principale raison de notre dîner de ce soir.

Annabelle le regarda, intriguée.

— Je dois aller à Londres pour une semaine et je voudrais que vous vous occupiez, avec Bill, de sélectionner le mannequin vedette parmi nos six candidats.

— Moi? s'écria Annabelle, incrédule. Mais je n'y connais strictement rien !

— C'est précisément pour cela que je vous confie ce boulot ! dit-il en souriant.

— Pardonnez-moi mais je ne comprends pas.

— Voyez-vous, c'est une chance extraordinaire pour l'un d'entre eux et ils mettront tout en œuvre pour obtenir ce contrat. Comme vous entretenez des rapports distants avec les hommes, vous ne vous laisserez pas impressionner par leurs charmes, ce qui n'est pas le cas de l'assistante de Bill, dit-il en riant.

— Je ne suis pas vraiment certaine d'apprécier votre humour, Clark !

— Pardonnez-moi, je ne voulais pas vous vexer.

— Et quel sera mon rôle ?

— Les rencontrer individuellement, et choisir celui qui vous apparaîtra le plus susceptible de faire la couverture du magazine. Vous n'avez pas à vous en faire. Bill sera là pour vous seconder. Vous êtes vraiment celle qu'il nous faut. J'ai prévenu Bill que vous seriez là à neuf heures demain matin.

Annabelle savait qu'il lui faisait passer une épreuve, sans savoir laquelle au juste. Il s'imaginait sans doute qu'en la confrontant ainsi à des hommes d'une beauté exceptionnelle, elle flancherait. Pauvre Clark, il n'abandonnerait jamais.

— Vous ne me laissez guère le choix, patron ! constata-t-elle.

Plus tard, Annabelle fut incapable de trouver le sommeil. L'image de Cynthia Stevens ne quittait pas son esprit. Annabelle imaginait les scènes entre Cynthia et sa mère, les atroces souffrances physiques et morales que l'enfant subissait. Annabelle ralluma la lumière et s'assit sur son lit pour composer le numéro du révérend Simmons.

— La mère de Cynthia est-elle célibataire ou divorcée ?

Une voix ensommeillée répondit :

— Qui est à l'appareil ?

— Annabelle Sirois. Je vous...

— Mon enfant, il est deux heures du matin ! N'avez-vous donc pas de montre ?

— C'est très important, mon révérend. C'est vous qui m'avez demandé de m'occuper de cette affaire !

Un bref silence s'écoula, pendant lequel le révérend Simmons essaya de rassembler ses esprits.

— Elle est célibataire, je crois.

— Fréquente-t-elle quelqu'un de particulier ?

— Comment voulez-vous que je le sache, Miss Sirois ? Je suis un prêtre, pas un détective !

— Vous vous occupez de la petite fille et vous ignorez tout de la mère ?

Annabelle ne pouvait s'empêcher d'éprouver de la frustration.

— Ecoutez, madame Stevens n'est pas la seule paroissienne de mon quartier. Je vous ai promis cet après-midi de m'en occuper. Ne croyez-vous pas que vous devriez dormir maintenant ? Bonne nuit, mademoiselle Sirois !

Le bruit sec d'un récepteur raccroché retentit à l'oreille d'Annabelle. Elle éteignit la lumière et se rallongea. Le sommeil lui semblait encore plus loin. Au bout d'un moment, elle se leva pour se préparer un chocolat chaud, qu'elle but assise sur le sofa en regardant l'aurore colorer l'horizon de Manhattan, passant d'un rose délicat à un rouge vif.

Annabelle était perplexe ; la loi devait corriger les injustices, apporter un remède. Mais dans un cas comme le sien, comme celui de Cynthia, justice pouvait-elle être faite ? Elle jeta un coup d'œil à l'horloge : sept heures. Annabelle décrocha de nouveau son téléphone et composa le numéro du révérend Simmons.

— Qu'est-ce que l'avocat de l'organisme vous a dit exactement ?

Une voix endormie lança :

— Doux Jésus, mon enfant, soyez raisonnable ! Quand dormez-vous ?

— De quoi a-t-il besoin pour s'occuper de la petite Cynthia ?

— De témoignages, de preuves concrètes et surtout les révélations de Cynthia. Vous savez, les gens ne veulent surtout pas se mêler de ce genre d'histoire.

Annabelle réfléchissait de toutes ses forces.

— Miss Sirois, pourriez-vous me rendre un grand service ? Si vous avez d'autres questions à me poser, venez me voir ou téléphonez-moi durant les heures de bureau.

— Navrée, répondit Annabelle d'un ton absent. Vous pouvez aller vous recoucher.

— Merci infiniment !

Annabelle raccrocha. Il était maintenant l'heure de s'habiller et d'aller travailler.

***

Annabelle ouvrit la porte de l'agence de publicité le cœur battant. Dans le hall d'entrée, des hommes étaient assis en ligne. Annabelle comprit qu'il s'agissait là des six candidats qui devaient poser pour le magazine. Elle se dirigea vers la réceptionniste qui discutait tranquillement avec un homme de haute taille, extraordinairement beau, aux cheveux blonds et courts, au corps mince et dur. Sa mâchoire avait une belle carrure et ses yeux étaient d'un vert éclatant.

— Excusez-moi, dit-elle, je suis Annabelle Sirois ; monsieur Stewart est-il là ?

— Oui, il vous attend. Si vous voulez me suivre, je vais vous conduire à son bureau.

La réceptionniste ouvrit la porte d'un bureau et Annabelle découvrit un petit homme frêle, vêtu d'un complet marine qui, debout devant son bureau, engueulait copieusement un autre homme assis en face de lui.

— Je me fous royalement de l'opinion du directeur de votre agence. Les conditions salariales sont les mêmes pour tous les candidats. C'est à prendre ou à laisser.

— Excusez-moi de vous interrompre, monsieur Stewart, dit la réceptionniste, mademoiselle Sirois vient d'arriver.

— Dieu soit loué ! Vous voilà ! s'exclama-t-il en l'apercevant.

Il se retourna vers son interlocuteur et ajouta :

— Nous reprendrons cette discussion plus tard, j'ai du boulot qui m'attend.

L'homme se leva et sortit silencieusement en compagnie de la réceptionniste qui referma la porte derrière eux. Avant qu'Annabelle ait le temps de dire un mot, Bill Stewart reprit :

— Je me demande parfois pourquoi j'ai changé de métier. A Seattle, je faisais un excellent salaire à simplement éditer un magazine professionnel d'ameublement.

Il grimaça et se toucha l'estomac.

— Je suis en train de me payer un ulcère.

Il se précipita vers la porte et sortit. Abandonnée, Annabelle regarda autour d'elle. Elle faillit s'évanouir lorsqu'elle aperçut un homme debout dans un coin qui la détaillait à travers son appareil photographique.

— Merveilleux ! dit-il d'une voix grave.

Il s'avança vers elle avec sur les lèvres un sourire amusé.

— Désolé de vous avoir fait peur. Bienvenue dans ce bordel, je suis Tom McKenzie, le photographe de cette boîte.

Annabelle remarqua qu'il avait de splendides cheveux et yeux bruns.

— Avez-vous besoin d'aide ? demanda-t-il d'une voix douce.

— J'ai besoin d'un miracle ! répondit-elle franchement. Je ne sais pas ce que je dois faire au juste.

La porte du bureau s'ouvrit de nouveau. Bill Stewart entra et lui remit un paquet de dossiers.

— Voilà les curriculum vitae de nos six mannequins. Mon bureau est à votre disposition pour la journée.

Il se tourna et dit alors au photographe :

— Vous, McKenzie, ne me cassez pas les pieds aujourd'hui !

Il se tourna vers Annabelle :

— Venez, je vais vous présenter à nos candidats.

Ils abandonnèrent le photographe pour retourner à la réception, où les hommes se levèrent aussitôt.

— Je vous présente Miss Sirois. C'est elle qui vous rencontrera.

— Merci, monsieur Stewart, reprit-elle en souriant. Vous avez été sélectionnés pour apparaître dans le numéro du printemps du magazine en raison de vos compétences. Malheureusement, un seul d'entre vous pourra être la vedette de cette édition spéciale.

— Qu'est-ce que vous faites ce soir pour dîner ?

— Je dîne avec mon mari, tout de suite après son match de football, rétorqua-t-elle.

C'est alors qu'Annabelle entendit rire et bavarder près d'elle. Elle se retourna avec agacement. Elle reconnut le même homme qui tantôt s'entretenait avec la réceptionniste littéralement suspendue à ses lèvres et qui poussait de petits rires hystériques.

— Excusez-moi, cela ne vous dérangerait pas trop de vous taire quelques minutes ?

Elle soutint le regard de l'homme quelques instants et s'éloigna. Il murmura quelques mots à la réceptionniste qui éclata de rire. Indignée, Annabelle se dirigea vers le bureau de Bill Stewart, où elle passa la matinée à parcourir les dossiers et à s'entretenir avec trois des candidats. Bill Stewart faisait, de temps en temps, une courte apparition pour s'en retourner aussitôt. A l'heure du déjeuner, Annabelle se dit, en se dirigeant vers la cantine de l'immeuble, que cela ne s'était pas trop mal passé. Elle était installée seule à une table de coin, lorsqu'elle le vit entrer, entouré de trois filles. Elle se sentit rougir et se dit aussitôt que cela devait être une réaction chimique, due au fait qu'elle l'avait détesté à première vue. Il aurait fait un parfait gigolo et c'était sans doute ce qu'il était. Il fit asseoir les trois filles, leva les yeux et aperçut Annabelle. Il se pencha vers les filles, leur murmura quelque chose qui les fit éclater de rire et se dirigea vers elle.

— Vous permettez que je m'asseye un instant ?

Elle voulut refuser mais c'était peine perdue ; il était déjà assis en face d'elle et l'examinait. Elle lui dit d'un ton rogue :

— Que voulez-vous ?

— Je voulais m'excuser pour tout à l'heure. J'arrive de voyage et j'ai appris, par mon agence, que vous recrutiez des mannequins. Croyez-vous que je possède le charisme nécessaire pour faire la couverture du magazine ? demanda-t-il en se penchant vers elle.

— Pour elles, sans doute, fit Annabelle en désignant ses compagnes. De toutes façons, il est trop tard, les candidats ont été choisis et si vous voulez mon avis, vous n'êtes qu'un contenant sans contenu.

— Qu'ai-je fait pour mériter tant de hargne ?

150

— Il se trouve, monsieur, dit-elle sur un ton égal, que votre genre ne me plaît pas.

— Quel genre ?

— Le genre qui utilise les femmes pour faire de l'exercice.

— Faites-vous du sport, Miss Sirois ?

La colère faisait frémir les lèvres d'Annabelle.

— Je vous trouve méprisable ! explosa Annabelle.

— Pourquoi ?

— Si vous ne le savez pas, je ne pourrais vous l'expliquer.

— Pourquoi ne pas essayer ? Ce soir à dîner, chez vous.

Annabelle se leva, les joues empourprées par la colère. Au moment où elle allait franchir la porte, elle entendit l'homme s'écrier :

— Au fait, je m'appelle Edwards. Rick Edwards !

***

En fin d'après-midi, lorsqu'elle regagna son bureau, Donna lui remit ses messages. En parcourant la liste, elle vit le nom du révérend Simmons. Elle lui téléphona aussitôt.

— Bonjour révérend, Annabelle Sirois. Vous avez du nouveau ?

— Oui, je me suis entretenu brièvement avec madame Stevens cet après-midi.

— Et alors ?

151

— Elle a flairé quelque chose. Cynthia ne viendra plus au presbytère, elle m'a confié qu'elle avait quelqu'un pour s'occuper d'elle après les classes. Vous comprenez que dans ces conditions, il sera difficile de contacter Cynthia sans éveiller de soupçons.

— Vous n'avez tout de même pas l'intention d'abandonner vos recherches ?

— Certainement pas. Mais il va falloir agir avec prudence.

— Je suis bien de votre avis. Que proposez-vous ?

— Je crois que nous devrions rencontrer l'avocat du Citizen's Committee afin de voir avec lui ce que nous pouvons faire.

— C'est une excellente idée, révérend. Prévenez-moi aussitôt que vous aurez obtenu un rendez-vous.

Le soir même, Clark l'appela de Londres. Elle lui fit son rapport, sans mentionner l'incident avec Rick Edwards ni ses démarches avec le révérend Simmons. Elle préférait attendre son retour pour qu'ils puissent en discuter plus longuement.

Le lendemain matin, alors qu'elle s'habillait pour se rendre au bureau, on sonna à sa porte. Un livreur se tenait sur le seuil, une gerbe de roses, à la main.

— Annabelle Sirois ? Signez ici, s'il-vous-plaît ! dit-il en lui tendant la gerbe.

Elle signa le formulaire et ajouta :

— Elles sont ravissantes !

— Trente dollars.

— Pardon ?

— Trente dollars. Elles sont payables à la livraison.

— Je ne comp...

Elle serra les lèvres, prit la carte attachée aux fleurs pour la lire : «Je les aurais bien payées, mais je suis en chômage ! Tendrement, Rick. »

Incrédule, elle contemplait la carte.

— Alors, vous les voulez ou pas ?

— Non ! s'écria-t-elle en lui remettant les roses.

— Il disait que vous alliez en rire, que c'était une plaisanterie.

Le livreur avait l'air perplexe.

— Je ne ris pas ! dit Annabelle en claquant la porte.

Toute la matinée, le souvenir de cet incident l'obséda. Jamais elle n'avait rencontré d'homme aussi scandaleusement outrecuidant que ce Rick Edwards. La seule pensée qu'il la rangeait dans la même catégorie que ces femmes qui se précipitaient dans son lit humiliait Annabelle. Elle décida de le chasser de ses pensées.

Un peu avant le déjeuner, Donna l'interrompit :

— Un certain Rick Edwards est en ligne. Vous le prenez ?

— Non ! Dites-lui que... ou plutôt non, je vais le lui dire moi-même.

Elle respira à fond avant de prendre la communication.

— Monsieur Edwards...

Une voix semblable à du caramel liquide se fit entendre :

— Bonjour ! J'ai eu du mal à vous retrouver. Vous n'aimez pas les roses ?

— Monsieur Edwards... commença Annabelle d'une voix tremblante, puis elle se reprit, monsieur Edwards, j'adore les roses, mais vous me déplaisez. Tout me déplaît en vous. Est-ce clair ?

— Vous ne savez rien de moi.

— J'en sais déjà trop. Je vous considère abject et je vous défends désormais de m'appeler.

Annabelle raccrocha brutalement, les yeux pleins de larmes de colère. Quel culot ! Comment osait-il ?

Lorsqu'elle revint du lunch, Donna lui remit une enveloppe à son attention. Elle l'ouvrit et y trouva une photographie de Rick Edwards, format 16 par 20, avec la dédicace : Pour la tigresse ! Tendrement, Rick. Annabelle la déchira en mille morceaux. Sidérée, Donna la regardait faire.

— Dommage, je n'en ai jamais vu de pareil en chair et en os.

— Au théâtre, les décors ne sont que des façades, sans rien derrière. Vous venez d'en voir la contrepartie humaine.

***

Le Citizen's Committee for Children était situé sur la 22e Rue. Il avait été fondé en 1945, était composé de deux cents membres et dirigé par un comité permanent de treize personnes, tous professionnels, médecins, avocats, professeurs, prêtres, psychologues, psychiatres et hommes d'affaires. Cet organisme s'occupait de la protection de la jeunesse en faisant des enquêtes, en milieux scolaire et familial. Chaque année, il tenait un séminaire de seize semaines, en vue d'assurer la prévention de la violence faite aux enfants.

Annabelle et le révérend Simmons s'y présentèrent le jeudi après-midi. Ils étaient assis en compagnie de l'un des avocats depuis une heure et cherchaient, tous les trois, un moyen de venir en aide à la petite Cynthia.

— C'est très délicat, dit l'avocat en se passant la main dans la figure. Nous n'avons pas de preuve tangible qu'il y a eu violence corporelle à l'égard de cette enfant.

— Je ne suis pas de votre avis, maître Brown. La petite fille a bel et bien des marques sur le corps. Le révérend Simmons et moi-même l'avons constaté. Soit que la petite fille se les ait infligées elle-même pour des raisons que je crois connaître, ou elles lui ont été infligées par sa mère.

— Sur quoi vous basez-vous pour affirmer une telle chose ?

— J'ai vécu moi-même une telle situation, maître Brown.

Un silence tomba dans la pièce. Le révérend Simmons écarquilla les yeux, son regard plein de questions.

Annabelle ignora ce regard et poursuivit :

— Je me suis entretenue avec Cynthia et je suis certaine de mes allégations.

— Mais vos témoignages ne suffiront pas à convaincre un juge. Il faudrait que la petite fille témoigne.

— Elle ne parlera pas, Maître Brown, parce qu'elle est déchirée entre l'amour et la haine qu'elle ressent pour sa mère.

— Alors, je ne vois pas ce que nous pouvons faire ! Si nous envoyons un travailleur social effectuer une enquête et que nous nous trompons, nous risquons un procès pour diffamation.

— Vous savez qu'il est très facile de conduire une enquête discrète sur la mère. Ce n'est que par elle que nous sauverons l'enfant.

Le silence se fit de nouveau ; l'avocat jouait nerveusement avec son coupe-papier, la tête basse.

— Je suis certaine que nous ne faisons pas erreur. Il s'agit vraiment d'un cas de violence.

L'avocat réfléchit quelques instants, puis déclara :

— Très bien, je vais voir ce que je peux faire. Je vous tiendrai au courant.

Assis dans la vieille Ford du révérend Simmons, ils roulaient vers le bureau d'Annabelle. A plusieurs reprises, le révérend avait essayé d'aborder le sujet de l'aveu d'Annabelle mais elle lui avait vite fait comprendre qu'elle ne désirait pas en parler, lui faisant même promettre de n'en rien dire à Clark. Elle avait vécu une injustice qui lui restait sur le cœur et elle ne voulait pas qu'il en soit de même pour Cynthia.

**

Au cours de la semaine suivante, Rick Edwards téléphona une bonne douzaine de fois. Annabelle pria Donna de lui dire de ne plus téléphoner et surtout de ne pas la tenir au courant de ces appels.

Le vendredi, Donna l'approcha d'un air hésitant :

— Je sais bien que vous m'avez dit de ne plus vous ennuyer avec les appels de monsieur Edwards, mais il a encore téléphoné et il semblait... perdu.

— Il l'est, fit Annabelle froidement.

— Il a posé plusieurs questions à votre sujet. Naturellement, je ne lui ai rien dit, puisque je ne sais rien, s'empressa-t-elle de rajouter.

Annabelle se remit au travail, mais son esprit n'y était pas. Elle pensait à la petite Cynthia et à sa décision pour le mannequin. Clark rentrait de Londres ce soir et ils dînaient ensemble. Songeant que le monde pouvait être peuplé de Rick Edwards, elle en appréciait d'autant plus Clark Jefferson.

***

De retour chez elle, Annabelle exécuta quelques corvées. À chaque fois qu'elle passait devant le téléphone, elle s'attendait à ce qu'il sonne. Elle songea à Rick Edwards essayant d'arracher des renseignements à Donna et elle grinça des dents. Elle s'attarda longuement dans son bain et était en train de se sécher lorsque la sonnerie du téléphone retentit. Tendue, elle décrocha. C'était Clark !

— Bonsoir. Quelque chose ne va pas ? demanda-t-il, anxieux.

— Non, Clark, j'étais tout simplement dans le bain.

— Je suis désolé. Je veux dire, je suis désolé de ne pas y être avec vous, ajouta-t-il d'un ton taquin.

— Clark, je vous en prie !

— Je vous appelais pour vous confirmer que je vous attends chez *Lutèce* pour huit heures. Ne soyez pas en retard !

— Pas de danger, fit Annabelle en souriant.

Elle raccrocha lentement en pensant à Clark et à ce qu'il lui avait dit. Elle se rendit compte qu'il persévérait toujours. Il lui aurait dit une chose semblable voilà six mois et elle l'aurait vertement semoncé. Avait-elle changé à ce point ? L'idée n'avait rien de réconfortant. Elle s'habilla rapidement.

Clark l'attendait dans le hall d'entrée du restaurant.

— Toujours à l'heure ! dit-il en souriant et en l'examinant avec une admiration évidente. Savez-vous que vous êtes fantastiquement belle ce soir.

— Naturellement, il y a dix policiers à la porte qui retiennent la foule de mâles à mes trousses, répliqua-t-elle.

— Je parle sérieusement, Annabelle.

Il avait pris un air sérieux qui la gêna.

— Merci, Clark, dit-elle gauchement. Cessez de me regarder ainsi.

— Je ne peux m'en empêcher, lui dit-il en la prenant par le bras.

Le maître d'hôtel les conduisit à une table en angle où Clark commanda un scotch et elle un verre d'eau. Après les banalités d'usage, Annabelle lui parla de Cynthia. Clark écouta attentivement son compte rendu.

— Je suis fier de vous, Annabelle et j'appuie entièrement votre démarche. Si je peux faire quelque chose, n'hésitez pas à m'en parler. Et avec Bill, comment cela s'est-il passé ?

— Très bien. D'ailleurs, j'ai pris une décision.

— À ce sujet, il y a un petit changement. J'ai reçu un coup de fil d'un de mes amis qui... Qu'y a-t-il ? lui demanda Clark en voyant son visage se décomposer.

Annabelle se figea soudain. Rick Edwards s'avançait vers eux en souriant. Il portait un complet blanc qui accentuait son bronzage et la couleur de ses yeux. Elle le regarda s'avancer d'un air incrédule.

— Bonjour !

Il ne s'adressait pas à Annabelle mais à Clark qui s'était levé pour lui serrer la main.

— Quelle coïncidence extraordinaire, Rick !

Annabelle les dévisageait, paralysée. Clark fit les présentations.

Rick baissa le regard vers elle et dit gravement :

— Je ne saurais vous exprimer ma joie, Miss Sirois.

Annabelle ouvrit la bouche pour parler, mais elle se rendit compte qu'elle ne pouvait rien dire. Clark l'observait, attendait. Elle inclina légèrement la tête, elle se méfiait de sa voix.

— Tu te joins à nous, Rick ?

— Si je ne dérange pas ! dit Rick modestement, en jetant un coup d'œil à Annabelle.

Rick prit place avec eux. Annabelle était maintenant entourée des deux hommes.

— Que veux-tu boire, Rick ?

— Vodka !

— Pour moi aussi, un double ! lança Annabelle.

— Je ne peux y croire ! dit Clark en la regardant avec surprise.

Il commanda et se tourna ensuite vers Rick.

— Bill m'a fait part de ton offre. Je suis très heureux de l'aide que tu nous apportes pour relancer le magazine.

L'esprit en déroute, Annabelle dévisageait Rick.

— Vous êtes... mannequin ?

Il la regarda d'un air candide et dit avec gravité :

— Dans mes temps libres. Vous savez, dans ce métier, il faut beaucoup de charisme.

— Dans ses temps libres ! Rick est l'un des mannequins les plus populaires d'Italie. Le concours de Rick est un signe incontesté de succès et de prestige pour une revue de mode.

Annabelle se tourna vers Rick qui souriait gentiment, mais ses yeux dansaient. Annabelle se remémora chacun des mots de leur rencontre précédente. Elle aurait voulu disparaître sous la table, elle s'était montrée insupportablement prétentieuse et rude. Elle prit son verre qu'elle vida d'un trait et fit signe pour un autre. L'alcool lui brûla la gorge.

— Justement, avant ton arrivée, j'allais annoncer à Annabelle que tu avais accepté de faire la couverture de notre édition du printemps.

— Voilà qui est fait maintenant ! dit Rick en regardant Annabelle qui se détourna, incapable de soutenir son regard.

— En fait, reprit innocemment Rick, je suis allé directement au magazine à mon arrivée. J'aurais aimé te voir avant ton départ pour Londres, mais un engagement m'a retenu une journée de plus. J'ai préféré attendre ton retour avant de rencontrer ton associé.

— Tu as bien fait, mais Annabelle était là. Je suis surpris que vous ne soyez pas tombés l'un sur l'autre.

Annabelle leva les yeux, Rick l'observait, l'air amusé. C'était le temps de parler de ce qui était survenu, ils en riraient tous les trois comme d'une anecdote amusante. Pourtant les mots lui restèrent pris dans la gorge. Rick lui accorda un moment avant de dire :

— Je ne suis pas resté très longtemps. Nous avons dû nous manquer.

Elle détesta qu'il lui vienne en aide, comme si c'était une conspiration contre Clark. Pour se contenir, elle avala une nouvelle gorgée de vodka. Cette soirée serait la plus pénible de sa vie. Elle voulait partir, laisser Rick Edwards en plan.

Clark interrogeait son ami sur les difficultés de se tailler une notoriété dans un métier qu'il considérait précaire. Rick riait de ces difficultés et les faisait paraître faciles, amusantes. De toute évidence, il ne prenait rien au sérieux. Annabelle devait pourtant admettre que, pour un individu de ce genre, il avait tout pour réussir et elle ne l'en détesta que davantage. Son attitude n'avait aucun sens et elle s'interrogeait en sirotant sa troisième vodka. Qu'il fut un bon à rien, une coquille vide ou un mannequin célèbre, quelle importance ? À travers les brumes de l'alcool, elle écoutait parler les deux hommes. Rick montrait un enthousiasme ardent, une vitalité qui la touchaient ; il lui paraissait comme l'homme le plus passionné qu'elle ait jamais rencontré. Elle avait l'impression qu'il se donnait tout entier à son travail et qu'il se moquait de ceux qui n'en faisaient pas autant, qui ne réussissaient pas... comme elle.

Elle mangea à peine. Il lui semblait que Rick Edwards était comme un cyclone. Toute femme prise dans son tourbillon ne pouvait qu'être détruite. Rick lui souriait.

— Je crains que nous n'ayons tenu Miss Sirois à l'écart. Je suis certain qu'elle est plus intéressante que nous deux ensemble.

— Vous vous trompez, répondit Annabelle d'une voix un peu pâteuse. Je mène une existence ennuyeuse, je travaille pour Clark.

La phrase à peine prononcée, elle se rendit compte de sa stupidité et rougit.

— Ce n'était pas ce que je voulais dire...

— Je comprends, dit Rick secourable. Sirois, n'est-ce pas français ?

— Québécois.

— Où l'as-tu découverte ? demanda-t-il en se tournant vers Clark.

— J'ai eu de la chance. Tu n'es toujours pas marié ?

— Qui voudrait de moi ? répondit Rick avec un haussement d'épaules.

Salaud, songea Annabelle. Elle regarda autour d'elle, une demi-douzaine de femmes avaient les yeux braqués sur lui.

— Comment trouvez-vous les Italiennes, monsieur Edwards ? demanda-t-elle avec audace.

— Très bien, mais je n'ai que peu de temps à leur consacrer. Je travaille beaucoup.

Tu parles, pensa Annabelle ; je parie qu'il ne reste plus une seule vierge à Rome.

— Elles me font pitié. Pensez à tout ce qu'elles manquent, dit-elle sur un ton plus mordant qu'elle ne l'aurait voulu.

Clark la regardait, surpris.

— Annabelle !

— Buvons un autre verre, intervint Rick vivement.

— Je crois qu'Annabelle a assez bu.

— Ce n'est pas vrai... Je crois que je veux rentrer.

Annabelle s'était aperçu, avec horreur, que sa voix s'empâtait.

— D'accord... Annabelle n'a pas l'habitude de boire, dit Clark.

— La joie de ton retour, j'imagine.

Annabelle lui aurait volontiers lancé son verre à la figure. Elle le détestait de plus en plus, sans savoir pourquoi.

Le lendemain, elle se réveilla avec une gueule de bois qui aurait pu, elle en était convaincue, faire les annales de la médecine. Rester couchée était horrible, se lever encore pire. Tandis qu'elle luttait contre des nausées, sa soirée lui revint en mémoire, son malaise s'accrut. Elle en voulait à Rick Edwards ; sans lui, elle n'aurait pas bu. Péniblement, elle consulta le réveil à son chevet: elle était en retard. Lentement, elle s'extirpa de son lit pour se traîner à la salle de bains. Une douche froide la remit quelque peu sur pied.

Trois quarts d'heure plus tard, elle était au bureau, lorsque Donna entra tout excitée.

— Devinez !

— Pas ce matin, soyez gentille, parlez plus bas, murmura Annabelle.

— Regardez, c'est lui !

Donna lui tendit alors un magazine. En couverture, le visage de Rick Edwards vêtu d'une chemise du soir blanche avec un nœud papillon de soie rouge autour du cou.

— C'est passionnant ! Non ? s'écria Donna.

— Terriblement, dit Annabelle en jetant la revue au panier. Monsieur Jefferson est là ?

— Non, il est au magazine pour la journée.

— Merci, Donna.

— Je vous demande pardon, dit Donna d'une petite voix. Je croyais qu'il était un de vos amis, que cela vous intéresserait.

— Ce n'est pas un ami, un ennemi plutôt. Que diriez-vous d'oublier monsieur Edwards ?

— Certainement... je lui ai dit que vous seriez sûrement contente.

— Quand ?

Annabelle ouvrit grand les yeux en posant cette question.

— Quand il a téléphoné ce matin. Il a appelé à trois reprises. Mais vous m'aviez dit de ne pas vous parler de ces appels.

— Je vous remercie, Donna. Maintenant, laissez-moi.

Une fois Donna sortie, Annabelle reprit le magazine de la corbeille à papier. Elle examina chacune des photos de Rick, prises à Portofino, en Italie. On le voyait en tenue de soirée, en vêtements sport et en maillot de bain, une belle Italienne près de lui. Annabelle se dit que cela devait être une de ses victimes, une chanceuse, car avec lui cela devait être comme chez le boucher : on prend un numéro et on attend son tour.

Une heure plus tard lui parvint un appel de maître Brown. Elle prit la communication.

— Votre intuition était bonne, Miss Sirois. J'ai fait une enquête sur Helen Stevens et ce que j'ai découvert est fort intéressant.

— Je vous écoute ! dit Annabelle, soudainement nerveuse.

— Je préférerais vous rencontrer. Pouvez-vous passer à mon bureau ? Quand il vous plaira, j'ai...

— Je serai là dans une quinzaine de minutes.

— Très bien, je vais prévenir le révérend Simmons.

En franchissant la porte de l'immeuble, Annabelle remarqua une Jaguar beige qui se garait le long du trottoir. Au moment où elle levait le bras pour héler un taxi, Rick Edwards sortit de la voiture.

— Mademoiselle Sirois, quelle coïncidence. Je voulais justement vous parler.

Il dégageait toujours une vitalité électrisante, presqu'irrésistible.

— Écartez-vous de mon chemin ! lui lança-t-elle.

Son visage s'empourpra et les nausées la reprirent.

— Hé ! Calmez-vous. Il faut que je vous parle, vous n'aurez qu'à m'écouter.

Elle s'avança pour ouvrir la portière du Yellow Cab, qui venait de s'arrêter, mais Rick posa une main conciliante sur son bras. Il déploya tout son charme.

— Soyez raisonnable. Dix minutes, c'est tout ce que je vous demande. Je vous dépose là où vous allez. Nous parlerons en route.

Le taxi partit en faisant crisser ses pneus. Ils ne sont pas patients à New York. Annabelle regarda Rick Edwards dans les yeux.

— Je veux bien vous accompagner mais à une condition.

— Laquelle ?

— Que je ne vous revoie plus jamais après cet entretien.

Il ne répondit pas. Les dents serrées, Annabelle monta dans sa voiture. Il s'assit au volant et lui demanda :

— Où allez-vous ?

— Au 105 E de la 22ᵉ Rue.

— Je suis heureux de constater que vous vous êtes remise de votre soirée d'hier.

Annabelle ne se donna pas la peine de répondre mais lui dit :

— Vous ne m'avez toujours pas dit ce que vous vouliez.

— Une tête-à-tête avec vous.

— Je m'en doutais, monsieur Edwards. Je ne trouverai jamais les mots justes pour vous exprimer tout le dédain que vous m'inspirez.

Sa voix exprimait tout le mépris qu'elle ressentait envers lui.

Rick reprit d'un ton suave :

— D'accord, je me suis mal conduit, mais...

— Monsieur Edwards, rendez-nous service à tous les deux. Ne dites pas un mot de plus.

— Mais je voudrais...

— Je ne veux plus vous revoir, jamais, monsieur Edwards. Jamais.

La voiture s'arrêta à un feu rouge à l'intersection de la 6e Avenue et de la 22e Rue. Annabelle ouvrit la portière et descendit. La dernière chose qu'elle entendit en refermant la porte fut la voix de Rick qui criait :

— Annabelle ! Où allez...

***

Annabelle se réfugia dans les toilettes. Perchée sur le bord de la cuvette, elle se trouvait idiote, désarmée et regardait sans cesse sa montre. Elle aurait dû être dans le bureau de maître Brown, depuis dix minutes mais elle ne pouvait empêcher ses larmes de couler. Rick Edwards lui avait fait réaliser la vie terrible qui l'attendait. Un peu plus de deux ans s'étaient écoulés depuis le drame et elle n'en avait pas encore mesuré les conséquences.

Annabelle savait que ce drame avait cassé quelque chose en elle, définitivement. Elle s'était exilée à New York avec pour bagages une énorme tristesse, une grande amertume et un immense besoin d'amour qu'elle refoulait au tréfonds d'elle-même. Serge Denoncourt, Clark Jefferson et maintenant Rick Edwards, qu'avait-elle fait pour susciter leur intérêt ? Elle s'était fait une vie tranquille, solitaire, paisible, ne demandait rien à personne. Pourquoi le sort s'acharnait-il sur elle ? Son physique ? Lorsqu'elle se regardait dans la glace, elle se demandait toujours si elle était belle ou laide. D'être nue constituait toujours une surprise ; certaines parties de son corps ne lui étaient pas familières. Elle regardait son sexe et ses seins furtivement, comme si elle avait été quelqu'un d'autre à qui on avait plaqué ces attributs. Était-ce son indifférence émotive ou parce qu'ils percevaient la créature assoiffée de tendresse qui se cachait en elle. Comment savoir puisqu'elle ne pouvait aborder la question franchement avec personne.

Elle consulta de nouveau sa montre, il fallait qu'elle y aille. Annabelle se leva et se retourna pour tirer la chasse d'eau. Derrière elle, des graffiti attirèrent son attention. Quelqu'un avait écrit en petites lettres carrées rouges comme du sang la phrase suivante : « Il y a des morts qui prennent une éternité. » Étouffant un sanglot, Annabelle quitta la pièce.

***

La réceptionniste accompagna Annabelle jusqu'au bureau de maître Brown. En l'apercevant, l'avocat se leva en la fixant de son regard qui ne manquait rien.

— Enfin vous voilà, Annabelle. Je vous en prie, asseyez-vous.

— Je vous prie de m'excuser, j'ai été retardée, dit-elle d'une voix neutre en s'installant près du révérend Simmons qui se tourna vers elle.

— Vous aviez raison, mon enfant, lui dit-il d'une voix contrite.

— À propos de quoi ?

— De la petite Cynthia.

— Il lui est arrivé quelque chose ?

Alors qu'il s'apprêtait à répondre, la secrétaire fit son entrée, apportant du café sur un plateau d'argent. La conversation reprit à son départ.

— Que lui est-il arrivé ?

Maître Brown lança promptement :

— La petite Cynthia a été hospitalisée d'urgence cet après-midi.

— Grand Dieu ! s'exclama Annabelle.

— Jane Stevens s'est présentée à l'urgence sous prétexte que sa petite fille avait fait une mauvaise chute dans l'escalier.

Il poussa le dossier ouvert vers Annabelle et se leva.

— Le rapport du médecin est formel. Certaines des blessures ne peuvent être attribuées à une chute dans l'escalier.

Bouleversée, Annabelle feuilletait les pages du dossier, tandis que le révérend tapotait nerveusement le bras de son fauteuil de ses doigts potelés.

— Rien ne nous prouve qu'elles aient été causées par la mère, reprit maître Brown.

Brown quitta la fenêtre.

— Par contre, nous avons un témoin, dit-il en s'installant à son bureau où il prit une gorgée de café.

— Madame Wallach, la locataire du dessous, enchaîna le révérend Simmons.

— Mais elle refuse de témoigner, reprit maître Brown.

— La question n'est pas là ! rétorqua le révérend.

— Ah bon !

— Non, ce qui compte pour le moment, c'est que la petite ne retourne pas chez sa mère.

— Comment allez-vous vous y prendre, mon révérend ?

— C'est à vous de nous le dire, mon ami !

Maître Brown s'adossa à sa chaise.

— Il n'y a malheureusement pas grand chose à faire. En résumé, nous avons trois éléments : un témoin, une victime et un rapport médical. La victime ne parlera pas, nous le savons. Par contre, si madame Wallach consentait à déposer sous serment, alors, avec le dossier médical, il nous serait possible d'agir. Mais madame Wallach ne semble pas incliner dans ce sens. Vous le savez, mon révérend, nous avons essayé.

— Nous, mais pas Annabelle ! intervint le révérend.

Le regard perçant du révérend Simmons s'attarda sur elle.

— Accepteriez-vous de lui parler ?

Annabelle soupira :

— Je lui parlerai si vous le voulez, mais je ne vois pas comment je pourrai la convaincre.

Lorsqu'Annabelle revint au bureau en fin d'après-midi, Donna lui annonça :

— J'ai une madame Jane Stevens au téléphone. Elle a téléphoné tout l'après-midi.

Surprise, Annabelle hésita avant de répondre :

— Très bien Donna, passez-la moi.

— Au fait, Bill Stewart a téléphoné et demandé confirmation de votre présence à la soirée d'inauguration de *Fashion*, demain soir.

— Dites-lui que j'y serai.

Elle alla à son bureau et décrocha l'appareil.

— Madame Stevens ? Annabelle Sirois. Que puis-je faire pour vous ?

— Je crois que nous avons à discuter toutes les deux. Êtes-vous libre ce soir, en début de soirée.

Annabelle hésita un moment et finit par acquiescer. Elle nota l'adresse sur un bloc-notes.

***

Jane Stevens habitait un petit immeuble coquet sur Huston Street. La porte fut ouverte par une femme d'une quarantaine d'années, aux cheveux roux en broussaille, chaussée de bottes de suède rouge.

— Bonsoir, je...

— Je sais qui vous êtes, je m'en allais justement. Jane vous attend.

Annabelle pénétra dans un salon pauvrement meublé. Elle ne savait pas trop à quoi s'attendre, et la créature qui avait ouvert la porte n'avait rien de rassurant. Sa surprise fut totale. Jane Stevens l'attendait assise dans un fauteuil, vêtue d'une jupe écossaise en laine, d'un chemisier boutonné jusqu'au cou et d'un cardigan bleu. Pas de longs talons aiguilles, mais des chaussures confortables la chaussaient. Son air d'extrême jeunesse stupéfia Annabelle. Jane eut un sourire fugace et dit d'un ton doux et suave:

— Je vous en prie, asseyez-vous, mademoiselle.

Annabelle s'assit dans un profond fauteuil confortable.

— Ma fille m'a dit beaucoup de bien de vous.

— Je suis heureuse de l'apprendre, répondit Annabelle.

Un long silence s'écoula avant que Jane Stevens ne reprenne la parole.

— Le père de Cynthia m'a abandonnée lorsqu'il a su que j'étais enceinte. Je l'aimais plus que tout au monde. Il en était à sa troisième année de droit. Il était issu d'une famille stricte et très catholique. J'ai pensé me faire avorter. Mais après avoir longuement réfléchi, je me suis dit que cet enfant était tout ce qui me restait de Brick.

D'un air gêné, elle baissa les yeux au sol.

— C'est peut-être difficile pour vous de comprendre cela, mais j'ai accepté d'assumer toutes les conséquences qu'une telle décision encourait, pour sauvegarder un peu de mon amour perdu.

Jane Stevens cessa de parler quelques instants, l'esprit ailleurs. Elle eut de la difficulté à reprendre.

— Les premiers mois furent atroces. Vous savez, les préjugés sociaux détruisent rapidement une vie. Quand tu es différente des autres, on t'oblige à avoir honte de ce que tu es.

Comme Annabelle comprenait cela.

— J'ai appris à tricher, à mentir, à survivre en m'enfuyant la nuit, mon bébé dans les bras, par les escaliers de secours, lorsque je ne pouvais plus payer le loyer.

Elle s'arrêta un moment, trop prise par ses souvenirs pour pouvoir continuer.

— Bobby me fait oublier tout cela. Il est prêt à tout pour moi et Cynthia. Grâce à lui, j'ai obtenu un emploi dans une bijouterie. Je sais qu'il nous aime toutes les deux mais je...

Elle se tordait les mains.

— Je fais tout ce qui est en mon pouvoir pour assurer le bonheur de ma fille. Tous ces ragots et mensonges colportés à mon sujet m'exaspèrent. J'admets qu'il m'est arrivé parfois de me laisser un peu emporter, mais cela se produit régulièrement dans d'autres familles. J'ai toujours été contre les châtiments corporels. Je déteste mon père à cause de cela.

Annabelle remarqua que son corps se raidissait au fur et à mesure que le récit s'écoulait.

— Il prenait plaisir à me battre. Ma mère n'a pu avoir qu'un seul enfant, c'était moi. Cela signifia la catastrophe pour mon père qui voulait un garçon. Il croyait que son fils l'aiderait sur sa ferme. Si on pouvait appeler ferme ce minable bout de terrain dans le Dakota du Sud où rien ne voulait pousser. Chaque fait et geste ou parole qu'il jugeait déplacé ou mauvais devenait un prétexte pour me battre.

Annabelle ressentit une douleur dans ses mains, elle constata que ses ongles s'enfonçaient dans sa chair.

— À seize ans, j'en ai eu assez et je suis partie pour Chicago. Je n'avais pas d'instruction mais je lisais beaucoup, ce qui était devenu une excuse de plus pour me battre. À Chicago, je me suis trouvé un emploi dans une cafétéria de l'université. C'est là que j'ai fait la connaissance de Brick, le père de Cynthia.

Elle adressa un sourire à Annabelle.

— Il en était à sa première année de droit. Dieu qu'il était beau ! Pendant deux semaines, il est venu dîner sur mes heures de travail. Il a commencé par me demander du sucre, du sel et ensuite mon premier rendez-vous. Grâce à lui, je me suis cultivée, j'ai acquis de bonnes manières. On a fait des projets de mariage pour dès la fin de ses études. Enthousiaste, j'avais suffisamment économisé en cinq mois pour acheter la moitié de mon trousseau. La seule chose que je détestais, c'était que ses études et mon travail ne nous laissaient pas beaucoup de temps à nous. En dehors de cela, j'étais formidablement heureuse. On était heureux tous les deux, jusqu'à ce que je tombe enceinte.

Annabelle l'observait avec attention, minutie, à l'affût d'une fausse note. Il n'y en avait aucune. Cette femme souffrait vraiment. Elle plongea son regard dans celui d'Annabelle.

— Pour rien au monde, je ne ferai de mal à Cynthia. Elle est tout ce qui me reste.

Des larmes coulèrent sur ses joues.

— Quand je l'ai vu culbuter dans l'escalier, j'ai cru mourir.

Un frisson parcourut Annabelle. Ses mains se mirent à trembler.

— Je ne survivrais pas une seconde à la perte d'un être cher.

Elle se balançait dans son fauteuil d'avant en arrière, sans avoir conscience de ce qu'elle faisait, ses bras étaient repliés sur sa poitrine, comme pour étreindre son chagrin.

Sa douleur était si flagrante, qu'Annabelle en fut touchée. Si elle disait la vérité, cela signifiait que le révérend Simmons avait porté un jugement précipité. Mais alors, qui était responsable des blessures de Cynthia.

Annabelle réfléchissait, lorsqu'un homme, véritable sosie de William Hurt, fit irruption dans la pièce. Apercevant Jane, il se rua vers elle.

— Est-ce que ça va? grommela-t-il en lorgnant Annabelle du coin de l'œil.

— Je sais qui vous êtes et laissez-moi vous dire que vos procédés sont abjects.

— Bobby! s'écria Jane.

Il ignora son intervention et poursuivit :

— J'aimerais bien savoir pourquoi vous faites toutes ces histoires.

Jane tenta de lui expliquer qu'elle avait demandé à rencontrer Annabelle et il se tut. Il se tourna vers Jane et l'observa un moment. Annabelle en profita pour se lever. Elle s'adressa à Jane.

— Je vous prie de m'excuser mais je dois rentrer maintenant.

— Avant que vous quittiez, ma petite, reprit Bobby, écoutez bien ceci. Je veux que vous et vos amis cessiez d'importuner Jane. Me suis-je bien fait comprendre ?

Son ton était devenu féroce et son regard hargneux. Alors le déclic se produisit pour Annabelle ; elle venait de mettre la main sur la pièce manquante du puzzle. C'était lui le responsable. Elle lui lança un regard de dégoût.

— Si vous n'avez rien à vous reprocher, je ne vois pas ce que vous avez tant à craindre.

La consternation se fit voir sur le visage de Bobby.

— Attendez une minute. Qu'est-ce que vous insinuez ? Qu'est-ce que ça veut dire, tout ça ?

— C'est justement ce que je voudrais savoir.

Furieuse, Annabelle se tourna vers Jane.

— Le médecin qui a examiné votre fille a découvert des lésions corporelles autres que celles provoquées par la chute. Il...

Bobby l'interrompit :

— Et puis ? Tous les enfants se font des bobos, des éraflures, en jouant.

— En outre, elle a sur le bras droit une brûlure de cigarette. Je doute qu'à son âge, elle puisse se livrer à ce genre d'activité.

— Ecoutez bien ! reprit Bobby. Je me fous royalement de ce que vous et les autres pensez. Ce que je pense, c'est que pour des raisons inconnues, certaines personnes s'en prennent à Jane et à sa fille en colportant des atrocités sans fondement.

Annabelle prit son manteau et le défia du regard :

— Je suis parfaitement d'accord avec vous et, en ce qui me concerne, je n'ai rien d'autre à ajouter.

Annabelle se dirigea vers la porte. Bobby se dressa devant, lui barrant le passage.

— Moi si. Vous vous mêlez de trucs qui ne vous regardent pas. J'aimerais bien savoir pourquoi.

Annabelle souleva la manche de son chandail et lui montra sa cicatrice à l'avant-bras.

— Voilà pourquoi.

Le téléphone sonnait lorsqu'Annabelle arriva à son appartement. C'était le révérend Simmons.

— Enfin, vous êtes arrivée, mon enfant. Je sais qu'il est tard, mais il fallait que je vous dise que madame Wallack viendra me rendre visite dans la matinée, vers dix heures. Seriez-vous disponible ?

— Je ne crois plus que cela soit nécessaire, mon révérend.

— Je ne comprends pas.

Elle lui raconta alors ce qui était survenu, l'appel de Jane, l'entretien qui venait de se dérouler et l'irruption inopinée de Bobby. Elle lui parla aussi, tout particulièrement, des conclusions auxquelles elle était parvenue. Il l'écouta religieusement, sans l'interrompre.

— Je vais contacter maître Brown dès demain. Nous devons entreprendre les démarches nécessaires pour l'arrestation de cet homme, conclut Annabelle.

— Êtes-vous bien certaine de ce que vous avancez ? demanda le révérend, perplexe.

— Oui, mon révérend.

Celui-là ira à la chaise électrique, se dit Annabelle.

***

Annabelle retrouva maître Brown, le révérend Simmons et Franck Schwartz, le directeur du Centre, le lendemain matin au bureau de l'avocat.

Schwartz dit à Annabelle :

— Je ne comprends pas, qu'après avoir remué ciel et terre pour que notre organisme s'occupe du cas de cette enfant, Cynthia Stevens, que vous nous demandiez aujourd'hui une rétractation. La violence envers les enfants est un délit grave, mademoiselle Sirois. Nous avons réussi à convaincre madame Wallack de signer une déposition assermentée, nous donnant ainsi toutes les preuves nécessaires pour inculper la mère. La garde de l'enfant doit lui être retirée dans les plus brefs délais.

Schwartz était un homme trapu, solidement charpenté, au visage rond et à l'allure trompeusement débonnaire. Suite aux révélations d'Annabelle, maître Brown avait immédiatement contacté son patron pour l'en informer. Moins d'une heure après, il convoquait Annabelle.

— Les apparences sont parfois trompeuses, monsieur Schwartz. Jane Stevens n'est pas responsable d'actes de violence contre son enfant.

— De qui êtes-vous en train de vous moquer ?

— Je vais tout vous expliquer, rétorqua Annabelle.

Elle leur raconta, en détails, tout ce que Jane lui avait dit. La ferme et les sévices ; Jane Stevens tombant amoureuse de Brick et la lâcheté dont il avait fait preuve lorsqu'elle lui annonça sa paternité ; les difficultés qui suivirent pour elle et la petite Cynthia ; sa rencontre avec Bobby et les conclusions auxquelles elle était parvenue. Ils l'écoutèrent en silence. Lorsqu'elle eut terminé, Schwartz demanda :

— Ainsi, l'amoureux de madame Stevens serait le responsable des sévices de la petite fille ? La mère et la fille refuseraient toutes les deux de le dénoncer par crainte de représailles ?

— C'est exact.

Annabelle se tourna vers le révérend Simmons.

— Je pense que nous avons fait erreur sur la personne.

Schwartz intervint inopinément.

— Je partage votre avis.

Annabelle lui lança un regard étonné. Schwartz ouvrit un dossier placé devant lui.

— Laissez-moi vous poser une question. Que diriez-vous de mettre en prison cette personne ?

Il se mit à lire à haute voix :

— Ethel Fraser, vingt-sept ans. Née à Fresno, Californie. Père industriel, mère mondaine. À treize ans, Fraser fait une fugue de quatre jours avec un jeune voyou, et se fait attraper à Baskerfield et est rendue à ses parents. Trois mois plus tard, elle et son copain récidivent. Ils entrent par effraction dans une pharmacie, volent les médicaments qu'ils peuvent et s'enfuient. Ramassés à Salt Lake City, elle est envoyée en maison de correction. Elle est remise en liberté à l'âge de dix-sept ans. Elle est arrêtée deux ans plus tard, à Chicago, et inculpée de tentative de meurtre...

Annabelle sentit son estomac se contracter.

— Qu'est-ce que cela a à voir avec Jane Stevens ?

Schwartz lui adressa un sourire glacial.

— Ethel Fraser est Janes Stevens !

— Je ne peux pas le croire !

Il ajouta :

— Le FBI m'a remis cette fiche jaune, ce matin. Fraser est une simulatrice et une menteuse psychopathe. Depuis dix ans, les charges retenues contre elle, après chacune des arrestations, vont du vol à l'étalage à la prostitution et à la tentative de meurtre. Elle n'a jamais eu d'emploi stable. Elle a accouché de sa fille dans une maison de correction. Il y a cinq ans, le FBI l'a arrêtée pour kidnapping. Elle avait enlevé sa fille, alors âgée de quatre ans, de l'hôpital où on la traitait pour coups et blessures.

Annabelle sentit des nausées lui soulever le coeur.

— À cette occasion, Fraser a été acquittée sur un vice de procédure qu'un avocat malin avait concocté.

— Puis-je voir ce dossier, s'il-vous-plaît ?

Sans un mot de plus, Schwartz le tendit à Annabelle qui se mit à lire. Il s'agissait bien de Jane Stevens, aucun doute là-dessus. La photo d'elle, prise par la police, en témoignait. Elle y était plus jeune mais on ne pouvait s'y méprendre. Jane Stevens, plutôt Ethel Fraser, lui avait menti sur toute la ligne. Elle avait échafaudé tout un roman sur sa vie et Annabelle y avait cru. Elle s'était révélée tellement convaincante, qu'Annabelle ne s'était même pas donné la peine de demander à un avocat de son bureau de vérifier cette histoire.

Le révérend Simmons lui demanda :

— Puis-je le voir aussi ?

Schwartz acquiesça et Annabelle lui remit le dossier. Il le parcourut rapidement des yeux et leva les yeux sur Annabelle.

— J'ai beau le voir, j'ai peine à le croire.

— Pour ce qui est de ce Bobby, j'ai prévenu les autorités locales. Elles s'en chargeront. Je ne serais pas du tout surpris qu'il soit le proxénète de Jane et le père de l'enfant, reprit Schwartz.

— Quant à moi, dit maître Brown, je vais entreprendre les procédures nécessaires, afin de procéder à l'arrestation d'Ethel Fraser. J'estime que c'est un être trop dangereux pour le laisser traîner dans les rues.

Schwartz se tourna vers Annabelle.

— Avez-vous des objections à être convoquée comme témoin à charge ?

— Non, aucune, répondit Annabelle catégoriquement.

***

Le sang affluait abondamment dans la gorge d'Ethel Fraser alias Jane Stevens, tellement abondamment, en fait, qu'elle arrivait à peine à parler. Elle était sur le point de s'évanouir mais savait que, si elle se laissait aller, elle ne se réveillerait plus jamais.

— Allô... madame, vous êtes toujours en ligne ? Quelle est votre adresse ? demande le policier.

Elle suffoquait à cause du sang.

— Le quatre... le quatre cent... Ni... Saint Nicholas Place... dans... dans... Mornin... dans Morningside...

— J'envoie une ambulance immédiatement. Madame, vous m'entendez ?

Mais elle n'écoutait plus. Ses pensées retournèrent aux événements des vingt-quatre dernières heures. Suite au départ d'Annabelle Sirois, Bobby avait exigé des explications. Elle lui avait déclaré ne plus recevoir d'ordres de lui. Aussitôt, une transformation s'opéra en lui ; son visage se durcit. Pour la première fois, elle n'était plus le petit chiot dévoué qui faisait tout ce que son maître lui dictait. Le maître n'aimait pas du tout ça. Johnson la suivit jusqu'à sa chambre et vit une valise ouverte sur le lit.

— Où vas-tu, Ethel ?

Sa voix avait un ton profondément étonné.

— C'est pas tes oignons !

Il la saisit aux épaules et la plaqua contre le mur. Elle le défia du regard et dit :

— Tu ne me fais plus peur. Par amour pour toi, j'ai gâché quatorze ans de ma vie. J'ai cru à tous tes mensonges, j'ai supporté en silence toutes tes combines, exécuté tous tes ordres. J'ai aimé même ta haine. Mais tu ne feras plus de mal à ma fille, Bobby, jamais plus.

Il la gifla violemment.

— Je n'en ai rien à foutre de tes jérémiades. Tout ce que je veux savoir, c'est pourquoi cette Annabelle Sirois se trouvait ici ?

— Simplement pour sauver ma peau et celle de ma fille !

Elle reçut son poing dans la figure et sentit, au milieu d'une douleur fulgurante, ses dents s'effriter à l'intérieur de sa bouche comme de minuscules grains de sable. Elle ouvrit la bouche pour parler mais elle se mit à cracher du sang.

— Pauvre connasse ! Te rends-tu compte de ce que tu as fait ? Tu viens de signer ton arrêt de mort, salope !

En dépit de sa douleur, Ethel-Jane réussit à éclater de rire. Bobby s'approcha d'elle et il la frappa avec son pied. Elle entendit le bruit sec de sa jambe qui se cassait, en même temps qu'une douleur atroce. Elle s'affala par terre, incapable de crier à cause du sang qui giclait dans sa bouche.

— Tu croyais t'en tirer comme ça ? 'Y a personne qui dupe Bobby Johnson, t'entends, surtout pas une femelle !

Il lui assena des coups de pieds dans les côtes.

— Alors Ethel ? Tu ne parles plus maintenant ? Qu'est-ce que t'as ?

Il se pencha vers elle et lui dit en se moquant:

— T'inquiète pas, ma biche ! Ton p'tit Bobby ne va pas te tuer. Il va simplement te casser tous les os du corps. Quand j'en aurai fini avec toi, tu serviras de pâtée pour les chiens.

Elle savait qu'il disait la vérité, et la douleur qu'elle ressentait n'était que juste rétribution, pour celle qu'elle lui avait laissé infliger à sa fille. Heureusement pour Cynthia, tout était fini et bientôt, cela ne serait plus qu'un mauvais rêve. Sur cette dernière pensée, elle perdit connaissance.

7 décembre, 22 h 30

Annabelle assistait à la soirée d'inauguration de la revue *Fashion*. Il s'agissait du numéro spécial qui serait en kiosque en mars prochain et auquel elle avait participé.

Les événements de la journée l'avaient vidée de ses forces et elle aurait préféré rentrer à la maison pour travailler sur son prochain roman. Mais elle ne pouvait décevoir Clark. Elle était passée chez elle se changer et s'était ensuite rendue au Waldorf-Astoria, où avait lieu la réception. Soirée fabuleuse, une vingtaine de couturiers de réputation mondiale s'y trouvaient, mais Annabelle était incapable d'en profiter. À sa table, le photographe à la longue chevelure et l'un de ses copains bavardaient ; Rick Edwards autographiait, pour Donna, la couverture du magazine pour laquelle il avait posé. À la lumière des événements qui s'étaient produits aujourd'hui, ce face à face la laissait complètement indifférente. Près d'elle, Clark l'observait depuis un moment.

— Il y a quelque chose qui ne va pas, Annabelle ?

Elle réussit à sourire.

— Non, ça va. Préoccupation littéraire, c'est tout.

Et quelle préoccupation ! se disait Annabelle. Elle n'avait pas besoin d'inventer la vie, elle n'avait qu'à décrire la réalité. L'histoire de Cynthia serait sûrement un best-seller. Elle songea que c'était aussi une soirée parfaite pour s'enivrer.

Un serveur s'approcha et murmura à l'oreille d'Annabelle:

— Excusez-moi, Miss Sirouas, mais il y a un appel pour vous.

Un sentiment d'inquiétude s'empara d'Annabelle. La seule personne qui sache où la rejoindre était le révérend Simmons. Elle lui avait demandé de lui téléphoner dès qu'il apprendrait quelque chose sur l'affaire Fraser-Stevens.

Elle suivit l'employé jusqu'à un petit bureau, de l'autre côté du vestibule. Elle saisit le récepteur et entendit une voix d'homme souffler :

— Tu n'es qu'une sale pute qui a essayé de me baiser.

La voix de Bobby se faisait si basse qu'elle avait du mal à comprendre ce qu'il disait.

— Tu vas payer, pour ça tu vas payer. J'te l'promets !

La communication fut brutalement coupée. Annabelle resta figée sur place. Il se produisait quelque chose de terrible, elle le sentait. Cela avait sûrement rapport avec Ethel Fraser-Jane Stevens. Annabelle essayait de réprimer les tremblements de son corps, de réfléchir, d'analyser ce qui avait pu se produire. Sans doute, Jane avait-elle flairé quelque chose et prévenu Bobby. Peut-être étaient-ils tous les deux en liberté. Et si elle avait de nouveau kidnappé sa petite fille ? Annabelle se sentait responsable de ce qui s'était passé. Elle s'enferma dans les toilettes pour reprendre son calme. Une fois maîtresse, ou à peu près, d'elle-même, elle revint à la table où Clark l'attendait. Il comprit, en voyant l'expression de son visage, que quelque chose n'allait pas.

— Que diable s'est-il passé ?

Annabelle lui raconta brièvement les derniers événements et le coup de téléphone. Il en fut atterré.

— Je crois qu'il est préférable que je rentre.

— Je t'accompagne !

— Non, je te remercie Clark, mais tu dois rester. Que penseraient tes invités ?

— Permets-moi au moins de t'accompagner jusqu'à un taxi.

Ils s'éclipsèrent de la vaste salle, et Clark tint compagnie à Annabelle jusqu'à l'arrivée de sa voiture.

— Tu es certaine que tu ne veux pas que je t'accompagne ?

— Non, merci. Je suis convaincue que la police aura mis la main sur eux avant demain matin.

Elle s'engouffra à l'arrière du Yellow Cab.

— Je te téléphone dans vingt minutes. Cela me rassurera.

Dans une cabine téléphonique, de l'autre côté de la rue, Bobby Johnson avait assisté à toute la scène. Il regarda le taxi s'éloigner.

Tandis que le taxi se dirigeait chez elle, Annabelle regardait sans cesse par la fenêtre arrière pour voir si on la suivait. Une fois devant son immeuble, elle se sentit plus en sécurité et elle songea que l'arrestation de Bobby n'était qu'une question de temps.

Le taxi s'arrêta. Annabelle fixa la fenêtre de son appartement; obscurément, elle sentait le danger. Elle paya le chauffeur et se précipita vers la porte d'entrée. Elle gravit quatre à quatre les escaliers. Ses mains tremblaient tellement qu'elle inséra difficilement la clé dans la serrure. Elle poussa le commutateur et, s'assurant qu'il n'y avait personne dans le living, elle referma la porte et mit le verrou. Elle demeura ainsi quelques instants, le coeur battant, adossée contre la porte. Elle avait du mal à respirer.

Elle parcourut toutes les pièces, allumant toutes les lampes. La sonnerie du téléphone brisa soudainement le silence. Annabelle s'immobilisa, la sonnerie retentit encore, tel un présage de mauvais augure. Elle décrocha l'appareil. C'était le révérend Simmons. Il paraissait à bout de souffle.

— Dieu soit loué, vous êtes en vie !

— Mais qu'est-ce qui se passe ?

— Je suis dans l'appartement de Jane Stevens. Elle vient d'être transportée à l'hôpital. Elle est entre la vie et la mort.

Annabelle sentit son corps se mettre à trembler.

— Elle a demandé de l'aide à la police. Ils soupçonnent Bobby Johnson d'être responsable. Vous ne devriez pas rester toute seule.

Annabelle songea aux menaces que Johnson avait proférées à son égard et son coeur battit la chamade. Clark lui donnerait un coup de fil dans quelques instants et elle lui demanderait de la conduire n'importe où, pourvu qu'elle y soit en sécurité.

— Vous avez raison, je vais agir en conséquence.

Sur ces mots, elle raccrocha lentement le récepteur. Elle les repéra dans la glace, au moment où ils entraient dans sa chambre. Ils avaient surgi de nulle part. Hulk et Tom Pouce, pensa-t-elle, au bord de l'hystérie. Elle les observa qui s'avançaient vers elle.

Tom Pouce dit:

— On n'va pas te faire mal. On veut seulement que tu viennes avec nous.

— Où ça?

—'Y a quelqu'un qui veut t'voir!

Hulk exhiba une petite bouteille brune, enroulée dans un mouchoir blanc. Du chloroforme! Elle nageait dans un mauvais film de série B.

— Ça, c'est pour que tu fasses pas de chichis!

Il imbiba le mouchoir et se dirigea vers Annabelle.

— Non, je vous en...

Le sourire malicieux de celui qu'elle avait surnommé Hulk, fut la dernière chose qu'elle put voir avant de perdre conscience.

23 h 45

Un pathologiste du Mount Sinaï Medical Centre établit qu'Ethel Fraser était décédée des suites d'une hémorragie interne, produite par des fractures et contusions multiples. Le rapport préliminaire d'autopsie indiquait qu'elle avait subi de nombreuses fractures principalement aux jambes, aux côtes, au nez et à la mâchoire.

8 décembre, 00 h 00

La Jaguar de Rick Edwards stationna devant l'immeuble d'Annabelle dans un violent crissement de pneus. Brutalement, les portières s'ouvrirent et deux hommes se précipitèrent vers la porte d'entrée de l'immeuble. Clark avait tenté plusieurs fois, sans succès, de joindre Annabelle. Inquiet, il avait demandé à Rick de l'accompagner jusqu'à son appartement. Il lui avait raconté l'histoire en chemin.

Ils gravirent l'escalier à toute vitesse. Parvenus au quatrième étage, il virent une femme qui cognait à la porte d'Annabelle. Elle avait des cheveux roux ébouriffés, un manteau de similifourrure du plus mauvais goût et était chaussée de bottes de suède rouge.

— Vous êtes une amie d'Annabelle ? demanda Clark, intrigué.

Surprise, elle laissa échapper un cri.

— Pardonnez-moi. Nous ne voulions pas vous effrayer. Nous sommes des amis d'Annabelle.

La femme avait pleuré, son maquillage s'étirait sur ses joues en de longs filets noirs. Elle se précipita dans les bras de Clark, le secouant vigoureusement.

— Savez-vous où elle est ?

— Chez elle. Elle vient de quitter une réception, voilà une demi-heure à peine.

Soudainement alarmé, Clark s'avança vers la porte et frappa du poing.

— Annabelle, c'est moi, Clark. Ouvre-moi, je t'en prie.

N'obtenant aucune réponse, il enfonça la porte sans plus attendre. Toutes les lumières brillaient dans l'appartement. Tous les trois, ils allèrent interdits d'une pièce à l'autre. Clark pénétra dans sa chambre, la coiffeuse y était renversée. De la cuisine, la voix de Rick se fit entendre:

— Clark, viens par ici !

Il se dirigea vers la cuisine. La porte arrière était ouverte et des traces de pas étaient visibles sur la neige.

— Mon Dieu ! Il l'a enlevée ! s'écria la femme.

Les deux hommes lui jetèrent un regard interrogateur.

— Je suis une amie de Jane Stevens. Je m'appelle Tania. Jane a été retrouvée inconsciente dans son appartement tout à l'heure. Elle a été battue à mort.

— Bobby Johnson ! s'écria Clark.

Tania lui jeta un regard étonné.

— Vous le connaissez ?

— Non, mais il a passé un coup de fil à Annabelle tout à l'heure.

Leur première idée fut d'appeler la police, mais il faudrait leur raconter tout et cela prendrait trop de temps. L'autre solution, c'était le FBI; ils étaient entraînés pour agir en cas de rapt mais cet enlèvement n'avait rien d'ordinaire. Pas de demande de rançon pour les mettre sur la piste. Il n'y avait aucun moyen de prendre au piège Bobby Johnson et de sauver Annabelle.

— Il y a peut-être une autre solution, dit tranquillement Tania.

— Laquelle ? demanda Clark.

— Je suis convaincue que lorsqu'on saura dans le milieu la façon dont est morte Jane, tout le monde voudra mettre la main sur Johnson et avoir sa peau.

Le mot circula d'abord dans Morningside. Il partit des filles qui faisaient le trottoir, la nuit. De leurs proxénètes, il fut colporté par les chauffeurs de taxi et transmis dans les bars et les maisons louches. Comme un galet lancé dans l'eau d'un lac obscur et dont les rides s'élargissaient de plus en plus, couvraient de plus en plus de terrain. En moins d'une heure, tous ceux qui vivaient des expédients de la nuit sauraient que Tania voulait un renseignement et qu'elle le voulait très vite. Le milieu fonctionnait selon un code bien précis et très strict. Quiconque violait les règles, le faisait à ses risques et périls. On tabassait une pute et parfois même on la tuait par accident, mais jamais on ne le faisait à la façon de Bobby Johnson.

Le mot, c'était qu'on recherchait Johnson pour le meurtre de Jane Stevens.

00 h 40

Tout était calme dans la chambre, les rideaux étaient tirés et personne ne pouvait voir à l'intérieur. La porte était verrouillée et la chaîne de sûreté mise. Une lampe de chevet était allumée et dans la pénombre Annabelle Sirois gisait sur un lit, les mains et les pieds ligotés.

Tassé au pied du lit, les mains entre les genoux, Bobby Johnson fixait sa victime. Il s'enorgueillissait de ne jamais rien laisser au hasard. Il avait tout prévu, tout analysé. Il s'était assuré de la complicité des meilleurs gars de Baker. Deux mille dollars que lui coûtait ce rapt, soit le salaire de quatre prostituées. Mais Al et Tony avaient fait de l'excellent travail. Le professionnalisme, ça se paie !

Johnson était en admiration devant sa propre intelligence. Qui d'autre aurait pensé à suivre le curé pour trouver l'endroit où elle habitait ? Il avait eu cette idée, le jour où Cynthia avait parlé à sa mère de sa rencontre avec Annabelle Sirois au presbytère. Tout de suite il avait pressenti le danger. Cette nuit-là, il édifia un plan. Un plan si simple qu'il semblait sorti de nulle part, un plan qui par sa justesse n'attendait que le moment favorable pour se concrétiser.

Il s'était mis d'abord à la recherche d'une planque qu'il trouva sur Prospect Avenue, dans un immeuble ayant miraculeusement échappé au délabrement et surtout à la démolition. Il se dressait là, sale, minable, intact et surtout idéal. Johnson avait une valise avec lui ; elle contenait son matériel. Il savait qu'un locataire sans bagage attirerait la méfiance du propriétaire. Après avoir brièvement discuté avec celui-ci, ils s'engouffrèrent dans ce qui semblait être un ascenseur et montèrent au troisième dans une cliquetante et claustrophobique proximité. Le propriétaire lui ouvrit la porte portant le numéro 33.

— Vous avez cinq minutes pour vous décider, dit-il avant de s'éclipser.

Dès que la porte se fut refermée sur lui, Johnson alla à la fenêtre et constata que ses prévisions s'avéraient exactes. La chambre se prêtait parfaitement à la réalisation de son projet. Un escalier de secours se trouvait là, ainsi qu'un étroit passage enneigé longeant le côté de l'immeuble séparé d'un petit terrain vague par une clôture de tôle ondulée.

Il quitta la fenêtre et examina la chambre. Rien d'étonnant à ce que le propriétaire le laissât seul pour visiter les lieux. Il évitait ainsi toutes les explications. Un tapis qui avait été couleur crème recouvrait le plancher; on retrouvait quelques éclaboussures de vin près du lit. Des taches d'humidité agrémentaient les murs et le plafond. La porte de la penderie fermait mal et l'énorme coiffeuse qui occupait le coin le plus sombre de la pièce semblait sortir tout droit d'un grenier. Johnson se dirigea vers la salle de bains. Un chauffe-eau au gaz s'y trouvait et une grande baignoire, sans placard ni penderie. Il ouvrit le robinet d'eau chaude, elle jaillit quelques secondes plus tard dans un gargouillement sonore. Par contre, le chauffage fonctionnait bien, le lit était confortable et les draps bien que froissés étaient propres.

Ces détails n'avaient cependant pas d'importance pour lui. Ce qui lui importait, c'était que la chambre ait un escalier de secours, une ruelle et, en prime, qu'elle porte le numéro 33. Très bon présage ce chiffre correspondant à l'âge du Christ. Il la loua et paya une semaine de location.

Par la suite, il avait surveillé le révérend Simmons pendant deux jours afin de découvrir le lieu de travail d'Annabelle Sirois ainsi que l'endroit où elle habitait. Il n'eut aucun mal à l'identifier le premier jour de sa surveillance. Simmons se rendit dans un édifice du centre-ville et en sortit avec une ravissante blonde. Cynthia avait dit qu'Annabelle avait de longs cheveux blonds. Ils prirent un taxi qui les conduisit sur la 22e Rue. Il attendit quelques minutes avant de pénétrer dans l'édifice pour consulter la liste des locataires. Lorsqu'il aperçut Citizen's Committee for Children of New York, il eut la preuve que ses soupçons étaient justes sur l'identité de la fille.

Toute la semaine, il surveilla ses allées et venues. Une existence monotone qu'elle menait. Elle se rendait à son bureau à huit heures tous les matins et n'en sortait que vers six heures le soir. Elle passait la majorité de ses soirées à la maison. Même scénario avec quelques variations tous les jours; deux soirs, elle alla dîner avec un homme aux cheveux poivre et sel, de haute stature. Sans doute un homme fortuné à en juger par le choix des restaurants. Elle se querella avec un grand blond, de style acteur, un après-midi en face de l'immeuble où elle travaillait; il réussit à la convaincre de monter dans sa Jaguar et la déposa près de l'immeuble qui abritait le Citizen's Committee. Johnson en déduisit qu'il devait s'agir d'un ancien ou d'un futur amant.

Le cauchemar commença le soir où il se querella avec Jane Stevens. Lorsque le lendemain le gérant du Shakers vint le prévenir que la police le recherchait, il avait immédiatement compris ce qui se passait. Il avait pris sa veste et avait disparu. Moins de vingt minutes plus tard, il se terrait dans sa planque.

Il avait vu juste. Cette salope de Sirois l'avait doublé. Il avait constaté lors de leur bref affrontement qu'elle était différente des cervelles d'oiseau qui l'entouraient. Elle était intelligente et perspicace. Il n'avait jamais connu de femmes de caractère, de femmes qui aient le courage de le défier. Il en vibra d'une sensation nouvelle, pas de colère mais d'excitation. Il se rendit compte qu'il était en érection. Pour la première fois, une femme l'excitait. Toutes les femmes le dégoûtaient, sauf Betty qui était dans une catégorie à part. Les femmes étaient sales, malpropres surtout sa putain de tante. Seuls les enfants étaient purs. Ils étaient les anges de Dieu sur la terre.

Cynthia aussi était pure jusqu'au jour où il la surprit dans la salle de bains, en train d'examiner son sexe. Il ne voulait pas lui faire de mal. Il désirait seulement lui expliquer une fois de plus que son sexe était malsain et qu'il devait la purifier. Comme le faisaient les mamans et les papas en Alexandrie. La première fois qu'il lui avait raconté comment s'effectuait cette purification, elle s'était mise à hurler. Il lui avait brûlé involontairement le bras avec sa cigarette en lui mettant la main sur la bouche. Mais cet après-midi, l'arrivée inattendue d'Ethel mit fin à son projet. Cynthia profita du moment d'inattention causé par le bruit de la porte pour s'enfuir. Au moment où il allait la rattraper, elle fit une chute dans l'escalier sous le regard impuissant de sa mère.

Heureusement, Ethel était follement amoureuse de lui. Toute sa vie, il s'était servi des femmes bien qu'il les méprisât. Déjà à quinze ans, Ethel était sous le charme. Elle avait accepté

192

de s'enfuir avec lui, de voler, de se prostituer, de se droguer et même de faire de la prison par amour pour lui. Elle le prenait pour un gars correct parce qu'il ne l'avait jamais touchée ; il évoquait toujours des prétextes nébuleux du genre — je t'aime trop pour faire l'amour avec toi. J'ai trop de respect pour toi — et aussi parce qu'il avait accepté la paternité d'un enfant qui n'était pas le sien.

Si seulement elle savait. L'idée de baiser avec elle lui soulevait le coeur. Rien que de penser à tous ces hommes qui l'avaient tripotée lui donnait des nausées. Les femmes étaient des truies qui voulaient souiller le temple de vos corps. Répugnant ! Il n'éprouvait aucun remords à être un souteneur pas plus qu'il n'éprouvait de peine à l'égard de la petite fille. Elle avait refusé son aide et Dieu l'avait punie. Ethel avait eu tort de le trahir en invitant cette Annabelle Sirois chez elle. Il lui avait bien montré combien elle avait eu tort.

Bobby Johnson se leva et alla vers sa valise posée sur la coiffeuse. Il en sortit un costume d'ange et une boîte de carton. Il en souleva le couvercle pour vérifier son contenu : un rasoir à lame droite, une barre de savon, une paire de ciseaux, une paire de gants chirurgicaux, un rouleau de sparadrap, une boîte de ouate, un couteau à lame recourbée et un garrot. Il déposa la boîte près de la lampe de chevet à côté d'Annabelle toujours endormie. Il se dirigea vers la salle de bains et en revint avec une seringue et de l'héroïne. Annabelle Sirois allait mourir d'une overdose de smack, après qu'il l'ait châtrée.

01 h 15

Le petit studio de Tania ressemblait à une loge d'artiste avec ses murs tapissés de photos. Clark et Rick venaient à peine de s'asseoir sur le sofa lorsque la sonnerie du téléphone retentit. Tania déposa son sac sur le sol et décrocha l'appareil.

— Tania, c'est Eleonor.

Eleonor travaillait pour Johnson ; elle était maintenant la maîtresse de William Baker, le patron du Shakers.

— Je ne sais pas si ça peut t'être utile, mais Johnson est venu voir William la semaine dernière.

— Pourquoi ?

— Je n'en sais rien. Je me rendais à mon rendez-vous habituel avec lui quand en tournant le coin de la rue, j'ai aperçu Johnson qui sortait de son appartement. Je ne sais rien de plus.

— Merci Eleonor !

— Tania, tu ne sais pas qui t'a donné ce renseignement. Tu piges ? Je le fais pour Jane, il ne faut pas que ce salopard s'en tire.

— Je comprends

L'appel suivant fut plus positif. Il provenait de Michael, l'un des barmen du Shakers.

— Betty est ici.

Tania ne put cacher sa surprise.

— Qu'est-ce qu'elle fait là ?

— Je ne sais pas, mais on peut dire qu'elle ne manque pas de cran. Elle est gelée comme une balle. Toute la rue la surveille. J'ai bien l'impression qu'avec tout ce qui se consomme depuis une heure, il y a de l'orage dans l'air.

— Surveille Betty ! Nous arrivons !

01 h 30

Bobby Johnson s'assura que la boîte était bien en place prête à servir. Il fallait être très méticuleux dans ce genre de chose. Annabelle Sirois remua dans son sommeil. Il s'approcha d'elle. Il l'avait dévêtue ne lui laissant que son slip. Ensuite, il lui avait attaché les poignets et les chevilles à chaque extrémité du lit pour la maintenir en position. Ses cuisses étaient solidement fixées en place par du sparadrap ; il ne fallait pas qu'elle bouge durant la cérémonie. Il allait pratiquer sur elle une clitoridectomie avant de lui injecter une overdose d'héroïne. Il aurait pu le faire pendant son sommeil, mais il fallait qu'elle soit consciente pour assister à la scène afin de comprendre que son sexe était le péché, la source de tout mal, un trou méprisable. La cérémonie du *Khifâd,* cérémonie égyptienne encore utilisée qui consiste à exciser le clitoris chez les jeunes filles, la purifierait à tout jamais. Il consulta sa montre ; Betty venait le prendre à trois heures. Il avait tout son temps. Il s'assit, regarda Annabelle en caressant la cicatrice à son avant-bras gauche.

01 h 50

En entrant au Shakers, Joyce Adams reçut un coup au coeur. Toute la rue s'y trouvait et planait en fumant de l'herbe ou en buvant au son de la musique de Donna Summer. Joyce se souvint alors des paroles que lui avait dites Jane lorsqu'elle débutait dans le métier. Elle lui avait dit qu'il ne fallait pas chercher l'amitié parmi les filles du milieu car cela n'existait pas. Jane ne saurait jamais combien elle se trompait.

Joyce se fraya un passage parmi la foule cherchant des yeux Betty, l'amant de Johnson. Elle l'aperçut seul au fond du bar. Il était assis dans une drôle de position ; la moitié supérieure de son corps tournée d'un côté et la partie inférieure de l'autre. Il avait les jambes croisées et le bout du pied de sa jambe la plus haute pointait naturellement comme chez les danseurs. Il se roulait un joint, il se payait un voyage au son de la musique. Joyce remarqua encore une fois qu'il avait les mains fines pour un homme. D'ailleurs il avait une silhouette à vous couper le souffle, à rendre folle de jalousie n'importe quelle femme. Des traits doux et délicats, des cuisses légèrement galbées et des seins admirablement dessinés. Avant qu'il ne devienne le petit ami de Johnson, Betty le travelo était le prostitué le plus en demande. Son ambiguïté sexuelle lui rapportait gros.

Joyce s'installa en face de lui. Ignorant sa présence, il ouvrit son sac à main et en sortit une petite boîte de pilules en or avec ses initiales gravées sur le couvercle. Joyce savait que ce qu'elle lui raconterait le rendrait complètement fou de rage. Elle avait été témoin d'un kidnapping et connaissait l'adresse de la planque de Johnson. Betty hurla mais il finit par tout écouter parce qu'il savait que Joyce était sa seule amie.

Tout avait débuté quelques heures plus tôt, elle venait d'apprendre la mort de Jane lorsque le téléphone sonna. C'était Al Spencer, son ami.

— Bonjour Jojo ! Je voulais simplement te prévenir que nous ne pourrons pas nous voir ce soir. J'ai un travail à faire pour Baker. Je serai à l'appartement vers deux heures cette nuit. J'espère que tu y seras !

Sans savoir pourquoi, Joyce eut le sentiment très net que William Baker avait quelque chose à voir avec la mort de Jane. Il était le futur parrain de la côte est. À quarante-cinq ans, il était un homme à l'allure imposante avec de fortes épaules, une poitrine de travailleur et de courts cheveux noirs gominés.

À dix-huit ans, il était barman au Tsarus, maintenant le Shakers. Deux ans plus tard, il était partenaire et quelque temps après cette transaction, les deux partenaires eurent une dispute et l'ancien patron du bar disparut mystérieusement. Baker se retrouva le seul propriétaire de la boîte. Il l'utilisa comme couverture et levier pour entreprendre son ascension vers le pouvoir : proxénètes, prostitués des deux sexes, pourvoyeurs de came, receleurs, malfaiteurs, enfin tous ceux qui désiraient faire commerce avec lui et bénéficier de sa protection devaient lui payer tribut. Au fil des ans, il s'était monté un véritable empire, avait été appelé à comparaître une soixantaine de fois, mais ne fut condamné qu'à une seule occasion et cela pour une infraction mineure. C'était un homme fourbe, impitoyable et sans aucune moralité.

Joyce avait tenté sans succès de convaincre Al de se tenir à l'écart de cet homme. Ce soir, il lui était impossible de chasser de son esprit que son homme pouvait être impliqué dans la mort de Jane. Elle devait en avoir le coeur net à tout prix. Elle frissonna à l'idée que Baker allait gâcher son rêve en mêlant Al à ses combines. Dans quelques jours, elle devait réaliser son plus cher désir : épouser l'homme de sa vie et quitter cette damnée ville à tout jamais. Elle devait savoir...

Elle loua une voiture et, à l'affût, près de l'appartement de son fiancé, les souvenirs lui montèrent à la tête comme un alcool bon marché qui laisse un arrière-goût écoeurant.

Petite fille, Joyce ne jouait pas à la poupée, elle jouait du couteau et des tessons. Elle rêvait de devenir marchande de mauvais coups, marchande de mort. On lui avait rabâché maintes et maintes fois qu'il n'y avait que cela qui payait, que c'était pour des gens comme eux la seule façon de s'en sortir. Passionnée, elle avait aimé sa mère à la folie comme on doit aimer vraiment; les seules réponses qu'elle obtint furent des gifles, et alors elle les provoqua comme si ce contact, si aberrant fût-il, pouvait ressembler à de l'amour.

Plus tard, elle rencontra Al, et il ne ressemblait en rien aux autres qui venaient la voir danser et se conduisaient comme des animaux. Al Spencer était différent et malgré sa stature monolithique, il était toujours d'une grande douceur avec elle. Il était attiré par elle, et elle par lui. Un soir il lui proposa de subvenir à ses besoins parce qu'il ne voulait plus qu'elle s'exhibe devant tous ces hommes et, plus tard, il lui avait demandé de l'épouser...

Le fil de ses pensées fut brutalement interrompu par l'apparition de son fiancé, accompagné de Tony Azaria. Joyce détestait Tony; derrière son visage d'enfant de choeur se cachait une âme pourrie. Jamais, elle n'avait compris l'association entre Al et lui. Joyce suivit les deux hommes et c'est ainsi qu'elle fut témoin du rapt d'Annabelle. Elle s'était cachée dans la ruelle adjacente et elle entendit l'adresse, le 37 Prospect Avenue, et un nom, celui de Johnson.

Elle attendit qu'ils partent et regagna sa voiture lentement, la tête pleine de questions sans réponse. Pourquoi Baker avait-il fait kidnapper cette fille. Pour la livrer à Johnson ? Sans doute parce qu'elle avait été témoin du meurtre de Jane. Pourquoi Al avait-il accepté ce sale boulot ? Il lui avait simplement dit qu'il avait un travail à faire pour Baker. Ils ne parlaient jamais de son travail et, bien qu'elle eût quelques doutes quant à la légalité de ce qu'il faisait, elle avait toujours refoulé ses doutes au plus profond d'elle-même de peur de gâcher son rêve. Encore une fois, la réalité la blessait cruellement. L'homme qu'elle aimait était complice de séquestration et de Dieu sait quoi encore. Il n'était qu'un criminel et elle s'était réfugiée au Shakers.

Betty, la tête baissée, demeurait silencieux. Joyce le regarda longuement et dit finalement :

— Nous avons toutes les trois été dupées. Jane est morte et ta vie est menacée ainsi que celle de cette femme que je ne connais pas. Je veux prévenir la police. C'est quoi, le 37 Prospect Avenue ? Bobby s'y cache ?

02 h 00

Rick Edwards ne trouvait pas de stationnement près du Shakers ; Clark et Tania entreraient donc sans attendre et il viendrait les rejoindre.

02 h 05

Betty se leva et alla s'entretenir quelques instants avec Michael. Il se dirigea ensuite, en titubant légèrement, vers les toilettes. Inquiète, Joyce partit à sa poursuite ; Betty n'était pas dans le couloir ; il avait disparu. Elle fouilla la toilette des femmes puis celle des hommes, malgré les protestations, mais sans succès. Elle revint dans le couloir, cherchant une issue, et c'est alors qu'elle y remarqua une porte tout au fond. Une plaque de bois indiquait OFFICE. Le coeur martelant dans sa poitrine, elle frappa à la porte. Pas de réponse. Elle frappa un grand coup et cria :

— Betty, c'est Joyce !

Personne ne répondit, elle tourna alors la poignée ; la porte n'était pas fermée à clé. Elle l'entrebâilla doucement en appelant Betty, toujours pas de réponse. Elle ouvrit la porte davantage. Ce qu'elle vit l'arrêta net, comme un mur de brique. Betty était étendu sur un divan près d'un grand bureau, les yeux rouges et gonflés, les mains crispées, le regard vague qui sautait d'un objet à l'autre sans se fixer. Pour Betty, le temps s'était brouillé, confondu, les secondes étaient des heures, les heures des instants. Le temps n'existait plus, si ce n'était que pour le blesser, lui faire peur. Il entendait ses parents se quereller à son sujet, dans la cuisine. Il écoutait attentivement et voulait savoir ce qu'ils disaient de lui, mais d'autres voix se mêlaient aux leurs. Il n'était plus dans sa chambre, mais sur un divan puis, de nouveau, il était dans sa chambre.

Il entendait son père dire quelque chose à sa mère, il calmait sans doute sa mère, comme il le faisait toujours, quand Betty était enfant. Il lui mentait sans doute, comme il l'avait toujours fait... Leurs voix se confondaient, il ne pouvait comprendre les mots sauf des bribes de phrases sans sens :

— Je me fiche de ce qu'il est pour toi !

La voix de sa mère sonnait étrangement et son père tentait de la calmer d'une voix douce, et elle pleurait, se laissant bercer comme une enfant. Son père murmura quelque chose et il entendit sa mère lui répondre :

— Ce n'est pas de sa faute s'il est délicat et doux. Cela ne veut pas dire qu'il soit homosexuel !

Betty se sentit transporter ailleurs ; il entendait des pas, sentait une présence à ses côtés et une voix :

— Betty, ça va ?

Il sentait l'onde de chaleur ambrée qui émanait avec force de la personne... Johnson ? Non, une femme plutôt... il ne pouvait la reconnaître ; elle semblait sortir d'une bande dessinée, mais il n'avait plus peur maintenant. La silhouette demeurait à ses côtés prête à frapper, il en était sûr, avec ses pouvoirs magiques, ses rayons de la mort.

— Betty, tu m'entends ? Est-ce que ça va ?

Elle allait frapper, il en était certain. C'était une femme, il s'en rendait bien compte maintenant.

Au moment où Joyce revenait affolée vers Michael, Clark et Tania entraient dans le bar. Clark regardait cette faune, interdit ; il n'avait jamais rien vu de pareil. Tania avait vu Joyce et elle la poursuivit dans le couloir avec Clark sur les talons.

Michael se précipita sur Betty. Il l'avait déjà vu paumé, mais jamais de la sorte. Quelle drogue avait-il prise et depuis combien de temps était-il dans cet état.

— Qu'est-ce qui se passe, Betty ?

Betty ne répondit pas immédiatement ; sa langue s'épaissit brusquement, mais il réussit à dire quelques mots :

— C'est toi, Michael ?

— Oui, c'est moi !

Betty essaya en vain de se lever et retomba lourdement sur le divan.

— Il vaudrait mieux l'emmener à l'hôpital.

La voix de Joyce tremblait en disant ces mots. Quelque chose se brisait en elle, tous ses rêves semblaient se dissoudre et tout ce qui restait, semblait être cette épave étendue, perdue dans des rêves hallucinatoires. Clark ne l'entendait pas ainsi et il dit :

— Pas avant que je ne lui aie parlé !

Le tableau qu'ils formaient autour de Betty se défit immédiatement lorsque Michael et Joyce se tournèrent brusquement au son de la voix de ce nouvel arrivant. L'expression de Clark semblait d'un calme absolu ; en fait, il semblait presque détaché, mais on devinait derrière cette façade un feu violent qui couvait, un bouillonnement terrifiant, menaçant. Joyce en frémit malgré elle.

— Qui êtes-vous ? demanda Michael.

— C'est un ami à moi ! coupa Tania qui entra dans la pièce, suivie de près par Rick Edwards.

Joyce et Michael regardèrent Betty, puis ils se regardèrent, et enfin leurs regards se posèrent sur les nouveaux arrivants. Tania semblait furieuse et sa voix tremblait presque.

— Johnson a kidnappé une amie à eux ce soir. Betty bougea à nouveau, il hocha la tête et demanda l'heure qu'il était. Il se tut aussitôt après avoir reçu la réponse. Il cherchait dans sa tête ce qu'il devait faire. Il y avait quelque chose qu'il devait faire mais il ne pouvait s'en souvenir. Il leva la tête pour être dévisagé par une douzaine d'yeux. La brume quittait sa tête lentement, il avait de nouveau contact avec le présent.

— Pourquoi me regardez-vous ainsi ? Mon état est excellent, au fond, j'aimerais pouvoir être toujours dans cet état.

Sa voix grave et rauque contrastait beaucoup avec l'apparence féminine de son corps. Il essaya de se lever de nouveau, mais ses jambes se dérobèrent sous lui et il faillit tomber. Michael fit un mouvement dans sa direction, pour être devancé par Clark qui emprisonna le bras de Betty dans un poigne de fer.

— Où est-il ? Où est Johnson.

Clark serra son étreinte en parlant ; Michael voulut intervenir, mais Rick lui barra le passage. Michael le regarda ; il émanait une force tranquille de cet homme qui, à première vue, semblait presqu'une image. Il tenta d'expliquer que Betty...

— Vous ne voyez pas qu'il fait un trip, il est sur l'acide et il ne peut parler à personne dans cet état.

Clark tourna la tête vers Michael. Son visage semblait de pierre, aucune compassion là, mais une détermination sauvage, comme si le vernis de civilisation qui le couvrait habituellement craquait et montrait l'homme qu'il aurait pu être à une autre époque. Joyce le regardait, décontenancée ; elle ne savait pas quoi faire et la voix de Clark la fouetta comme une douche froide.

— Oh si, il parlera !

Betty rit, perdu de nouveau dans son univers hallucinatoire. Son bras était pris dans des lianes qui l'enserraient, il était dans une jungle d'un vert intense et il était content, il leur avait échappé. Il se sentait libre. Joyce le fixait, mais Betty ne la voyait pas. Elle prit une grande inspiration et la relâcha en disant :

— Lâchez-le, je sais où est Johnson, je vais vous le dire.

02 h 15

Annabelle s'éveillait lentement ; elle avait froid et réalisa qu'elle était presque nue. Elle tenta de bouger sans succès, elle baissa les yeux et vit aussitôt les cordes et le sparadrap qui lui enserraient les chevilles et les cuisses. Elle sentit la morsure des cordes autour de ses poignets et elle posa les yeux sur Bobby Johnson. À ce moment, elle comprit qu'il devait savoir où elle habitait... il allait la violer et sûrement la tuer par la suite. Elle se souvint confusément que le révérend Simmons lui avait dit que Jane était entre la vie et la mort à l'hôpital. Elle décida de ne pas montrer sa peur à Johnson, cela ne ferait que l'exciter davantage. Elle était effrayée, les chances qu'on la retrouve étaient si infimes. Elle se souvint de ce qu'il lui avait dit au téléphone plus tôt: qu'il la ferait payer pour tout. Elle devait trouver un moyen de calmer ce fou.

Bobby Johnson s'approcha du lit et sourit. Il avait l'air si grotesque qu'Annabelle pensa d'abord qu'il était une hallucination, une créature issue d'un délire provoqué par les derniers événements. Peut-être n'était-ce qu'un rêve ? Mais elle savait bien qu'il était réel, sa présence ici était aussi inévitable que la mort qui l'attendait. Il était vêtu d'un costume d'ange et son regard était complètement fou, si dément qu'Annabelle eut soudainement très peur. Une peur viscérale lui tordit les entrailles, elle bougea ses poignets et ses chevilles, elle était complètement terrorisée. Elle prit une longue inspiration pour calmer sa voix et dit d'un ton doux :

— Pourriez-vous desserrer mes liens, s'il vous plaît et me recouvrir. J'ai très froid. Je ne m'échapperai pas, je vous le promets. Il faut que nous discutions.

Johnson apprécia le ton poli ; elle avait une bonne éducation et cela lui plut. Elle était différente des filles de rue qu'il côtoyait d'habitude. Sans dire un mot, il se dirigea vers la salle de bains pour y prendre de la poudre pour bébé. Au moment où il en versait dans ses gants, il se surprit à penser qu'il pourrait en verser sur le sol. Il ne fallait pas laisser de traces, il était très fier de penser à tous ces détails. La table de chevet était recouverte d'une nappe verte, il la prit et aussitôt, des souvenirs l'assaillirent. Un meuble semblable se trouvait chez sa tante, lorsqu'il avait douze ans...

Il la revit alors, nue sur le lit, une friandise entre les doigts le regardant en souriant méchamment.

— Tu en veux ? Alors viens la chercher. Allons, viens Bobby, mon garçon.

Sans attendre de réponse, elle avait placé le morceau de sucre à la crème entre ses cuisses. C'était son nouveau jeu. Depuis qu'il vivait avec elle, il y avait eu une longue liste de jeux auxquels il avait dû se prêter. Il était allé vivre avec elle à la mort de sa mère, dont elle était la soeur aînée. Il vivait avec elle depuis près de quatre ans. Au début, elle se contentait de le suivre constamment, de lui demander compte de toutes les minutes où il n'était pas auprès d'elle. Ensuite elle avait pris plaisir à l'humilier et à se moquer de son éducation puritaine. Depuis quelques temps, elle avait décidé de l'initier aux plaisirs de la chair, en l'assurant qu'il aimerait ça.

Il détestait ses actes, et sa répugnance semblait ajouter au plaisir de sa tante. Elle le raillait pour sa faiblesse et le forçait à pratiquer des choses dégoûtantes sur sa personne. La fornication lui donnait mal au cœur, mais le pire c'est qu'elle aimait se livrer à diverses expériences. Comme ce nouveau jeu, où elle plaçait différentes friandises entre ses jambes et l'obligeait à venir les prendre avec sa bouche et ensuite, à pratiquer des caresses buccales sur son sexe. Il ne rêvait que de s'échapper.

Il le fit, cinq mois plus tard. Au bout de trois fugues, il raconta tout aux policiers, sa tante fut donc incarcérée et une série de foyers nourriciers se succédèrent pour le jeune Bobby. Le seul endroit où il trouvait une certaine paix était une petite église avec des images de saints aux visages blancs et parcheminés. Un prêtre lui avait dit que leurs visages et leurs corps étaient purifiés par la faim et que leurs regards brillaient du feu de la justice. Il en avait conclu qu'il avait une mission dans la vie et que Dieu voulait qu'il fasse toutes ces choses. Dieu voulait qu'il efface la tâche originelle du corps des femmes. Il devait infliger de la souffrance au nom de la paix éternelle.

Les cris et plaintes d'Annabelle le ramenèrent à la réalité, il se rua sur elle et lui couvrit la bouche de sa main.

— Je te conseille de te taire, si tu ne veux pas mourir tout de suite.

Annabelle tremblait de tous ses membres, ses dents claquaient, sa bouche était sèche, sa tête lui faisait atrocement mal et surtout, elle ne voyait pas comment elle pourrait quitter cette chambre en vie. Johnson retira sa main et continua à saupoudrer ses gants de poudre. Il regardait Annabelle en pleurs tout en enfilant ses gants chirurgicaux. Il retira de la boîte les instruments qu'il étala soigneusement sur la table. Elle suivait ses gestes des yeux.

— Qu'allez-vous faire avec ces trucs ?

— Quelque chose qui va mettre fin à tes souffrances et qui va te purifier pour toujours. Tu n'as pas à avoir peur.

Johnson s'empara du coton hydrophile et l'approcha de la bouche d'Annabelle. Elle serra les dents.

— Ne m'oblige pas à me fâcher !

Il appuya sur ses joues et la força à ouvrir la bouche ; aussitôt, il lui enfonça le coton dans la bouche et lui colla la bouche au sparadrap. Annabelle se débattit malgré les cordes. Il la laissa faire plaçant le rasoir, le savon et un petit bol d'eau entre ses cuisses. Johnson se saisit ensuite du scalpel pour taillader son slip qu'il retira.

Johnson resta pétrifié : son orifice vaginal était parfaitement accessible, aucune pilosité ne l'entourait.

02 h 40

Ils eurent de la difficulté à dénicher l'immeuble. Ils utilisaient la voiture de Joyce, celle de Rick aurait attiré l'attention. Ils étaient maintenant en face du 37 Prospect Avenue. Rick bondit hors de la voiture, pour se précipiter derrière l'immeuble, des jumelles à la main. Il scruta l'arrière de l'édifice jusqu'à ce qu'il puisse repérer la fenêtre qu'il cherchait ; malheureusement les rideaux étaient tirés et il ne pouvait voir à l'intérieur. Il regagna la voiture où l'attendaient Clark et Tania.

— Ce n'est pas trop tôt ! lui dit aussitôt Clark, impatient.

Rick ignora la remarque et monta dans la voiture.

— Cela s'annonce mal, il y a deux fenêtres qui donnent directement sur l'escalier. Impossible de voir à l'intérieur, les rideaux sont tirés. La base de l'escalier de secours est relevée et cadenassée. Ils...

— Merde !

Clark n'en écouta pas plus. Quelques secondes plus tard, il se dirigeait vers la porte de l'immeuble.

02 h 45

Dans la chambre, Bobby Johnson effectuait ses derniers préparatifs. La fille l'avait déçu. Son pubis imberbe l'avait assuré qu'elle avait déjà été soumise au rite religieux. Comment justifier autrement ce qu'il avait vu ? Johnson aurait préféré qu'elle reprenne connaissance avant de lui injecter l'héroïne, mais il se faisait tard et les voisins étaient revenus et ils faisaient bruyamment l'amour. Il regarda sa montre : Betty serait bientôt là. Il devrait être prêt à quitter, dès qu'elle arriverait. Il s'empara du garrot et de la seringue qui reposaient sur la table de chevet. Johnson regarda de nouveau sa montre en se demandant ce qui pouvait bien retenir Betty.

02 h 53

Clark pénétra dans un hall tapissé de réclames de boissons gazeuses. Une odeur de tabac et de marijuana stagnait dans la pièce. Un jeune homme était assis devant un petit standard. Des cheveux bouclés lui tombaient aux épaules et une barbe cachait sa figure. Il était vêtu d'un vieux blouson de cuir et fumait un joint.

Entendant la porte s'ouvrir, le jeune homme se tourna et regarda l'intrus, notant la couleur de ses cheveux, les traits de son visage et le fait qu'il portait des lunettes noires. Cela lui serait peut-être utile pour un signalement à la police. Son examen terminé, il demanda :

— Qu'est-ce que vous voulez ?

— Le numéro de deux chambres au troisième, celles qui ont accès à l'escalier de secours.

Le jeune homme lui jeta un regard méfiant.

— Pourquoi faire ?

Pour Clark, le temps n'était plus aux bonnes manières, il empoigna le garçon par le revers de sa veste et lui colla un revolver contre la tempe.

— Tu as cinq secondes pour me répondre, sinon ta cervelle va éclabousser le mur.

— Hé ! Attendez une minute ! Vous êtes cinglé, quoi !

L'éclat dangereux du regard de Clark le glaça et les mots jaillirent rapidement.

— Le 32 et le 33 !

Occupés l'un par sa peur et l'autre par sa détermination, ils n'avaient pas remarqué l'arrivée de Rick.

— Clark, ça suffit ! Lâche-le !

Clark lança un dernier regard en direction du garçon retombant sur son siège.

— Je te conseille de rester tranquille si tu tiens à la vie !

Il se tourna vers Rick qui le suivit dans l'escalier sans dire un mot. Les marches craquaient, ils firent le moins de bruit possible. Arrivés au troisième palier, ils entendirent des voix et les craquements d'un lit sur lequel on s'activait. Les bruits provenaient de la chambre 32 et une voix de femme disait :

— Clay, c'est merveilleux, tu es formidable... encore... encore...

Ces mots étaient clairs, sans équivoque, Annabelle devait donc se trouver dans l'autre chambre, le 33.

Ils s'immobilisèrent de chaque côté de la porte, tendant l'oreille ; pas de bruit. Clark recula d'un pas et enfonça la porte d'un coup de pied.

D'un coup d'oeil, la scène se déroula devant leurs yeux. Annabelle gisait nue sur le lit, attachée ; auprès d'elle, un homme affublé d'un costume grotesque tenait une seringue entre ses doigts. Il semblait prêt à lui en injecter le contenu. Johnson se tourna vers la porte, il regarda les deux hommes d'un air ahuri. Ses derniers mots furent :

— Mais vous n'êtes pas Bet...

La balle l'atteint en plein coeur.

03 h 05

Assises sur le siège arrière d'une voiture de police, Joyce et Tania entendirent la détonation au moment où la voiture se garait. Les policiers sortirent de la voiture et se précipitèrent dans l'immeuble, suivis des deux femmes. Parvenus à l'étage, ils se frayèrent un chemin, à travers les curieux qui s'étaient amassés devant la porte, pour voir la femme d'une pâleur mortelle qui pleurait dans les bras de Clark. Johnson était étendu au pied du lit, mort.

Épuisée, Annabelle sanglotait dans les bras de Clark, son esprit était vide, englué dans le brouillard.

03 h 45

Annabelle avait été hospitalisée et reposait calmement dans sa chambre. Assis à son chevet, Clark lui tenait la main. De légers pansements lui couvraient les poignets et les chevilles. Annabelle s'était mise à hurler à son arrivée à l'hôpital ; le léger choc de sa civière contre la table d'examen lui avait remis en mémoire les incidents de la nuit. Elle avait perdu tout contrôle et avait tenté de s'enfuir dans les couloirs. Clark et deux internes essayèrent de la calmer jusqu'à l'arrivée du médecin, mais ses yeux restaient égarés et sans expression.

Elle tenta de raconter ce qui s'était passé, mais à chaque fois, elle faillit perdre conscience. Elle ne cessait de sangloter et le médecin lui donna un calmant. Il avait aussi rassuré Clark sur l'état de santé d'Annabelle.

— Les lésions sont superficielles et ne laisseront aucune trace. Il fut cependant impossible de lui faire un examen gynécologique, dans un état de choc pareil. Nous aviserons demain. De toute façon, nous allons la garder quelques jours.

Clark resta à ses côtés afin de pouvoir la rassurer à son réveil.

Au matin, elle se mit à remuer puis elle ouvrit les yeux. Son regard se posa immédiatement sur Clark. Elle lui dit d'une voix basse :

— Clark, je....

Elle avait de la difficulté à parler.

— Je ne sais... je ne saurais te dire combien... combien je te suis reconnaissante.

Il lui adressa un long regard et il inclina la tête sans dire mot. Elle se contraignit à lui demander :

— Et... et Bobby Johnson ?

— Il n'embêtera plus personne !

Dans son état de fatigue, de lourde torpeur, Annabelle ne savait pas si elle se sentait soulagée. Elle regardait Clark en se demandant comment elle pourrait s'acquitter de cette dette envers lui. Il lui avait sauvé la vie.

Clark l'observait, drapé dans le silence.

CHAPITRE 8

Annabelle, New York : décembre 1975

Q uatre jours s'étaient écoulés depuis le drame. Les journaux avaient relaté en détail l'histoire d'Ethel Fraser, alias Jane Stevens et de Bobby Johnson. Trois hommes avaient été arrêtés pour interrogatoire ; il s'agissait de Tony Azarria et de Al Spencer, deux criminels bien connus de la police, ainsi que d'un dénommé William Baker, soupçonné par le FBI d'être un membre important de la maffia new-yorkaise. Leurs photos furent publiées et Annabelle frissonna d'horreur en reconnaissant ses agresseurs.

On faisait aussi mention du rapt d'une femme dans les journaux, mais on ne mentionnait pas le nom d'Annabelle, ni celui de la petite Cynthia. Annabelle crut aussitôt que Clark y était pour quelque chose. Après tout, elle était étrangère et travaillait au noir. Clark avait veillé à ce qu'elle n'ait pas d'ennuis.

Cynthia était toujours hospitalisée ; il lui fallait guérir et il fallait que le Cityzen Committee statue sur son sort. Au lendemain de sa sortie de l'hôpital, Annabelle prit rendez-vous avec la psychothérapeute de Cynthia. L'enfant avait développé des tics depuis son entrée à l'hôpital et elle refusait d'en parler avec le pédiatre.

— Vous n'êtes pas sans savoir, Miss Sirois, que mis à part les sévices qu'elle a subis, Cynthia était déjà perturbée par le milieu où elle habitait. C'est sans doute pour cela qu'elle refuse de parler.

— Sait-elle que sa mère est morte ?

— Nous préférons attendre qu'elle sorte de son mutisme avant d'en parler. Les circonstances nous obligent à agir de cette façon. Cynthia ressent beaucoup de culpabilité envers sa mère et d'apprendre sa mort, pourrait avoir des conséquences très graves. Elle n'a pas connu une enfance normale, pleine de paix et de douceur. Au contraire, on a bouleversé toutes les structures traditionnelles, ses idées sur les adultes, sa confiance envers ses parents, sa sexualité et aussi la notion que ses parents sont là pour la protéger. C'est comme un tremblement de terre : après, il faut reconstruire. Dans son cas, il faut reconstituer l'image qu'elle se fait du monde ; il y a beaucoup de travail, de choses à réparer, à lui faire accepter. Il faudra la suivre pas à pas, être en alerte au moins jusqu'à l'adolescence et peut-être après. Tout cela, à condition qu'elle sorte de sa torpeur.

— J'aimerais la voir, dit Annabelle.

— Certainement, maître Brown m'a raconté ce que vous avez fait pour elle et aussi ce qui vous est arrivé.

Un long silence suivit, Annabelle ne semblait pas vouloir discuter de ce qui s'était passé. La doctoresse enchaîna :

— Votre présence aura peut-être un effet bénéfique sur Cynthia. À part le personnel médical, seuls le révérend Simmons et sa gouvernante lui rendent visite. Vous pouvez y aller entre quatorze et seize heures.

Assise dans un *coffee shop*, Annabelle se disait que, malgré les bonnes intentions et la qualité professionnelle de l'équipe médicale entourant Cynthia, rien ne pourrait jamais effacer totalement les événements survenus dans sa courte vie. Les mots de la psychologue, beaucoup de choses à réparer, à faire accepter, ne changeaient rien au fait qu'elle avait vécu un profond traumatisme. Annabelle ne pouvait retenir ses larmes ; voilà quatre jours à peine, elle était aux prises avec cet homme et elle imagina cette pauvre petite, nue sur un lit, livrée aux mains de ce maniaque. Au moins, il était mort et ne pourrait plus faire de mal.

Alors qu'elle était encore à l'hôpital, elle avait reçu la visite d'un enquêteur de la police pour connaître sa version des faits.

— Je sais que c'est très pénible pour vous. Si je vous le demande, c'est que votre témoignage pourrait nous être utile pour faire avancer cette enquête.

Annabelle lui avait jeté un regard étonné et il lui avait raconté certains faits sur Johnson. Il lui avait parlé de la déposition qu'il avait faite lorsqu'il n'avait que douze ans, faisant état des sévices qu'il avait subis aux mains de sa tante. Selon le témoignage d'un dénommé Jeff Ritt, mieux connu sous le nom de Betty, Johnson ne cessait de le harceler à propos de certaines confidences que Jeff avait reçues d'un de ses clients. D'origine égyptienne, celui-ci lui avait parlé de certaines coutumes des pays arabes et africains, en particulier du Khifâdh, une cérémonie religieuse qui consiste à mutiler sexuellement des jeunes filles.

La découverte de ce rite avait eu un effet sur son esprit malade. Depuis cinq mois, la police était à la recherche d'un sadique responsable d'une trentaine d'agressions sur des fillettes de six à huit ans. Toutes suivaient le même scénario, toutes avaient été commises près de Central Park et toujours le jeudi. Ses jeunes victimes avaient toutes dit qu'il leur tenait un discours sur la pureté avant de leur faire mal.

— D'après mes recherches, le passé de Johnson ainsi que les objets que l'on a retrouvés dans la chambre où vous étiez séquestrée, je suis à peu près certain que ce sadique et Johnson ne font qu'un. J'ai besoin de votre témoignage pour confirmer mes hypothèses.

Annabelle ne lui raconta pas ce qui s'était passé mais lui confirma ses hypothèses. Elle lui promit aussi de signer une déposition à cet effet dès sa sortie de l'hôpital.

— Vous désirez autre chose, mademoiselle ?

Brusquement, Annabelle sortit de ses pensées, paya le garçon et sortit du restaurant. Elle prit un taxi qui la conduisit vers Cynthia. Une seule pensée lui tournait dans la tête, il fallait que Cynthia lui confie ce qui s'était passé avec Johnson. À l'hôpital, elle s'arrêta pour acheter un chat de peluche à Cynthia. Elle monta à l'étage, inquiète qu'on lui ait indiqué la psychiatrie. En entrant, elle s'aperçut que le visage de l'enfant était aussi pâle que le sien. Cynthia était assise sur le lit, la tête baissée, de grandes feuilles blanches étalées sur ses jambes ainsi que des crayons de couleur. Une infirmière tentait de la persuader de dessiner.

L'infirmière les laissa seules. Cynthia leva la tête et regarda Annabelle.

— Je t'ai apporté un petit chat pour te tenir compagnie, lui dit Annabelle d'une voix enrouée à cause de la douleur qu'elle voyait dans les yeux de l'enfant.

N'y tenant plus, elle se précipita et prit la petite fille dans ses bras pour la bercer et, ce faisant, elle berça aussi sa propre douleur.

— Tu verras, tout ira bien.

Tout à coup, comme une digue qui brise sous la pression, Annabelle sentit deux petits bras l'enlacer fortement. Cynthia se mit aussi à parler très fort, très vite. Elle confia en criant tout ce qu'il lui avait fait, tout, dans leurs moindres détails, dans ses mots à elle, sur un ton de désespoir et de quelque chose qui ressemblait à de la rage.

C'était insoutenable cette petite en pleurs qui lui racontait que, dans un pays, les papas et les mamans coupent le pipi des petites filles parce que leur pipi est sale et méchant. Elle lui racontait aussi que Bobby l'avait assurée que, si elle disait quelque chose à sa mère, il la tuerait et, comme ça, elle serait obligée de rester avec lui pour toujours.

Annabelle sentait ses jambes se dérober sous elle, mais il fallait qu'elle tienne bon, il fallait qu'elle rassure cette enfant.

— Il est mort Cynthia ! Les hommes comme lui qui font du mal aux enfants, on les punit.

Annabelle sentait sa voix trembler, elle vivait un immense décalage entre ce choc qui l'envahissait, celui qu'elle avait déjà vécu, et ses mots semblaient éponger un flot d'émotions contradictoires. Cynthia arrêta de pleurer brusquement pour regarder Annabelle. Jamais elle ne l'avait vue aussi bouleversée. Annabelle garda en mémoire ce regard clair qui voulait la consoler.

***

Annabelle se remettait peu à peu ; Clark lui avait donné trois semaines de congé et il s'occupait d'elle. Il l'avait accompagnée au poste de police pour signer sa déposition. Elle corrobora les rapports d'enquête des deux inspecteurs, mais demeura vague sur les événements, tels qu'elle les avait vécus. Son témoignage fut très nuancé sur l'identité des deux kidnappeurs. Clark se sentait déçu ; il avait compté sur cette visite pour en savoir plus long. Son attitude et ses propos vagues laissaient clairement entendre que, pour elle, cette histoire était définitivement classée. Cela déplut aux deux inspecteurs, qui lui demandèrent de communiquer avec eux si des détails lui revenaient.

Elle paraissait en bonne santé, à cela près qu'elle pouvait rester des heures assise, les yeux dans le vide, absente. Il y avait aussi qu'elle ne voyait plus personne et ne répondait plus au téléphone. Ce comportement inquiétait Clark qui communiqua avec le médecin une semaine plus tard, pour lui confier son inquiétude.

— Vous savez, avait dit celui-ci, elle était complètement perturbée cette nuit-là... il faudrait lui faire avouer ce qui s'est passé. À ce stade, je ne peux vous en dire plus.

Lorsque Clark voulut l'interroger, Annabelle se déroba. Elle ne voulait rien dire, à personne. Elle paraissait si calme, si mesurée, comme si le choc qu'elle avait reçu avait détruit sa jeunesse. Clark n'avait jamais vu de changement si brutal, rien ne semblait plus pareil maintenant.

Le révérend Simmons aussi s'inquiétait.

— Je me fais du souci pour vous, Annabelle. Je dois vous avouer que... que... je me sens un peu coupable de ce qui vous est arrivé. Sans mon insistance pour vous occuper de Cynthia... vous...

— Vous n'avez rien à vous reprocher, révérend Simmons. Vous n'avez fait que votre devoir.

— Oui, mais...

— Si cela ne vous offusque pas, mon révérend, j'aimerais être seule.

Elle se replia sur elle-même et bientôt elle cessa de rire. Tout le monde se posait des questions, mais personne ne sut la vérité. Tous furent d'accord sur le fait qu'elle était étrange. Annabelle ne le savait que trop.

***

En ce Noël, Annabelle pleura toute la nuit, assise sur une chaise. La saison et les terribles événements des dernières semaines eurent raison d'elle. Le téléphone sonna à quelques reprises mais elle ne répondit pas. Elle eut quelques pensées amères envers sa famille et les tristes fêtes de son passé. Elle détestait cette période qui la ramenait invariablement, chaque année, à un passé douloureux qu'elle s'efforçait d'oublier de toutes ses forces.

Toute la nuit, elle lutta contre le désespoir qui envahissait son âme, elle assista à une messe de minuit, elle regarda *White Christmas* à la télévision. Vers deux heures, elle se sentit en proie à un sentiment de solitude effroyable, jamais elle n'avait ressenti un désespoir si intense. Elle tenta de travailler à son roman, pour chasser ce sentiment, mais rien n'y fit. Elle était là, rivée à sa chaise, incapable de bouger ; elle pouvait à peine respirer.

Pour la première fois de sa vie, elle songea au suicide. Vers trois heures, il lui sembla que c'était la seule solution. Une demi-heure plus tard, elle se dirigea vers la salle de bains où se trouvait un tube de somnifères prescrits par le médecin. Elle en versa le contenu dans sa main tremblante. Elle était divisée ; une partie d'elle voulait qu'elle en finisse et une autre s'y refusait. Elle aurait voulu que quelqu'un lui ordonne d'arrêter, que quelqu'un la rassure. Qui pourrait donc s'en charger ? Certainement pas son ours, le seul compagnon de ses nuits. Elle n'avait personne, si ce n'est Clark et quelques relations dans le milieu du travail.

Jamais elle n'avait pensé à elle en tant que femme ; elle avait vingt et un ans et n'avait vécu qu'un amour platonique. Il lui semblait qu'il y avait deux femmes en elle : celle de Sherbrooke terrorisée par le père, par les hommes, tiraillée dans son identité, qui ne cherchait qu'à se terrer, se replier sur elle-même, se recroqueviller, absente, brisée et celle de New York , capable d'amour et de tendresse, pleine d'énergie, responsable, décidée à s'en sortir, à vivre. Mais toujours, cette nouvelle partie était empêchée de vivre par l'autre qui la ramenait à ses introspections douloureuses.

Depuis son enlèvement, Annabelle passait le plus clair de son temps à tourner et retourner les mêmes questions dans sa tête. Elle songeait à ce qui s'était passé avec Johnson, à ses propres réactions. Elle constata avec horreur qu'elle avait été beaucoup plus affectée par l'exhibition involontaire de sa nudité devant des étrangers que par l'acte de mutilation que voulait perpétrer ce malade.

Elle pensait aussi à Rick Edwards; elle le détestait pour ce qu'il éveillait en elle. Il lui rappelait tout ce qui lui manquait, toute cette tendresse, toute cette affection; il ranimait cette carence affective qu'elle s'efforçait de réprimer. Il n'était pas question de sexualité; l'amour, pour Annabelle, devait s'exprimer selon les codes de l'amour courtois. Ce qui ne devait pas être dans les cordes de monsieur Edwards. Comment pouvait-elle désirer enlacer et caresser un homme après tout ce qu'elle avait subi d'eux depuis sa naissance?

Comment pouvait-elle éprouver de tels désirs envers Rick Edwards? Elle savait pertinemment qui il était, ce qu'il représentait. Pourquoi son souvenir la mettait-elle dans tous ses états? Tout au cours de la nuit, sa vie défila devant ses yeux. Serrant les somnifères dans sa main, elle avait l'impression que sa vie s'écroulait sur elle, l'écrasait de son poids. Cette sensation était insupportable. Allait-elle vivre toute sa vie ainsi, à s'apitoyer sur son sort, à lutter contre elle-même, à s'interroger, à s'analyser?

Soudain, la sonnette de la porte retentit. Elle consulta son réveil, cinq heures. Sans doute était-ce Clark qui voulait s'assurer que tout allait bien. Annabelle ne bougea pas, espérant qu'il partirait. Elle se sentait lasse, si lasse.

La sonnette retentit de nouveau, Annabelle déposa les comprimés sur le meuble et alla ouvrir la porte.

La chaîne de sécurité en place, elle entrebâilla la porte. Un homme se tenait devant la porte, vêtu d'un long manteau de cachemire beige. Devant lui se trouvait un immense ours de peluche blanc portant un foulard de soie rouge autour du cou, sur lequel étaient brodées les initiales A.S. L'ours cachait l'homme de la tête à la taille.

— Joyeux Noël, mademoiselle Sirois! s'écria Rick Edwards.

Le coeur battant, Annabelle le fixa sans rien dire. Il s'adressait à elle, le plus naturellement du monde.

— Je désirais simplement déposer cet ours à votre porte, mais j'ai vu en stationnant qu'il y avait de la lumière ...

Annabelle ne l'avait pas revu depuis leur dernière dispute et n'avait pas pensé à lui avant ce soir. Il se tenait là, réel, désinvolte, un ours entre ses mains longues aux ongles soigneusement entretenus. Une mèche rebelle lui tombait sur l'oeil, ce qui accentuait l'émeraude de son regard.

— Je ne suis arrivé de Nice qu'hier matin. J'ai tenté en vain de vous joindre depuis deux jours. Puis-je entrer ?

— Allez-vous-en ! lui dit-elle à voix basse.

— Alors je vous dirai ce que j'ai à vous dire dans le couloir.

La porte du logement de son propriétaire s'entrouvrit et le visage hargneux de son épouse se montra.

— Un instant, dit Annabelle et elle ouvrit la porte.

Elle jeta un coup d'oeil circulaire à son appartement, tentant de le voir comme il le verrait lui. Quand on porte des chaussures de Gucci et des cravates signées, on ne doit pas fréquenter souvent des gens comme elle. Il entra, poussant l'ours devant lui, et lui demanda :

— Où dois-je le déposer ?

— Nulle part, monsieur Edwards. Je n'en veux pas. Je ne veux rien de vous. Je croyais avoir été claire à ce sujet.

— Très bien, nous verrons cela tout à l'heure. Pour le...

— Sortez d'ici ou je crie ! coupa Annabelle.

Ce qui n'était qu'une étincelle dégénérait rapidement en brasier. Elle se sentait suffoquer.

— Ecoutez Annabelle, je crois...

— Pour l'amour du ciel, que me voulez-vous ?

— Je veux simplement m'expliquer un peu. J'ai cru bien faire chez Lutèce, l'autre soir. Je ne voulais pas vous mettre dans l'embarras. Je voulais vous éviter de perdre votre emploi et la confiance de Clark. C'est la raison pour laquelle j'ai pris votre défense.

— Maintenant que j'ai entendu vos explications, je ne vous retiens pas.

— Mais je n'ai pas terminé, je veux que vous sachiez que la première fois que je vous ai vue, il s'est produit quelque chose en moi. J'aimerais que nous soyons amis.

— New York regorge de femmes qui ne demandent pas mieux que de devenir votre amie, monsieur Edwards.

— Si vous me connaissiez, vous ne diriez pas ça. Être mannequin, faire la couverture de magazines comportent aussi quelques désavantages.

— Qui vous force à faire ce travail ? demanda cruellement Annabelle.

— Je vois, dit-il, la voix rauque.

— Si vous avez besoin d'aide, monsieur Edwards, il existe d'excellents psychiatres. Maintenant, je désire que vous quittiez mon appartement sans tarder et que vous ne reveniez plus m'importuner. Allez-vous-en !

Furieuse, elle tourna les talons et s'enferma dans la salle de bains, claquant la porte derrière elle. Elle s'appuya au lavabo, regarda les somnifères, prit de grandes respirations. Elle savait qu'elle avait eu un comportement idiot et cela pour la seconde fois avec lui. Elle tenta de se disculper en se disant qu'il n'avait qu'à cesser de la harceler. Toute la rancoeur qu'elle avait accumulée, elle la lui avait jetée au visage. Après tout, il n'était pas responsable de ses problèmes à elle.

Elle étendit de la crème sur son visage. Elle serait plus calme demain, il serait alors temps de penser à tout cela. Elle s'empara des somnifères, les jeta dans la toilette et tira la chasse d'eau. Elle ouvrit la porte et entra dans le living.

Rick Edwards était assis à sa table de travail, en train de feuilleter les pages de son nouveau roman. Il leva les yeux lorsqu'elle pénétra dans la pièce.

— Je suis désolé, je...

Annabelle poussa un cri d'effroi et se reprit aussitôt. Les dents serrées, elle lui demanda :

— Je croyais vous avoir demandé de quitter les lieux ?

Rick reposa les pages du manuscrit et dit, d'un ton calme :

— Vous ne pensez pas que nous pourrions discuter calmement quelques instants, comme deux adultes civilisés ?

— Non ! s'écria-t-elle.

Le visage de Rick Edwards se durcit et il se dirigea vers la porte en disant :

— Je suis désolé de vous avoir importuné, mademoiselle Sirois.

— Un instant ! dit Annabelle.

Il se retourna.

— Je... je vous prie de m'excuser. Ces temps-ci sont difficiles pour moi et j'agresse tout le monde. Je vous demande d'excuser ma conduite.

— J'accepte vos excuses à conditions que vous acceptiez les miennes.

Annabelle eut soudain conscience des véritables haillons qui la couvraient, une robe de chambre sans couleur et très élimée.

— Si vous m'excusez quelques instants, je vais m'habiller et nous pourrons causer.

Un peu plus tard, assis à la table, Annabelle lui fit découvrir le goût particulier de la tourtière qu'elle cuisinait à cette époque de l'année. Annabelle était trop nerveuse pour manger, elle ne pouvait rien goûter. Ils bavardèrent durant deux heures et cela lui parut deux minutes. Ils parlèrent de littérature, de cinéma, de mode. Ils auraient pu résoudre les problèmes du monde.

Rick se révéla un compagnon de conversation cultivé, incisif et fascinant. Qu'il fit semblant ou non, il était tout à fait charmant. Il lui parla longuement de l'Italie, de Rome, de Venise, lieux qu'il fréquentait régulièrement pour son travail et aussi à cause de ses origines. Il sembla aussi réellement intéressé par la carrière d'écrivain d'Annabelle.

— J'ai l'impression que vous ferez une très belle carrière d'écrivain, lui dit-il en la quittant, sur le seuil.

Dans son lit, elle se répéta ses mots. Peu importait qu'elle soit solitaire, sans famille, sans amoureux. Elle serait écrivain. On avait reconnu son talent et un ouvrage d'elle serait de nouveau publié au printemps. Comment avait-elle pu oublier cela ? Comment avait-elle pu oublier l'essence même de sa vie, de son existence ? Comment avait-elle pu oublier le serment qu'elle s'était fait, de consacrer sa vie à l'art ? Rick Edwards l'avait ramenée à elle-même. Serrant dans ses bras l'ours blanc qu'il lui avait offert, elle comprit qu'elle lui serait à jamais reconnaissante pour ce qu'il avait fait. Elle ferma les yeux en songeant à ce qu'elle avait failli faire.

***

Durant la journée de Noël, Annabelle rendit visite à Cynthia pour lui remettre ses cadeaux. Elle pensait à elle, dans le taxi qui la conduisait vers l'hôpital. Une fois la digue brisée, Cynthia avait pu commencer une thérapie. On l'avait placée dans une chambre avec trois autres enfants. Cynthia coopéra sur tout, sauf s'il était question de sa mère. Jamais, depuis son hospitalisation, Cynthia n'avait prononcé son nom ou réclamé sa présence.

À la troisième consultation, on comprit pourquoi. Cynthia affirma que sa mère était morte lorsqu'elle était très petite. Sa mère ce n'était pas Jane, qui la laissait avec des gens bizarres qui la maltraitaient. Dans la tête de la petite fille, Jane ne pouvait être sa mère et, lorsqu'on lui apprit la mort de Jane, sa réaction fut :

— Cette dame ne me fera plus mal !

Lorsqu'elle entra dans la chambre, Cynthia était assise dans un fauteuil, le regard triste. Annabelle eut la sensation que quelque chose n'allait pas. Elle chercha la pièce des yeux et sursauta en voyant la femme qui lui avait ouvert la porte chez Jane. Elle était vêtue exactement de la même façon criarde et se tenait dans un coin, complètement désemparée.

Pour se donner une contenance, Annabelle se tourna vers Cynthia et lui remit ses cadeaux. La petite semblait mal à l'aise et toutes les deux, elles ignorèrent la présence de la femme. Annabelle espérait qu'elle ne soit pas parente avec l'enfant. Le regard de Cynthia se posa sur la femme aux cheveux roux.

— Tania, c'est Annabelle, mon amie !

En entendant ce nom, Annabelle se souvint que Clark lui avait raconté que c'était grâce à elle qu'il avait pu la retrouver. Tania lui tendit une main chaleureuse. Annabelle lui adressa quelques remerciements. Tania semblait la considérer comme une intruse. Elle voulait en savoir plus long sur ce qui s'était passé. Après les événements, elle avait quitté la ville pour quelques jours. A son retour, elle était venue voir Cynthia et lui avait demandé si elle voulait demeurer avec elle.

— Désirez-vous être seules ? demanda Annabelle.

Le regard de Tania était assez éloquent, bien que Cynthia n'en ait pas eu envie. Annabelle les quitta et revint dix minutes plus tard, en se demandant si elle avait bien agi en les laissant seules. Elle se demandait aussi, s'il ne valait pas mieux qu'elle s'en aille et revienne un autre jour. Elle rentra dans la chambre et y trouva une infirmière qui leur demanda de quitter. Annabelle se pencha vers Cynthia pour l'embrasser et celle-ci lui murmura à l'oreille :

— Dis, tu vas revenir demain ?

Elle lui fit signe que oui et l'embrassa sur la joue, anxieuse de savoir ce que Tania avait fait pour que la petite soit si morose. Tania jeta un dernier regard vers Cynthia et sortit en soupirant. Annabelle marchait derrière elle, n'osant rien lui dire. Malgré qu'elle lui ait sauvé la vie et qu'elle ne s'arrogeait pas le droit de la juger, elle ne pouvait s'empêcher de penser que ses visites ne pouvaient être que néfastes pour l'enfant.

Annabelle fut très surprise de voir Tania se tourner vers elle et lui demander :

— Qu'est-ce qu'elle va devenir ?

— C'est trop tôt pour savoir. Elle a beaucoup de choses à assimiler, et ce rapidement.

Tania acquiesça; la psychologue lui avait suggéré de ne plus rendre visite à l'enfant sous prétexte qu'elle ramenait de mauvais souvenirs à la surface et que la petite n'était pas encore prête à les assimiler.

— C'est sans doute mieux ainsi, une putain ce n'est guère convenable pour un enfant.

Tania avait l'air si malheureuse. Elle consulta sa montre.

— Voudrais-tu prendre un café avec moi quelque part ?

— Je vous remercie, mais j'ai un ami qui vient dîner à la maison tantôt.

Annabelle sentit sa déception et son besoin de se confier à quelqu'un.

— Je suis désolée... commença Annabelle.

— Je sais, coupa Tania avec un sourire triste.

Annabelle sortit un crayon et un morceau de papier de son sac. Elle inscrivit son numéro de téléphone et le tendit à Tania.

— Téléphonez-moi demain, d'accord ? dit-elle, insistant pour lui remettre le bout de papier.

— D'accord.

Tania s'éloigna en agitant la main derrière elle sans se retourner.

***

Annabelle se dit que la vie était injuste parfois, en songeant à Cynthia et à son bref entretien avec Tania.

Clark arriva une heure plus tard et lui offrit un magnifique collier de perles.

— Tu pourras le porter au bal du Nouvel An chez mes parents. Tu acceptes de m'y accompagner ?

— Oui, bien sûr.

Annabelle ressentait de la honte. De la honte, qu'elle éprouvait à accepter ses présents, lui laissant croire qu'elle lui ouvrait les portes de son coeur. Si elle était encore à New York, c'était grâce à lui ; si elle était en vie, c'était aussi grâce à lui. Il avait même tué pour elle. Tout cela avait empli Annabelle d'un sentiment profond, mais elle savait qu'elle n'était pas amoureuse de lui. Devait-elle répondre à son amour sous prétexte qu'elle lui devait quelque chose. Il était son meilleur ami, son frère de coeur, mais il n'était que cela.

Le téléphone sonna, c'était Rick qui l'invitait à dîner dans deux jours. Lorsqu'elle revint s'asseoir, Clark lui demanda :

— Une mauvaise nouvelle ?

— Non, une affaire personnelle.

De ne rien connaître de cette femme qu'il aimait le rendait fou. Elle se montra une hôtesse parfaite, lui faisant découvrir la cuisine traditionnelle du Québec. Il l'écouta lire au cours de la soirée quelques passages de son nouveau roman. Elle était prudente et fermée, intelligente et chaleureuse. Il savait qu'Annabelle était malade en quelque sorte, que ses émotions semblaient peu ou pas existantes, mais il se refusait à y croire. Parce qu'il l'aimait, Clark écartait ses doutes, il investissait temps et énergie dans cette relation, en se disant qu'un jour, leurs qualités spirituelles et intellectuelles les réuniraient.

De son côté, Annabelle songeait qu'une vie avec Clark manquerait de passion, de flamme, d'intensité. Elle serait fondée sur l'intelligence, la sérénité, l'humour et une entente sexuelle se développerait à la longue. Une de ces relations, comme peuvent en avoir des gens qui n'ont jamais été mariés et ne désirent pas l'être, qui passent de bons moments ensemble mais qui peuvent aller leur chemin n'importe quand. Au fond, c'était peut-être ce qu'il y avait de mieux pour elle.

Ce soir-là, Annabelle s'endormit sans trouver de solutions à toutes ses questions.

***

Rick vint la chercher pour dîner, tel que prévu. Comme à l'habitude, il était vêtu somptueusement. Il se montra charmant, courtois, bien élevé jusqu'à la voiture. Une fois au volant, il se conduisit en fou. Annabelle se moqua de lui gentiment.

Aussitôt installés à leur table, il s'excusa. Il revint dix minutes plus tard vêtu d'un pyjama de satin ivoire aux fines rayures vertes, sous les regards ahuris des autres clients et d'Annabelle. Le maître d'hôtel le regarda, mécontent, mais n'osa rien dire, sans doute habitué aux excentricités de ses clients célèbres. Rick commanda du champagne et du sirop de framboise, sa version personnelle du kir royal.

— C'est un pur délice, je ne pourrais m'en passer, dit-il en riant.

— Et alcoolique en plus !

Après le dîner, Rick remit ses vêtements et ils se promenèrent dans Central Park. Ils regardèrent les patineurs. Rick sentait toujours une réticence de la part d'Annabelle. Elle lui parla de Cynthia et il comprit qu'il avait en elle une amie, rien de plus; cela excita sa curiosité.

— Je voudrais vous poser une question en toute franchise.

— De quoi s'agit-il ? demanda Annabelle avec méfiance.

— Êtes-vous engagée envers Clark ?

— Non... enfin, je l'aime beaucoup. Je n'ai pas de lien, comment dire, physique avec lui présentement. D'ailleurs, je ne veux m'engager envers personne pour le moment.

Il constata une fois de plus que sa franchise même constituait un défi auquel il ne pouvait résister.

— C'est pour cela que vous portez une alliance ?

Il remarqua qu'elle tremblait.

— Pour cela et autre chose.

— Quel genre d'autre chose ?

— Rien dont je veuille parler pour le moment.

Annabelle fixait un point au loin. Rick essayait, quant à lui, de deviner ce qui avait pu la marquer à ce point. Elle maintenait toujours une distance, même lorsqu'elle riait et plaisantait. Elle envoyait toujours des signaux signifiant : «n'approche pas trop près». Il pensa un instant qu'elle avait peut-être des penchants sexuels différents, mais chassa cette idée ; il sentait qu'un homme était à l'origine de cette attitude.

— Y a-t-il eu quelqu'un d'important dans votre vie autrefois ?

— Non ! Je ne veux pas parler de cela.

Le regard d'Annabelle le fit reculer. Il y vit de la colère, de la douleur et une expression indéfinissable, mais si forte qu'elle lui coupa le souffle.

— Je suis désolé, dit-il.

Ils changèrent leur sujet de conversation, revenant à des choses plus neutres comme celles dont ils avaient discuté auparavant.

De retour devant son immeuble, Rick lui prit la main et déclara :

— Bonne nuit, Annabelle. Je veux que vous sachiez que ce fut une soirée merveilleuse pour moi.

Ses paroles effrayèrent Annabelle.

***

Moins de deux minutes pour la nouvelle année ; 1975 rendait l'âme, vive 1976 ! À New York, le Nouvel An est célébré dans l'allégresse, tout particulièrement à Times Square. Depuis 1907, c'est une tradition. Annabelle et Clark se tenaient là. Elle était charmante, dans sa robe de taffetas moiré rose. Elle l'avait confectionnée elle-même. Ils attendirent le Nouvel An ensemble et, lorsque 1976 illumina le ciel parmi les bouteilles de champagne qui s'ouvraient, le son des feux d'artifice et le délire complet, Clark se tourna vers Annabelle, plongeant son regard dans le sien.

Pour marquer la nouvelle année, il baisa ses lèvres. Par loyauté et aussi à cause de la nouvelle année, elle le laissa faire, espérant qu'il en resterait là et qu'elle n'avait pas ranimé ses sentiments.

— Et dire que dans une demi-heure, il n'y aura plus personne, et que demain les camions de la ville devront déblayer vingt-cinq tonnes de confettis, de papiers et de bouteilles.

Clark démarra joyeusement la voiture. Lorsqu'ils arrivèrent à la maison familiale, Clark se tourna vers Annabelle.

— Mes parents sont très cérémonieux, mais que cela ne t'inquiète pas. Sois simplement toi-même.

— Je tremble.

Mais elle se rendit compte qu'elle mentait : elle ne ressentait qu'une immense curiosité. Clark observait Annabelle tandis qu'ils franchissaient l'imposant portail. Un maître d'hôtel ouvrit la porte et les accueillit avec un sourire.

Monsieur Jefferson et son épouse auraient pu sortir d'un roman historique. Annabelle fut frappée par leur aspect de vieillesse fragile. En voyant le père, elle eut un coup au coeur : c'était Clark usé par le temps ; sa mère avait une allure aristocratique et conservait les traces de sa beauté d'antan.

La maison était vaste et grandiose. La salle de réception contenait une cheminée de marbre. Des domestiques en livrées circulaient parmi des gens élégants, des membres de la famille et des amis de longue date. Peu de gens de son âge, si ce n'est quatre adolescentes aux traits mal définis. Annabelle se détachait très nettement par sa taille et son port de tête.

Un roulement de tambour se fit entendre. On allait ouvrir le bal. Annabelle s'avança, rougissante, au bras de Clark. Bien qu'elle eût imaginé ce moment une centaine de fois, elle ne ressentit aucune joie, aucun frisson, aucune excitation. La danse terminée, ils s'installèrent à la table des parents de Clark. En dépit de ce que Clark lui avait laissé entendre, Annabelle avait l'impression de subir un examen. Son père et sa mère passèrent une bonne partie de la soirée à lui poser des questions qu'elle s'efforça de dévier. Clark l'écoutait avec fierté et Annabelle prit conscience que sa présence en ces lieux n'avait pour but que de séduire ses parents. Une audition en prévision d'éventuelles fiançailles.

Elle se leva et s'éclipsa discrètement. Elle s'assit sur une chaise à l'écart et soupira, heureuse d'échapper quelques minutes à cette mascarade. Tout à coup, elle entendit une voix qui la fit sursauter.

— J'étais certain de vous rencontrer ici, princesse.

Annabelle ouvrit les yeux et son coeur se mit à battre plus vite. Rick Edwards se tenait près d'elle, en habit de soirée noir, une coupe de champagne à la main.

— Vous m'avez fait peur !

Clark, qui venait d'arriver près d'Annabelle, discerna une lueur qu'il n'avait jamais vue dans ses yeux. Il aperçut Rick au même instant; il en fut surpris et dit :

— Rick ! Je te croyais en Italie, chez tes parents.

— Tu sais très bien que je ne manquerais pour rien au monde le bal du Nouvel An des Jefferson. C'est une tradition.

— Tradition que tu ne respectais plus depuis deux ans, si je ne m'abuse.

Rick ignora sa remarque et lui lança un large sourire. Annabelle semblait figée sous l'effet de la surprise. Après avoir échangé des voeux avec son ami, Clark lui demanda :

— Qui t'accompagne ?

Au même moment, une ravissante rousse vêtue de velours de soie vert prit place près de Rick.

— Kate Alexander, voici Clark Jefferson, notre hôte et mon meilleur ami, ainsi que sa ravissante compagne, Annabelle Sirois.

— Enchantée, dit Kate d'une toute petite voix.

Annabelle se contenta de sourire lamentablement. Rick et Kate s'éloignèrent pour aller saluer d'autres invités. Clark observait Annabelle.

— Il y a quelque chose qui ne va pas ?

— Non, rien du tout.

— Tu veux danser ?

— Pourquoi pas !

Mieux valait valser que de subir un nouvel interrogatoire des parents de Clark. Pendant qu'ils dansaient, Annabelle cherha à en savoir davantage sur Rick.

— Cela fait longtemps que tu connais Rick ?

— Depuis qu'il a quitté l'Italie pour vivre à New York, voilà cinq ans.

— Je croyais que les Italiens avaient les cheveux noirs.

— Sa mère est Anglaise. De son père, il n'a hérité que son amour pour le sexe féminin. Je sais de lui ce que racontent les journaux mondains, car Rick est très discret sur sa vie privée ; bien que tout le monde sache qu'il a une maîtresse dans chacune des capitales du globe. Méfie-toi, il est très dangereux.

Annabelle l'écoutait parler et elle se demandait si ce portrait lapidaire de Rick était sincère ou s'il ne voulait que la mettre en garde et la dissuader de s'intéresser à son ami.

De retour à leur table, Annabelle bavarda avec les parents de Clark, mangeant à peine. Lorsqu'elle croisait le regard de Rick, elle se sentait toute drôle mais savait que c'était ridicule. Elle dansa plusieurs fois avec Clark et avec d'autres hommes qu'elle ne connaissait pas. Rick quitta la réception quelques heures après son arrivée, il lui fit de grands signes de la main en quittant avec sa grande rousse.

Ils quittèrent la réception vers trois heures. Clark proposa ce départ, il lui semblait qu'Annabelle semblait fatiguée. Il garda le silence au début puis, changeant d'idée, lui demanda :

— As-tu trouvé la soirée agréable ?

— Oui, tes parents sont très gentils.

Son ton semblait impersonnel, mécanique, comme si elle le remerciait de lui donner l'heure.

— Je me demande ce que Rick faisait à la réception. D'autant plus qu'il n'y est resté qu'environ deux heures.

— Il n'était pas invité ? s'enquit Annabelle.

— Oui, comme à chaque année. À propos, tu as remarqué la réaction des femmes lorsque Rick les regarde ?

— Non, pas vraiment.

— Quel effet, il te fait à toi ?

— C'est à moi que tu demandes ça ? Tu as la mémoire courte, mon cher. Tu sembles avoir oublié pourquoi c'est moi qui ai eu l'honneur de choisir les mannequins pour *Fashion*.

Clark fut frappé par la véhémence de ses propros. Il comprit qu'il avait touché une corde sensible. Il était bien déterminé pourtant à aller au fond de cette histoire et de connaître la vérité.

— Rick Edwards, c'est autre chose. J'ai bien vu la lueur dans tes yeux lorsque tu le regardes.

Il quitta la route, coupa le contact et scruta le visage d'Annabelle.

— Annabelle, il faut que nous parlions sérieusement. Tu sais que je suis amoureux de toi.

— Tu es ridicule Clark, je t'ai expliqué déjà pourquoi tu croyais être amoureux de moi.

— Comment pourrais-tu le savoir puisque tu n'as jamais aimé.

Annabelle parut d'abord interloquée, puis une expression de chagrin se peignit sur son visage.

— Aurais-tu déjà été amoureuse, Annabelle ? Clark remarqua qu'elle se contractait.

— Non.

— Es-tu amoureuse d'un autre homme ?

— Non.

— Est-ce que tu m'aimes ?

— Oui, mais...

— Alors, pourquoi me repousses-tu ?

— Parce que je ne veux pas gâcher notre amitié. Tu sais combien elle m'est précieuse. J'ai besoin de toi.

— Moi aussi, j'ai besoin de toi. Marions-nous, ainsi nous serons toujours ensemble.

— Je ne peux pas.

— Pourquoi ?

Annabelle était d'une pâleur mortelle et ses dents claquaient dans sa bouche malgré la chaleur qui régnait dans la voiture.

— Dis-moi ce qui te fait souffrir. Je crois que tu as besoin d'enlever ce poids de ton coeur.

Cet aveu l'effrayait encore plus que de vivre avec son secret.

— Je ne peux pas !

Clark comprit qu'il était en train de pousser une porte qu'on tenait bien fermée; il était aussi certain qu'il fallait l'ouvrir pour le salut d'Annabelle. Il était bien décidé à ne pas abandonner la partie.

— Annabelle... parle-moi...

Elle fixa Clark, émit quelques sons incohérents, incompréhensibles et secoua la tête.

— Dis-moi tout, rien qu'une fois, après nous n'en parlerons plus jamais... la pressa-t-il doucement.

Annabelle lui sourit à travers ses larmes. Elle savait que Clark ne lui désirait aucun mal, qu'il ne voulait connaître son secret que pour mieux la comprendre et se comprendre lui-même. Le problème, c'était que les événements de juillet 73 avaient irrévocablement changé le cours de sa vie et qu'elle savait à quoi s'en tenir sur les hommes et l'amour.

— Clark, je ne veux pas me marier, ni me fiancer. Tout ce que je désire, c'est de réussir dans ma carrière d'écrivain. Tu peux comprendre ça.

Clark observa attentivement le regard bleu voilé. Il lui pinça la joue et dit :

— Je te ramène chez toi.

Après l'avoir déposée à la maison, Clark se demanda si sa relation avec Annabelle pourrait changer maintenant. Il avait conscience de se conduire d'une façon déraisonnable, mais il ne pouvait s'en empêcher. Il était la proie de quelque chose qui le dépassait. À moins que la lueur qu'il avait perçue dans ses yeux ne soit le fruit de son imagination, il était convaincu qu'il se passait quelque chose entre elle et Rick. Il se promit de tirer cette affaire au clair. Pour le moment, cette soirée lui avait appris qu'Annabelle l'aimerait davantage s'il restait son ami au lieu de chercher à lui imposer ce qu'il ressentait pour elle.

LIVRE DEUXIÈME

Et la vie commence

CHAPITRE PREMIER

Rick et Annabelle, New York : 1976-1979

J amais Rick n'avait été aussi heureux. Le trois années qui venaient de s'écouler représentaient une période vraiment idyllique. Il partageait son temps entre un travail qu'il aimait et ses loisirs en compagnie d'Annabelle Sirois. Il était enchanté, cette fille donnait de la noblesse à sa vie.

À bord du 747 qui le ramenait à New York, Rick Edwards, le mannequin le plus en vogue d'Europe et d'Amérique, joua son rôle à la perfection. Tout de suite après le décollage, les hôtesses s'étaient empressées autour de lui, lui signalant qu'elles étaient aussi disponibles pour d'autres activités et plusieurs passagères lui firent part de leur admiration. Autrefois, Rick aurait réagi avec mauvaise humeur, il aurait vertement remis toutes ces personnes à leur place. À présent, il se montrait aimable et cordial ; il éprouvait même une sorte de fierté face à son succès. Ce changement, il le devait à Annabelle.

***

Cinq jours après la réception chez les Jefferson, Annabelle reçut un appel de Rick Edwards.

— Rick à l'appareil. Comment va mon ourson ?

— Très bien, il a rejoint les autres sur la commode, monsieur Edwards.

— J'avais pensé que vous lui auriez réservé une place de choix, sur votre lit par exemple.

Cette impertinence correspondait parfaitement à l'humeur d'Annabelle. Elle venait de passer quatre jours enfermée chez elle à corriger les épreuves de *Chimère*. Rick était la première personne avec qui elle s'entretenait.

Pour Rick, ces «monsieur Edwards», ce vouvoiement dénotaient une attitude de fuite, une distance, de la gêne, toutes les caractéristiques d'une femme froide. La plupart s'efforcent de jouer la comédie, d'autres crânent en accusant leur éducation ou leurs partenaires. Dans le cas d'Annabelle, il était convaincu qu'il s'agissait de quelque chose de plus complexe.

— Que puis-je pour vous, monsieur Edwards ?

— Vous êtes très difficile à rejoindre, vous savez.

— Je ne comprends pas.

— J'espère, depuis quatre jours, entendre le son de votre jolie voix.

— C'est tout simplement parce que, lorsque j'écris, j'ai la fâcheuse habitude de ne pas répondre au téléphone.

— J'en déduis donc que vous avez terminé votre travail, puisque vous avez répondu.

— On ne peut rien vous cacher !

— Accepteriez-vous de prendre un verre en ma compagnie ?

— Du champagne avec du sirop de framboises ?

— Vous seriez-vous laissée séduire par ce nectar des dieux ?

— Sans vouloir vous vexer, je préfère la limonade.

Annabelle était heureuse de lui parler et surexcitée à l'idée de le revoir. Elle lui demanda où et il répondit qu'il était chez lui. Aussitôt elle hésita.

Rick se dit que sa vie était assez compliquée sans y ajouter une femme brouillée avec elle-même, mais il lui dit :

— Qu'est-ce qui se passe, jeune demoiselle ? Auriez-vous oublié notre merveilleuse matinée de Noël, tous les deux seuls dans votre appartement ?

— Bon, c'est très bien, je note votre adresse. Je serai là dans une vingtaine de minutes.

Rick habitait un charmant appartement sur deux étages, superbement décoré. À l'étage se trouvait la chambre principale avec salle de bains attenante et une chambre d'amis avec, elle aussi, une salle de bains. Le rez-de-chaussée comprenait un immense living, une salle à manger très vaste, une charmante cuisine et une terrasse sur l'East River.

Lorsqu'Annabelle arriva, il regardait un film à la télé, étendu sur le canapé. Il la fit entrer et la souleva de terre en l'étreignant. Un frisson la parcourut lorsqu'il lui pinça la joue. Il plana un peu de gêne au début, mais dans le temps de le dire, elle se dissipa et vers la fin de l'après-midi, ils étaient semblables à de vieux amis qui se sont toujours connus.

Rick était encore plus beau qu'avant, mais ce qui faisait palpiter le cœur d'Annabelle c'était ce besoin qu'il projetait : ce besoin d'être cajolé, caressé, bercé. Elle ressentait aussi ce besoin, mais il ne lui serait jamais venu à l'esprit de le partager avec un homme, craignant d'être confrontée aussitôt à la sexualité.

Un peu comme s'il avait lu ses pensées, il lui parla de lui-même, de sa famille, de sa carrière. Ecoutant ses confidences, elle s'avisa que jamais elle n'aurait cru que son existence puisse être aussi triste. Sa vie semblait se résumer à une interminable parade de chambres d'hôtel, de valises, d'avions, de salles de maquillage. Il n'était pour sa famille qu'un soutien financier. Il n'était pour les femmes qu'un corps, un objet de convoitise ; elles lui prêtaient leurs corps, un point c'est tout. Elle fut consternée d'entendre une cassette de son répondeur où des femmes et des hommes sollicitaient carrément ses faveurs. L'une d'elle disait :

— Appelle-moi, chéri. Tu ne seras pas déçu. Les saletés, ça me gêne pas. Je les connais toutes, je les ai toutes pratiquées.

Jamais Annabelle n'aurait cru une chose pareille, elle n'aurait même pas assez d'imagination pour inventer un truc comme ça.

— Elles veulent baiser avec une couverture de magazine, pas avec un homme.

Annabelle comprenait d'instinct la solitude de Rick. Il venait aussi de lui confirmer ses appréhensions sur la célébrité et avait ainsi renforcé ses positions à ce sujet. Rick s'était confié à elle parce qu'il mourait d'envie d'être compris et aimé. Elle aussi ressentait ce manque parfois. Il lui aurait fallu à elle aussi une famille, des amis, un homme... davantage qu'un ours de peluche sans vie et sans odeur particulière.

Il leva les yeux et plongea son regard dans celui d'Annabelle.

— Tu veux bien être l'amie de quelqu'un comme moi ?

— Je ne sais pas, dit-elle, pensant que peut-être tout ceci n'était qu'un *frame-up,* une comédie dans le but de la séduire. Mieux valait agir prudemment.

— Je suis triste pour vous, Rick, sincèrement.

– Être triste et être une amie, c'est différent. Je n'ai pas besoin que l'on soit triste pour moi. J'ai besoin d'une amie. Tout seul, le monde ne vaut rien. C'est comme naviguer sur un océan dans un bateau fantôme. Plus rien n'a de goût, on ne sent rien. Je ne peux pas parler seul, je ne peux pas aimer seul.

— Vous n'êtes pas vraiment seul. Vous avez des amis, des compagnons de travail qui...

— Et vous, Annabelle, vous m'aimez ?

— Oui, je crois, maintenant.

— Vous n'en êtes pas certaine. Mais vous pouvez apprendre à mieux me connaître, nous pouvons passer nos temps libres ensemble. J'aimerais bien.

Annabelle ne répondit pas tout de suite. Il lui avait confié sa tristesse. C'était un secret douloureux à condition bien entendu que cela soit vrai. D'un autre côté, allait-elle passer sa vie à se méfier de tous les hommes ? Involontairement il lui avait sauvé la vie, ce matin de Noël. De plus, elle était fière qu'il se soit confié à elle, qu'il ait eu confiance.

Annabelle prit son manteau sur la chaise et lui dit au revoir. Il l'embrassa rapidement sur la joue, un baiser détaché. Elle fixa ses yeux couleur d'émeraude et lui dit :

— Si vous le désirez, nous pourrions peut-être aller au cinéma, au théâtre...

Il sourit, le visage illuminé.

— Alors, nous sommes amis ?

— Oui !

— Alors, à partir de maintenant, plus de «vous» ni de «monsieur Edwards».

***

Au cours des semaines suivantes, Rick lui téléphona d'Europe ou de grandes villes américaines lorsqu'il le pouvait. Il passait ses temps libres à New York avec Annabelle lorsque celle-ci était disponible.

— Pas de roman d'amour en mon absence ? lui demandait-il à chaque fois.

— Aucun, je me réserve pour l'homme de ma vie.

— Il n'y aura jamais d'hommes dans ta vie, si tu ne sors jamais.

— Tiens, on croirait entendre Clark.

— À propos, comment va-t-il ?

Annabelle lui répondit évasivement. Elle n'avait pas parlé de leurs relations à Clark. Elle le connaissait suffisamment pour savoir qu'il se mettrait toutes sortes d'idées en tête. Aussi ne tenait-elle pas à s'expliquer avec lui sur le sujet. Pour Clark, l'amitié entre un homme et une femme était impossible.

— Il est formidable ! dit-elle. Je ne sais pas ce que je deviendrais sans lui. Il s'est occupé de ma situation ici, de mon statut légal aux Etats-Unis.

— Tu pourrais t'éviter tout ce branle-bas, tous ces ennuis si tu m'épousais, lui dit Rick en souriant.

— Et prouver ainsi que je n'ai plus une once de jugement !

De ses voyages, Rick lui rapportait des écharpes de soie, des petits animaux de cristal, mais surtout de très beaux tissus. An-

244

nabelle confectionnait tous ses vêtements et le look Sirois faisait partie des choses qui le fascinaient chez elle.

Comme de vieux copains, ils fréquentaient des petits bistrots du centre-ville. Ils allaient écouter du jazz d'avant-garde au Half Note et des concerts de musique de chambre sur la 3e Rue. Il leur arrivait de dîner à l'appartement de l'un ou de l'autre et après le repas ils regardaient la télé, discutaient ou jouaient au scrabble.

L'aveuglement d'Annabelle avait quelque chose de merveilleux pour Rick. Elle était tellement préoccupée par la rédaction de ses romans, la confection de ses vêtements, ses activités avec le révérend Simmons qu'elle ne voyait pas vraiment ce qui se passait autour d'elle. Rick se demandait ce qui l'émouvait tant chez cet être. Chaque fois qu'il se posait cette question, il la revoyait chez elle, ce matin de Noël, raide sur son sofa, visiblement partagée entre le désir de rester auprès de lui et celui de se sauver. Il avait été séduit par sa façon de parler de son livre avec son cœur plutôt qu'avec son cerveau. Elle possédait ce cordon de larmes et de rires qui nous rattachent tous quelque part les uns aux autres, mais que tant d'auteurs s'évertuent à dissimuler sous des mots neutres ou complexes comme une part honteuse ou négligeable d'eux-mêmes.

Et son regard... ce regard secret qu'elle détournait toujours du sien chaque fois qu'il essayait d'y lire. Une enfant, voilà l'image qui lui était apparue lorsqu'elle s'était excusée de s'être emportée. Elle se tenait là, indécise, perdue, le visage en déroute, comme une enfant prise au piège, prête à fondre en larmes. Comme elle était différente des autres femmes qu'il connaissait, qu'il avait côtoyées jusqu'à maintenant. Toutes, elles jouaient la comédie ; Annabelle, elle, semblait authentique.

Au printemps, Rick et Annabelle assistèrent au lancement officiel de la revue *Fashion*. C'était la première fois qu'ils se retrouvaient ensemble dans une soirée où ils connaissaient des gens. Bien qu'ils aient été relativement discrets lors de la réception, Rick ne fut pas étonné de recevoir une invitation de Clark le lendemain, pour aller prendre un verre à son club privé.

Deux heures plus tard, Annabelle vit le visage préoccupé de Rick à son entrée au restaurant où elle l'attendait. Elle comprit qu'il se passait quelque chose.

— Je viens de m'entretenir avec Clark, dit-il.

— À propos de nous ? demanda Annabelle étonnée.

— Non, à propos de lui et de ses sentiments pour toi. Il s'est douté de quelque chose, hier à la réception, et il m'a téléphoné ce matin pour me rencontrer à son club, en fin d'après-midi.

— Qu'est-ce qu'il t'a dit ?

— Simplement, qu'il était amoureux de toi et qu'il était bien décidé à attendre le temps qu'il faudrait.

— Mais Rick... je ne suis pas... je ne peux pas... jamais je ne pourrai...

Pour la première fois depuis trois ans, elle était de nouveau confrontée au terrible secret que le médecin lui avait divulgué. Elle se mit à trembler.

De son côté, Rick comprit tout à coup qu'il tenait là une chance unique d'en savoir un peu plus long, sur sa mystérieuse amie. Il oublia vite cette idée lorsqu'il la vit devenir d'une pâleur mortelle et que ces dents se mirent à claquer. Annabelle tremblait de tous ses membres lorsqu'il lui demanda si cela allait. Elle tenta de répondre sans succès et se contenta finalement de hocher la tête.

— Qu'est-ce qu'il t'a fait pour te mettre dans un état pareil ?

— Rien d'autre que d'être amoureux de moi.

Des larmes roulaient sur ses joues et Rick lui tendit un mouchoir dans lequel elle enfouit son visage. La vie lui jouait un tour bien cruel. C'était la première fois depuis son histoire avec Serge Denoncourt qu'elle vivait quelque chose de platonique avec un homme. Rick la comprenait, la respectait, l'acceptait telle qu'elle était. Elle n'éprouvait aucune honte face à lui, elle ne se sentait pas en danger. Mais il se trouvait que Clark, son meilleur ami, était amoureux fou d'elle. Elle ne voulait à aucun prix faire de mal à Clark même si elle lui préférait la compagnie de Rick.

— Je ne sais plus comment lui faire comprendre que je ne suis pas amoureuse de lui, que je ne pourrai jamais l'être, reprit-elle.

— Pourquoi désires-tu prendre sur tes épaules la souffrance de Clark? Te rends-tu compte de la souffrance qu'il te fait subir ?

Rick laissa passer quelques secondes avant d'ajouter :

— Je trouve qu'il n'est pas tout à fait honnête avec toi. Ton roman, ta citoyenneté, ton emploi, tout cela n'a qu'un but : te lier à lui.

— Je sais tout cela, Rick, c'est précisément là l'impasse.

— Tu as l'intention de subir en silence cette situation uniquement pour ne pas perdre ce qu'il t'offre ?

— Exactement; sans lui, tous mes rêves, tout ce à quoi j'aspire n'existe plus.

— C'est tout à fait faux ! Tu n'as de compte à rendre à personne. Quand on offre de rendre service à quelqu'un, on le fait sans y mettre de prix. La satisfaction qu'on en récolte est de savoir que l'on a contribué au succès de quelqu'un, au règlement d'une situation. Si Clark ne comprend pas cela, ce n'est pas ton problème. En agissant comme tu le fais, Annabelle, tu insultes ton intelligence. L'amitié ou l'amour, cela ne s'achète pas. Cela existe tout simplement.

Rick en avait dit beaucoup plus qu'il n'aurait voulu, mais les coupes de champagne bues en compagnie de Clark lui avaient délié la langue.

— Je suis d'accord avec toi et c'est précisément ce que je m'efforce de lui faire comprendre depuis le début, mais il ne veut rien entendre.

— Avec Clark, Annabelle, on n'argumente pas, on réagit.

— Qu'est-ce que tu proposes ?

— Laisse-lui croire qu'il y a un autre homme dans ta vie.

Annabelle le regarda, stupéfaite ; elle comprenait ce que Rick lui proposait, mais elle se sentait coupable de le comprendre. Ils n'étaient même pas des amoureux.

Rick semblait lire ses pensées lorsqu'il répondit :

— Clark ne sait pas qu'il ne se passe rien entre nous et il ne serait pas le premier à se faire enlever sa fiancée par son meilleur ami.

Annabelle avait peur pour leur amitié et le lui dit. Rick la rassura: le temps arrangerait les choses entre lui et Clark. Le plus pressant, c'était cette impasse dans laquelle elle se trouvait.

— Et pourquoi ferais-tu une telle chose pour moi ? lui demanda-t-elle.

— Simplement parce que tu m'offres un don précieux, une amitié sincère, et pour moi, c'est la meilleure des possessions.

Annabelle sourit malgré elle: il la citait. Son idée avait du mérite et elle savait qu'elle ne risquait rien avec Rick. La situation entre elle et Clark devenait de jour en jour plus intenable. Bientôt aurait-elle le choix ? Rick avait raison, il fallait qu'elle réagisse d'une façon ou d'une autre.

— Je dois me rendre à Paris, la semaine prochaine. Je vais tenter une dernière fois de convaincre Clark ; si j'échoue, alors nous aviserons.

Le dîner se poursuivit en silence. Le lendemain, lorsqu'elle entra au bureau, Clark l'attendait.

— Qu'est-ce qui ne va pas ? Tu es malade ?

Elle l'était presque, à l'idée de ce qu'elle devrait sans doute faire. Mais elle s'était inquiétée inutilement. La semaine suivante, à leur arrivée à Paris, ils découvrirent que François Legault avait préparé une surprise à Annabelle, surprise qu'elle n'était pas prête d'oublier ni de lui pardonner. Ces événements troublèrent un peu ses rapports avec Clark car ils eurent une altercation à ce sujet.

Elle revint à New York et se remit au travail avec acharnement, préparant une surprise de son cru pour François Legault. Rick découvrit ainsi un autre de ses traits de caractère. C'était une lutteuse, elle était de celles qui ne se laissent pas abattre facilement. Il l'admira pour cela aussi.

L'année suivante fut très semblable à celle qui venait de s'écouler sauf qu'Annabelle et Rick se virent moins souvent. Annabelle avait entrepris des cours de perfectionnement en anglais et elle travaillait à la rédaction de son nouveau roman en anglais. Absorbée par toutes ces activités, elle n'eut pas à utiliser le stratagème suggéré par Rick pour garder Clark à distance. Elle ne le voyait qu'au bureau. Annabelle décida aussi que, lorsqu'elle sortirait en compagnie de Rick, il ne serait plus question de se cacher.

Elle refusa l'invitation de Clark de passer Noël 77 avec lui à Hawaii ; par contre, elle accepta celle de Rick qui lui proposa de célébrer son anniversaire à Rome. Un week-end à Rome, y fêter son anniversaire avec son grand ami Rick ! Rome, la Ville éternelle !

Arrivés à Rome, Rick la conduisit Via Marquetta où il possédait une petite maison. La première journée se passa à visiter de nombreux monuments, les thermes, la mausolée d'Hadrien, la muraille d'Aurélien et tant d'autres; le soir, ils dînèrent au Café Greco. Le lendemain, il lui fit voir la Cité du Vatican, les jardins de Pincio et la fontaine de Trevi pour être bien certaine de revenir à Rome.

Le soir au souper, Rick fit rire Annabelle en lui racontant les étapes auxquelles s'astreignait un célèbre don Juan romain. La soirée fut parfaite et, le champagne et le vin aidant, Rick entreprit une discussion avec Annabelle.

— Tu comptes beaucoup pour moi, Annabelle.

L'appartement était très sombre; une seule lampe jetait un peu de lumière sur le visage pâle d'Annabelle.

— Tu sais que je me tape les dictionnaires littéraires?

— Pourquoi fais-tu cela?

— Parce que je veux m'intéresser aux mêmes choses que toi.

Annabelle se sentait heureuse et craintive à la fois. Il y avait une sorte d'anticipation qui flottait dans l'air.

Rick se tourna vers elle et, doucement, tout doucement, effleura ses lèvres.

— Non, Rick...

— Ecoute-moi, ce n'est pas ce que tu crois, je voudrais simplement que nous dormions ensemble.

Un silence lourd pesa sur eux. Il voyait dans ses yeux qu'elle avait peur qu'une fois au lit... elle craignait qu'il essaie de...

— Je suis déçu, très déçu, Annabelle. Je croyais que tu me comprenais. Je constate que mes confidences n'ont servi à rien. Tu n'as rien compris...

Annabelle tourna vers lui un visage qui le bouleversa.

— Ce n'est pas toi, c'est moi qui ne suis pas...

— Annabelle, nous nous connaissons depuis deux ans, cela me donne le droit d'être insupportable. Si nous parlions de cette alliance que tu portes et de cet homme qui t'a blessée si profondément?

Sa réponse standard : «ne pose pas de questions et je ne te mentirai pas», lui restait dans la gorge. Elle ne pouvait la servir à Rick. Comme Clark avant lui, il avait besoin de savoir, de comprendre, de la comprendre. Elle se sentait acculée au pied d'un mur. Lentement, Rick prit son visage entre ses mains.

— Je ne sais pas pourquoi, mais j'ai l'impression que je peux t'apporter ce qui te manque. Ce quelque chose que tu désires le plus au monde. Je sens en toi un besoin d'être aimée aussi fort que le mien. Mais il y a un fantôme dans ton passé, qui hante ta vie et t'empêche de vivre. Je suis persuadé que ce n'est pas aussi terrible que tu ne le crois. Je t'ai toujours respectée, espérant qu'un jour tu me confierais ton terrible secret. Nous avons fait un bout de chemin ensemble, mais maintenant nous devons franchir une autre étape. Pour éviter de perdre cet équilibre fragile qui est le nôtre, pour éviter la catastrophe, il faut que tu me confies certaines choses. Tu ne peux plus te taire, Annabelle.

Il la regarda intensément, un autre long silence s'installa entre eux puis, d'une petite voix, tête basse, Annabelle murmura :

— Tout a commencé à ma naissance...

Elle lui dit tout, à l'exception de son terrible secret médical et de l'incident survenu en 73. Pendant trois heures, elle lui confia les souffrances qu'elle s'imposait, enfant, la brutalité du butor, les bizarreries de sa mère, sa peur des hommes, sa liaison platonique avec Serge Denoncourt et l'histoire qu'elle avait concoctée par la suite. Elle lui parla du rocking qui comblait un peu son manque d'affection et aussi qu'elle dormait avec un ours de peluche. Annabelle sanglotait doucement, butant sur les mots qu'elle devait expulser de sa gorge.

Ces confidences brisèrent le cœur de Rick ; voilà donc pourquoi elle était si renfermée, pourquoi elle ne voulait aimer personne. Il la prit dans ses bras et la berça jusqu'à ce qu'elle s'endorme. Il l'emporta ensuite dans la chambre d'amis, l'étendit sur le lit, lui retira ses chaussures et la couvrit d'un édredon.

Étendu sur son lit, Rick ne pouvait trouver le sommeil ; la seule femme qu'il eût vraiment désirée lui était inaccessible. Aurait-il la patience, le courage d'attendre le temps qu'il faudrait ? Jamais il n'avait éprouvé de tels sentiments pour quelqu'un. Rick ferma les yeux et attendit que le sommeil le prenne, les minutes succédèrent aux minutes et tout à coup il lui sembla basculer dans le noir.

Un léger bruit le réveilla, il tourna la tête en direction d'un trait lumineux qui s'élargissait en face lui. Quelqu'un ouvrait la porte lentement, Annabelle sans doute. Il décida de feindre le sommeil, d'attendre. Stupéfait, il regarda Annabelle s'avancer silencieusement jusqu'à son lit d'un pas hésitant.

— Rick ! Tu dors ? murmura-t-elle d'un ton hésitant.

— Non, répondit-il.

Il voyait sa silhouette se découper contre la lumière du couloir, elle portait une longue robe de nuit de couventine et serrait son ours de peluche contre elle. Il la regarda, fasciné.

— Est-ce que je peux dormir avec toi ?

Sans dire un mot, il souleva les couvertures et Annabelle s'étendit près de lui, ses doigts se posèrent sur sa poitrine et Rick l'entoura de ses bras. Il eut aussitôt envie d'elle, un coup de désir pour cette femme-enfant, pour cette innocence à laquelle il ne parvenait pas à croire.

Toute la nuit il la regarda dormir, se posant des questions sur sa propre santé mentale.

Au matin, il se leva et prépara le petit déjeuner.

— Bonjour, mon ange ! Tu as faim ?

Rick s'approcha d'elle et lui tendit les bras. Elle se sentit attirée par lui, elle ne pouvait ni ne voulait lui résister. Elle voulait être tout contre lui, sentir la force de ses bras autour d'elle. Il la serra très fort dans ses bras, tout contre lui.

— Je t'aime, Annabelle, dit-il haletant, la désirant, la dévorant des yeux.

Annabelle ne savait comment réagir, ne savait que dire.

— Je n'exige rien, je ne te demande rien. Je t'aime, c'est tout. Il fallait que je te le dise.

Ce week-end romain vit naître entre eux une amitié amoureuse qu'Annabelle n'aurait jamais crue possible.

Ils avaient joué l'éternité contre les plaisirs passagers et ils avaient gagné. Dorénavant, rien ne pouvait plus les séparer ; ils avanceraient ensemble sans se soucier de conquête ni de reddition, sachant que l'échange charnel viendrait, plus accessible de jour en jour. Leur intimité physique viendrait couronner les mois d'approche, d'apprentissage, de partage. Jamais ils ne deviendraient un couple d'étrangers qui, une fois l'urgence sexuelle disparue, reprennent leurs chemins avec plus ou moins de douleur.

Annabelle inscrivit ces mots et beaucoup d'autres sur un parchemin qu'elle remit à Rick en lui disant :

— Quoi qu'il advienne de nous, les écrits restent. Ce parchemin sera une preuve éternelle de ce nous aurons tenté de vivre ou vécu.

***

Rick se cala dans son fauteuil, attendant l'atterrissage à New York. Il sourit en songeant à sa grande amie, Annabelle, celle qui lui faisait la vie douce et difficile à la fois.

CHAPITRE 2

Annabelle et Clark, New York : 1976-1979

Depuis qu'Annabelle lui avait appris qu'elle habitait avec Rick Edwards, la vie de Clark avait changé : elle était devenue un véritable cauchemar.

Cela s'était passé le jour de l'anniversaire de sa mère. Vers onze heures du soir, la sonnerie du téléphone avait retenti ; c'était Annabelle qui lui annonçait comme cela qu'elle avait déménagé et qu'elle habitait chez Rick. Clark n'en avait pas dormi de la nuit. Il savait qu'ils se fréquentaient depuis deux ans mais Annabelle lui avait assuré qu'ils n'étaient que des amis.

C'était au lancement de *Fashion* que Clark avait eu ses premiers soupçons. Le lendemain, il avait prié Rick de venir à son club.

— De quoi s'agit-il ? Ta voix était grave et embarrassée au téléphone, lui demanda Rick en entrant.

— Qu'y a-t-il entre toi et Annabelle ?

— Annabelle et moi, nous ne sommes que des amis.

— Permets-moi d'en douter, il n'y a pas une fille que tu n'as pas baisée à New York.

— Je ne sais pas si je dois prendre cela pour un compliment, mais en ce qui concerne Annabelle, tu te trompes. Elle n'est pas une fille qu'on baise. Tu devrais le savoir, tu la connais depuis plus longtemps que moi. Notre charme n'est pas en cause. Cela vient d'elle, c'est une intellectuelle de la pire espèce. Elle se regarde vivre, au lieu de se laisser aller. Je ne tiens pas à prendre le risque qu'elle me dise non.

Clark n'avait pas envie de plaisanter, mais Rick rit quand même.

— Je t'avoue qu'au début elle m'attirait. Elle m'attirait très fort sexuellement au début. Toi qui la connais depuis longtemps, sais-tu ce qu'elle a ?

Clark lui raconta l'incident du jardin de Compiège et celui du Nouvel An chez ses parents.

— Je n'ai jamais connu de femme comme elle. Je suis tombé amoureux d'elle, dès le jour où elle est venue chercher du travail à mon bureau. Malheureusement pour elle, je ne suis qu'un ami. Un ami très cher, mais rien qu'un ami. J'essaie d'agir comme tel. C'est une façon de ne pas la perdre.

Ses yeux se mouillèrent de larmes et le cœur de Rick se serra en voyant son ami souffrir ainsi. Son cœur était lourd, mais Annabelle était la seule femme qui s'intéressait à lui en tant qu'individu. Clark était son meilleur ami, mais il ne pouvait lui céder sur ce point.

Clark reprit :

— C'est une femme déterminée, disciplinée, qui sait ce qu'elle veut et où elle va. Mais avec les hommes, elle est d'une froideur glaciale. Je suis certain qu'un homme est la cause de tout cela. À moins, qu'elle ne soit...

— Une disciple de Sapho ? suggéra Rick.

— Je sais que c'est ridicule mais avec Annabelle, plus rien n'a de sens. Surtout pas lorsqu'il s'agit d'amour.

— Donne-toi du temps, beaucoup de temps.

Rick s'efforçait de garder une voix calme, Clark devait ignorer leur liaison.

Clark resta pensif pour un temps et il lui demanda :

— Tu crois qu'elle pourra tomber amoureuse de moi ?

— Peut-être, si tu es très patient. En ce qui me concerne, je ne le suis pas. Je laisse tomber.

Suite à cet entretien, Clark se calma un peu. Il était rassuré, d'autant plus que Rick passait le plus clair de son temps en Europe ou dans les grandes capitales des Etats-Unis. Il eut aussi l'occasion de le rencontrer lors de nombreuses réceptions et de soirées mondaines avec des filles différentes à chaque fois.

Au printemps 76, lui et Annabelle se rendirent à Paris. Ce furent les deux jours les plus malheureux pour Annabelle. Trois jours plus tôt, elle avait reçu les cinquante copies de son livre, mais aucun communiqué de presse n'accompagnait les ouvrages. Cette publication fut un désastre total, du début à la fin. L'attaché de presse n'entra jamais en communication avec elle, les seules personnes informées de la parution du roman furent quelques critiques littéraires auxquels on avait envoyé le livre. Pour toute publicité, on lui offrit une petite annonce dans la section « À paraître » de novembre 75, puis dans celle des « Nouveautés » de mars dans le catalogue de promotion de la maison d'édition, publié deux fois par année.

Aucun libraire n'avait entendu parler de son roman et il était impossible de se le procurer en librairie. Clark dut utiliser tous ses dons de diplomatie, de patience, pour convaincre Annabelle d'attendre le lendemain pour rendre visite à l'éditeur. Jamais il ne l'avait vue dans un état pareil.

Rentrée à l'hôtel, Annabelle s'enferma dans sa chambre et refusa d'en sortir. Elle voulait être seule pour réfléchir. Elle venait de prendre conscience qu'elle était aussi naïve qu'une enfant. Parce que François Legault était éditeur et connaissait bien les auteurs, elle lui avait fait confiance. Résultat : il s'était moqué d'elle. Qu'à cela ne tienne, Annabelle était d'un tempérament positif, les épreuves ou les ennuis lui servaient à apprendre. Elle avait réagi violemment sur le coup, mais elle comprenait maintenant que ce n'était qu'une leçon pour l'avenir.

Cent fois, elle lut et relut son contrat, tentant d'y déceler une supercherie légale. Rien n'y fit. François Legault n'avait pas besoin de se servir de tels procédés. Il s'était tout simplement servi de ses demandes en sa défaveur, elle ne pouvait donc rien réclamer car elle avait revendiqué elle-même ces clauses. Elle ne voulait pas écrire de best-seller car, à ce moment, il serait distribué au Québec et son père, Serge Denoncourt, ainsi que sa famille, sauraient ; cela pourrait avoir des conséquences désastreuse sur sa nouvelle vie et sa carrière.

À l'aube, elle avait trouvé la solution à son dilemme. *Chimère* ne la concernait plus. Elle allait désormais consacrer ses énergies à un second roman qu'elle publierait aux Etats-Unis, en anglais, sous un pseudonyme. Elle conserverait ses droits pour les parutions en langue française, ainsi aucun ne serait publié au Québec ou en Europe. Elle s'assoupit sur cette pensée et un sourire illumina son visage.

Vers dix heures, Clark prit rendez-vous avec Legault pour onze heures. Il raccrocha et tenta de rejoindre Annabelle au moment où l'on frappait à sa porte. C'était Annabelle ; elle lui parut exceptionnellement gaie, comme si elle avait reçu de bonnes nouvelles.

— J'essayais justement de te joindre, lui dit Clark.

Annabelle s'assit dans un fauteuil et regarda Clark. Il lui fit part de leur rendez-vous avec Legault. Il cherchait les mots appropriés pour... Annabelle le devança, en disant :

— Ecoute, Clark ! Je ne m'excuserai pas pour ma conduite d'hier ; je crois qu'elle était justifiée. Par contre, j'ai réfléchi toute la nuit et je peux t'assurer que je ne ferai pas de scène à François Legault.

Elle ne lui fournit pas d'autre explication, il la connaissait assez bien pour ne pas lui en demander.

**

François Legault était un homme satisfait ; la pipe en main, il contemplait le dossier devant lui. Une fois de plus, il avait l'occasion de donner une leçon à une jeune auteur. Il avait exécuté ses recommandations à la lettre. Sa présence à Paris avec son avocat démontrait qu'elle avait compris son erreur. Il détestait l'impertinence et l'assurance de cette Annabelle Sirois. Elle possédait tous les stigmates de la vierge martyre. À vingt-cinq ans, elle serait encore à se demander si elle devait baiser ou pas.

En plus de faire partie des dangereuses, celles qui se mettent à penser un beau jour, elle était d'une beauté bouleversante. Néanmoins, Legault était convaincu qu'avec le temps elle deviendrait un auteur produisant des œuvres très intéressantes. *Chimère* était un placement pour l'avenir.

Annabelle Sirois et Clark Jefferson étaient assis sur le canapé. En la regardant, Legault trouva scandaleux qu'une femme soit aussi attirante.

— Mademoiselle Sirois, monsieur Jefferson. Entrez.

Il entrèrent dans le bureau et Legault nota une fois de plus la démarche gracieuse d'Annabelle.

Il leur offrit des rafraîchissements qu'ils déclinèrent tous les deux. Clark en vint rapidement au vif du sujet et il lui raconta leurs péripéties, dans les nombreuses librairies en périphérie de Paris et l'ignorance de l'existence même de *Chimère*, pour ne rien dire de la difficulté, voire l'impossibilité de se procurer l'ouvrage. Il conclut en parlant de l'absence de publicité.

Legault l'interrompit :

— Maître Jefferson, je vous en prie, je vous ferais remarquer que je n'ai fait que respecter la volonté de mademoiselle Sirois. L'auteur m'a demandé de ne faire aucune publicité. Ne dites surtout pas, qu'elle avait spécifié sur elle et non sur le roman. C'est du pareil au même pour nous.

Il se tut quelques secondes et se tourna vers Annabelle avant de continuer :

— Mademoiselle Sirois, pour des raisons que j'ignore, refuse de collaborer à la promotion de son roman et ensuite vient se plaindre de ce que son ouvrage est inconnu. Il y a là contradiction.

Legault surprit une réaction de la part d'Annabelle et cela lui plut particulièrement.

— Malgré tout, comme nous croyons à l'avenir de *Chimère,* qui est un bon roman, nous avons fait le maximum de publicité dans les limites stipulées par l'auteur. Il ne nous reste plus qu'à attendre et à espérer qu'un critique influent louange ce livre. Encore là, que pourrons-nous répondre à la presse qui voudra rencontrer l'auteur ?

Legault toisait Annabelle, ses yeux noirs plongeaient en elle. Sa voix gardait cependant toute sa douceur, tout son calme ; son ton, par contre, devenait inquiétant.

— Ce détachement, mademoiselle Sirois, face à votre talent d'écrivain, cette inaptitude à réellement créer un contact avec vos lecteurs, seront interprétés comme des marques d'arrogance et de prétention.

Clark se tourna vers Annabelle : elle regardait Legault. Même si les propos de l'éditeur étaient sensés, l'impassabilité dont faisait preuve Annabelle lui faisait craindre le pire.

Legault poursuivait :

— J'aimerais que vous réfléchissiez sérieusement à ce que je viens de vous dire, mademoiselle.

— Et moi qui croyais que les éditeurs n'étaient pas des philanthropes, dit-elle en souriant brièvement.

Elle fit une pause, effaça le sourire de son visage et dit :

— J'ai fortement apprécié votre petit discours, monsieur Legault. Cependant, je ne reviens jamais sur les décisions déjà prises. Notre contrat a pris fin à la remise de la version finale et corrigée de *Chimère*. Je vous demanderais donc de me faire parvenir mes redevances deux fois l'an. Il est entendu que je conserve le droit de faire vérifier vos livres.

Annabelle se leva subitement et lui tendit la main.

— Ce fut un plaisir de faire affaire avec vous, monsieur Legault, vous m'avez beaucoup appris.

Elle quitta la pièce, suivie de Clark dans un état de confusion totale.

Legault se cala confortablement dans son fauteuil, se remémorant cette vérité philosophique : Quel malheur d'être une femme ! Et cependant, le vrai malheur consiste en réalité, lorsqu'on est femme, dans le fait qu'on ne comprend pas son malheur.

***

261

Dans le taxi qui les ramenait à l'hôtel, Clark, visiblement irrité, fronçait les sourcils en essayant de se dominer.

— Qu'est-ce qui t'a pris d'agir de la sorte ? Tu m'as fait passer pour un parfait imbécile devant Legault. J'avais l'air d'un valet au service d'une lady.

— Qu'est-ce que tu racontes ?

— Simplement la vérité ; tu aurais pu me prévenir de tes intentions. Je suis ton avocat, c'était à moi de faire part de tes décisions à ton éditeur. Si tu voulais agir seule, tu n'avais qu'à le dire et je serais resté tranquillement à New York.

La colère qui s'emparait de lui donnait des inflextions métalliques à sa voix et la tension montait rapidement.

— Vois-tu, Annabelle, ton problème c'est qu'il n'existe que deux choses pour toi, ta carrière et ta petite personne.

Exaspérée, Annabelle rétorqua :

— Je dois t'avouer que venant de toi, cette remarque me surprend, elle est même déplacée.

Ils n'échangèrent plus un mot durant tout le trajet d'avion. Clark fit les premiers pas deux jours plus tard en lui faisant parvenir une douzaine de roses. Sur la carte, il avait écrit :

Pardonne-moi de m'être laissé emporter. Je voulais simplement agir dans ton intérêt. Nous mettrons nos paroles malheureuses sur le compte du stress qui nous habite à cause de nos obligations professionnelles. Amitiés.

Clark.

***

L'année qui suivit leur donna peu d'occasions de se rencontrer, si ce n'est pour le travail. Annabelle se concentra sur son nouveau roman qu'elle voulait adapter en anglais. Depuis son histoire avec Legault, elle travaillait d'arrache-pied. Clark invita Annabelle à passer les Fêtes 77 avec lui dans sa propriété d'Hawaii. Elle déclina l'invitation malgré sa description du cadre enchanteur; elle prétexta des recherches qui devaient s'effectuer à New York. Plus tard, au printemps 78, elle lui annonça qu'elle allait passer un week-end à Rome avec Rick. Bien qu'il ait su qu'ils se voyaient, jamais il n'aurait cru qu'Annabelle pouvait partir seule avec ce Casanova de Rick Edwards.

Cette annonce affola Clark et deux réunions de travail précédant ce funeste week-end furent un désastre total. Bill lui suggéra de remettre la prochaine réunion. Clark demeura seul dans la salle de conférence. Il s'efforçait de comprendre ce qui lui arrivait. Il se répétait qu'Annabelle n'était qu'une ambitieuse au cœur de pierre qui se servait de lui pour arriver à ses fins. Tous ces raisonnements furent vains, il la voulait toujours.

À son retour le mardi suivant, Clark arriva très tôt au bureau. Il se rendit bien compte de la transformation d'Annabelle. Bien qu'elle tenta de le dissimuler, il voyait bien qu'elle avait changé. Avait-elle découvert l'amour entre les bras de Rick ?

Il n'osait aborder la question de front avec elle. Il avait peur de la réponse, lorsqu'elle lui annonça qu'elle allait habiter avec Rick. Il eut l'impression que le monde s'effondrait autour de lui. Son esprit analytique bien entraîné s'efforçait de comprendre, de déceler ce qui l'affectait tant chez Annabelle. Il y avait chez elle une force irrésistible qui lui permettait d'obtenir tout ce qu'elle voulait. Il y avait en elle quelque chose d'intact, d'inaccessible et il réalisa ne l'avoir jamais touchée en cinq ans. Peut-être était-ce là un défi que sa virilité ne pouvait refuser, ce qui expliquerait son acharnement à la conquérir. Dans ce cas, Annabelle avait raison, il n'était pas amoureux d'elle.

Il passa la nuit dans un état lamentable, tour à tour pleurant et maugréant contre Annabelle et Rick, contre leur trahison. Quelques jours suivant son installation chez Rick, Clark invita

Annabelle à déjeuner avec lui. Il avait les traits tirés, l'air hagard et il lui inspira un grand sentiment de compassion.

— Ainsi, tu habites avez Rick ?

— Non Clark, j'habite l'appartement de Rick. J'ai ma propre chambre et ma propre salle de bains. Lorsque je lui ai fait part de mon intention de déménager, il m'a proposé de partager son duplex. De plus, il n'est pratiquement jamais là.

— Tu aurais pu me prévenir.

— Tout s'est produit brusquement. Je n'ai même pas eu l'occasion d'y réfléchir. C'est... c'est arrivé comme ça.

— Annabelle, tu ne connais pas grand chose de Rick, lui dit Clark.

Clark voulait la mettre en garde et il ne voulait pas trahir son ami. Il était devant un nœud gordien.

— Tu connais probablement les fables d'Ésope ? Souviens-toi du Renard et des raisins.

Il n'en dit pas plus.

— Tu sais que je suis follement amoureux de toi, Annabelle.

Annabelle lui prit la main et lui dit :

— Et je t'aime moi aussi, pas de la même façon, mais je t'aime quand même. J'ai d'autres choses en tête pour l'instant que le mariage et les hommes. Je ne sais pas si cela te fait plaisir, mais si jamais je décide de tomber amoureuse, cela sera de toi.

Annabelle savait que Clark souffrait et cela ne la laissait pas indifférente. Il avait tellement fait pour elle ; mais il ne pouvait se servir de son aide comme monnaie d'échange, elle ne pouvait le laisser faire. C'était pour cela qu'elle habitait chez Rick. Elle lui en voulait d'avoir semé le doute en elle. Son attitude envers Rick la troublait profondément. On aurait dit que Clark voulait la mettre en garde sans trop en dire. Comme s'il avait voulu la prévenir de quelque chose et qu'il avait changé d'idée en cours de route et voulait maintenant qu'elle découvre la vérité elle-même. Elle chassa ces pensées, se disant que Clark agissait en homme blessé.

Clark, de son côté, comprit ce jour-là qu'elle ne lui avait jamais appartenu. Mais elle demeurerait son grand amour ; de tels sentiments ne pouvaient s'effacer. Si elle ne l'aimait pas, il devait l'accepter ; cela ne serait pas facile. Il avait tant espéré durant toutes ces années. Malgré tout, depuis son déménagement chez Rick, elle avait l'air plus épanouie, plus radieuse. Il allait donc tenter de se résigner et d'abandonner tout espoir.

CHAPITRE 3

Annabelle, New York : février 1979

*P*ar un belle journée froide et ensoleillée, Annabelle et
Clark entrèrent chez Simon & Schuster. Ils rencontraient
Tom Barrett, le président de la société, pour négocier les droits
de son premier livre américain, intitulé *The Frown Tyranny*. La
rédaction de ce roman lui avait pris trois ans. Son roman traitait
de la femme au pouvoir. L'histoire se déroulait dans l'univers
survolté d'un grand journal américain dirigé par une femme,
Anny Preston, et mettait en scène une série de personnages importants et de célébrités du monde financier, politique, artistique et sportif. Les thèmes en étaient la conquête du pouvoir
dans une grande ville, l'ambition, l'amour et ses inconvénients
pour une femme ambitieuse et les réactions des hommes devant
l'émancipation féminine.

Clark avait refusé de montrer la deuxième version du manuscrit aux acheteurs éventuels pour entretenir un climat de mystère.
Ils déclarèrent tous que le thème du livre était formidable, mais
les maisons d'édition approchées refusèrent d'investir la somme
de 15 000 $ réclamée par Clark pour un auteur inconnu et un
manuscrit fantôme. Par contre, lorsque Clark contacta Tom Barrett, il avait pris soin d'apporter le manuscrit.

Tom Barrett écouta attentivement Annabelle lui faire l'exposé verbal de son roman. Il avait la réputation d'être entreprenant et un homme prêt à prendre des risques. Son exposé terminé, Annabelle ne dit mot. Après quelques instants de réflexion qui lui parurent interminables, Barrett déclara :

— Bon, je marche !

Après les congratulations d'usage, Barrett voulut savoir quand le manuscrit serait prêt. Elle lui promit le tout pour le mois de mai suivant.

— Bon, très bien. Avant que le manuscrit ne prenne sa forme définitive, je veux que vous travailliez avec deux de mes collaborateurs pour les corrections et les coupures.

Annabelle semblait un peu perdue, quelles coupures ?

— Il y a toujours des coupures à effectuer et mon travail consiste à veiller à la continuité du récit et à son équilibre. Moi et mes collaborateurs devenons le lecteur éventuel et nous ne conservons que ce qui est susceptible de l'intéresser.

Il prit ensuite Clark à témoin et lui demanda :

— N'êtes-vous pas de mon avis, monsieur Jefferson ?

— Bien sûr, je...

Annabelle lui lança un regard du style « tu ne paies rien pour attendre ». Un peu plus tard, Clark la déposa sans qu'ils aient échangé un seul mot. Au moment où elle descendait de voiture, elle se tourna vers lui et dit :

— Pourquoi l'as-tu approuvé ?

— Parce qu'il a raison. Tu sais très bien qu'un auteur manque de recul, particulièrement lorsqu'il vient de terminer son livre. Il faut donc faire intervenir quelqu'un de l'extérieur. Tu me l'as expliqué toi-même. Moi, je ne suis pas objectif... je... suis ton ami. Quand je te lis, mes sentiments m'influencent. De plus, à titre d'agent, il est de mon devoir de veiller à tes intérêts. Savais-tu que c'est Tom Barrett qui a publié *The Love Machine*? Il pourrait faire de ton livre un best- seller.

— Clark, je t'en prie, ne me prends pas pour une imbécile. Depuis que j'habite avec Rick, tu me cherches constamment des puces.

Clark mordit à l'hameçon :

— Jamais je ne te pardonnerai cette trahison. Je ne méritais pas cela. Le plus atroce, c'est que tu joues avec moi. Cesse une fois pour toutes de me prendre pour un idiot en me faisant croire que tu n'habites avec Rick que pour son appartement. C'est déloyal et cruel.

Une fois terminé, il la contempla pensivement, remarquant à nouveau ses yeux. Il y avait quelque chose dans ses yeux... de la peur... de la colère ? Cinq ans, qu'il essayait de découvrir ce qui se cachait dans ce regard. Qu'était-ce donc ? Il avait le même regard pour Rick mais elle vivait avec lui. Qu'avait-il découvert qu'il ignorait encore ?

— J'ai toujours été correcte, honnête avec toi. Si tu te conduisais en ami envers moi au lieu de te laisser guider par tes émotions, certaines choses seraient sans doute différentes entre nous.

Elle se savait injuste, mais elle n'avait pas le choix. Annabelle ouvrit la portière et sortit sans le regarder. Clark la suivit du regard jusqu'à ce qu'elle disparaisse dans le hall de l'immeuble. Il poussa un long soupir et une citation de son nouveau roman lui vint à l'esprit : «On commence par savoir pleurer, par savoir pourquoi on pleure. Après seulement, on peut essayer de chanter.»

Clark quitta les lieux en fredonnant.

***

Là-haut dans l'appartement, Annabelle réfléchissait sur Clark et sur ce qu'il venait de lui dire. Cette histoire lui brisait le cœur. Si seulement Clark connaissait les motifs qui la faisaient agir ainsi, il en serait stupéfait. En réalité, Annabelle était aussi amoureuse de Clark; c'était parce qu'elle l'aimait, qu'elle lui était reconnaissante de tout ce qu'il faisait pour elle, qu'elle lui refusait son amour. Pour rien au monde elle ne voulait qu'il souffre et soit déçu par elle. Jamais.

Voilà trois ans, elle avait enfin trouvé le courage de se documenter sur le diagnostic qu'avait fait le gynécologue sur elle. Tout ce qu'elle retint de la vingtaine de pages sur son cas furent les lignes suivantes : «...le médecin qui découvrira chez sa patiente ce syndrome ne devra jamais lui révéler son état, au risque de graves conséquences psychologiques pouvant conduire au suicide. »

Annabelle comprit alors combien sa vie aurait pu être différente si le gynécologue qui l'avait traitée s'était souvenu de cette recommandation. Elle en pleura des nuits entières, songeant aux réactions que ces révélations auraient sur Clark et Rick. Depuis que Clark lui avait déclaré ses sentiments, elle avait tout fait pour qu'il se détache d'elle. Elle se montrait mesquine, indifférente, insupportable, afin de ne jamais rompre le serment qu'elle avait fait huit ans auparavant concernant l'amour, le mariage, la vie de couple. Elle ne devait pas oublier qu'elle serait seule, toute sa vie durant.

Elle avait accepté la trahison du père, l'acte abject qu'il avait commis à son égard afin de détruire en elle toute sensation, tout désir amoureux. Cela l'aidait à édifier autour d'elle un rempart. Mais elle avait découvert qu'il existait des hommes comme Serge Denoncourt, Clark Jefferson et Rick Edwards, capables de tendresse et de compassion, qui éveillaient en elle des désirs interdits dont sa carapace ne la protégeait pas.

Annabelle n'était ni heureuse ni malheureuse, elle était simplement étrangère au monde dans lequel elle évoluait. Quand Rick lui demanda un jour pourquoi elle ne jouait pas la comédie, elle avait failli lui répondre qu'elle la jouait tous les jours. La comédie de la survie, un rôle digne de tous les oscars du monde. Du simple petit *frame-up*, lors de ses études pour dissimuler son passé et sa douleur, elle en était venue au cours des six dernières années à créer une osmose parfaite entre ce personnage qu'elle incarnait et la vraie Annabelle Sirois.

Combien fragile et souffrante était celle qui se cachait derrière le personnage. Elle était convaincue qu'un être humain ne pouvait supporter qu'un certain degré de souffrance et que, passé un certain seuil, plus rien ne vous atteint. Quelle était cette limite ?

Annabelle réalisait qu'elle avait maintenant besoin de Rick, de ce qu'il lui apportait. Depuis cette nuit à Rome, elle n'avait cessé de se culpabiliser. Ce qui l'avait littéralement propulsée dans les bras de cet homme, c'était uniquement son manque d'affection qu'elle parvenait de plus en plus difficilement à assouvir avec ses oursons de peluche et son rocking. Elle avait finalement compris son besoin excessif d'être enlacée et câlinée. Désormais privée de cette tendresse maternelle, la vie lui serait insupportable.

Jusqu'à sa liaison avec Rick, elle avait toujours cru qu'il lui faudrait nécessairement subir un rapport sexuel pour bénéficier de cette tendre étreinte. Elle se sentait prisonnière à l'intérieur de son corps comme s'il était une cage. Pour apaiser son tourment, Annabelle se disait que ce qu'elle vivait avec Rick n'était pas de l'amour. Ce n'était tout au plus que la rencontre de deux solitudes qui compensaient ainsi leur besoin d'affection. Elle allait même jusqu'à se dire que le pire qui puisse survenir serait que Rick tombe amoureux d'elle.

Alors, elle devrait fuir et renouer avec ses pratiques amoureuses imaginaires. Son destin était celui des femmes qui, comme elle, souffraient, victimes d'une frustration totale de stimuli tactiles. Ce qu'elle redoutait par-dessus tout, c'était de recréer au niveau de l'imaginaire la réalité d'une femme sexuellement mûre et active. Elle était tombée dans ce piège avec Clark.

Pendant trois ans, elle avait tenu un journal détaillé de la passion qu'elle vivait avec Clark, elle s'était écrit des lettres d'amour comme si Clark les lui avait envoyées. Tout cela pour donner une apparence réelle à ce qu'il lui était impossible de vivre concrètement. Tous ces faux-semblants n'ayant qu'un but : la protéger contre une véritable réalisation.

Elle savait pertinemment que Rick attendait désormais d'elle beaucoup plus que ces contacts quasi platoniques. Souvent, il lui arrivait d'aller prendre une douche très tôt le matin et de revenir vers elle, complètement nu. Il la regardait alors en souriant et elle détournait les yeux, gênée. Pour contrer ces actions, elle avait pris l'habitude de travailler la nuit et de dormir le jour, prétextant une crise nocturne d'inspiration. Elle prenait aussi le soin de s'enfermer pour prendre une douche et elle contrôlait ses moindres gestes lorsqu'ils allaient à l'extérieur.

Leur relation, de douce intimité et de chaude camaraderie, se métamorphosa peu à peu en suspicion et en incertitude. Annabelle savait qu'elle ne pourrait plus très longtemps fuir les explications. Finies les excuses pour dissimuler son embarras. Elle réalisait aussi que son silence la condamnait irrévocablement. Que craignait-elle au juste ? Sa compassion ou tout simplement la nature de l'aveu qu'elle devrait lui faire ? Les sentiments qu'elle éprouvait à son égard la terrorisaient. Elle découvrait en elle une femme qu'elle ne connaissait pas. Elle le voulait pour exorciser le passé, créer un avenir où elle se livrerait toute entière à lui.

Mais elle ne le pouvait pas ; l'amour que lui portait Rick, sa fougue, sa tendresse la comblaient. Il semblait par contre que cela n'était pas le cas pour lui. La situation ne pouvait que se détériorer.

Elle s'allongea sur le divan.

— Bonjour, mon ange !

Elle se redressa, surprise.

— Excuse-moi, je ne voulais pas t'effrayer.

Il la serra contre lui ; elle tremblait de tous ses membres. Elle l'avait cru absent, alors qu'il était là, assis dans un coin. Elle était si remplie de ses propres pensées qu'elle ne l'avait même pas vu.

— Je ne m'attendais pas à te trouver ici.

— Cela s'est bien passé chez l'éditeur ?

— Il a accepté mon roman. Je dois lui remettre le manuscrit final en mai prochain.

Elle ne savait plus que dire. Rick se dirigea vers la cuisine, l'air très soucieux. Il ne tenait pas à parler de son prochain roman. Il voulait parler de ce qu'elle se refusait à dire et il voulait savoir pourquoi. Depuis leur retour de Rome, il la surprenait se contredisant, laissant échapper des indices qui ne correspondaient pas à ce qu'elle lui avait confié déjà. Il était convaincu que ce qu'elle cachait, était beaucoup plus important qu'elle ne voulait l'admettre et ce quelque chose motivait son repli sur elle-même et la tristesse de son regard.

Il avait passé beaucoup de temps à réfléchir à ce sujet. Les choses ne collaient pas. Pourquoi avait-elle refusé de participer à la campagne de publicité pour *Chimère*? Elle n'évitait pas la publicité : elle en avait une peur effroyable. Cela avait sans doute un lien avec son secret. Que cachait ce secret pour qu'elle se sente si traquée, qu'elle soit honnête et malhonnête à la fois, si équivoque et si claire, si lâche devant l'amour ?

Lorsqu'il dormait avec elle, Annabelle n'avait jamais aucun geste envers lui ; au contraire, elle retenait son souffle pour qu'il s'imagine qu'elle dorme. Mais elle ne pouvait empêcher son cœur de battre précipitamment. Parfois il osait même la caresser doucement. Jamais elle ne bougeait et il devait alors contrôler son envie de la clouer, de la transpercer de son désir. Il voulait qu'elle soit sienne, qu'elle devienne sa femme, son bien, son amour.

Pour atteindre ce but, il lui fallait découvrir la cause profonde de son comportement si singulier. Il se mit alors à l'observer discrètement, à analyser certains gestes et attitudes. Il se prit à lire des ouvrages sur la psychologie et la sexualité féminines. Au cours de ses recherches, il tomba sur un désordre qui lui sembla presque familier. Les femmes souffrant de ce désordre étaient très féminines d'aspect, nullement agressives, pleines de charme et de douceur pour les hommes. Ce n'était qu'au moment de consommer une union sexuelle, lors de la pénétration, que la peur de l'homme produisait une contraction musculaire inconsciente qui rendait cette pénétration impossible.

Cette réaction était généralement dûe aux séquelles d'un viol, commis par le père ou un substitut de celui-ci. Les femmes souffrant de vaginisme devaient être traitées par des femmes gynécologues. Il leur était impossible de se confier à un homme, à une figure d'autorité.

Se référant à sa lecture, Rick croyait enfin avoir découvert le secret d'Annabelle. Il prit rendez-vous avec une gynécologue pour en savoir davantage sur le sujet et aussi vérifier ses hypothèses. Celles-ci se confirmèrent rapidement ; à partir des renseignements qu'il avait sur Annabelle, Rick et la gynécologue conclurent qu'il était fort probable qu'Annabelle souffre de vaginisme.

Longtemps, il resta sous le choc de sa découverte. Mais devant son attitude, il prit la décision de parler de ce qu'il avait appris. Il revint vers elle. Annabelle sentit son cœur battre plus vite dans sa poitrine, elle avait le pressentiment qu'il allait être question de ça, encore une fois. Rick s'installa confortablement dans son fauteuil favori et il lui tendit la main. Comme une automate, elle prit la main tendue et s'agenouilla au pied du fauteuil.

— Je veux que tu saches d'abord que jamais je n'ai aimé quelqu'un autant que je t'aime, mon ange.

Il la regarda avec un sourire fatigué puis soupira :

— Il faut que nous parlions. J'ai beaucoup réfléchi ces dernières semaines. J'aurais préféré que tu me parles la première, mais tu ne sembles pas décidée à faire les premiers pas.

Il la regarda droit dans les yeux.

— Cela m'attriste que tu n'aies pas confiance en moi.

— C'est faux !

Elle sentait son sang se glacer dans ses veines et son cœur battre à tout rompre. Que signifiait tout ceci ? Avait-il découvert son secret ?

— Si ! C'est tout à fait vrai. Si tu avais eu confiance en moi, tu m'aurais tout avoué à Rome, l'an dernier.

— Mais de quoi parles-tu ?

Annabelle lâcha la main de Rick et se tourna vers la baie vitrée.

— Je ne sais pas grand chose, Annabelle. Depuis le début, j'ai eu des soupçons. Ta froideur, ta peur des hommes, certaines choses que tu disais. J'ai d'abord cru que ton attitude était due à cette histoire avec Bobby Johnson, mais les confidences de Clark m'ont fait éliminé cette possibilité. Le problème est antérieur à cela. J'avais besoin de savoir, de comprendre, alors je t'ai observée, provoquée, puis j'ai lu des tas de bouquins et j'ai consulté une femme gynécologue qui m'a aidé à trouver une explication.

Sa voix trébucha un peu sur les derniers mots, mais il reprit :

— D'après elle, tu souffrirais de vaginisme. Tu serais une femme incapable d'avoir des rapports sexuels avec un homme parce qu'il est arrivé quelque chose qui a perturbé ta vie sexuelle.

Devant l'expression d'Annabelle, Rick comprit qu'il avait frappé une corde sensible. Elle perdait pied.

— Je peux comprendre, Annabelle, je peux comprendre beaucoup de choses; mais ce qui me dépasse, c'est la raison de ton silence. Pourquoi refuses-tu d'en parler? Pourquoi ne pas me dire la vérité? Pourquoi ne pas me faire de confidences après toutes ces années? C'est cela qui fait mal!

Lorsqu'il eut terminé, ils avaient tous les deux les larmes aux yeux. Annabelle se sentait vaguement soulagée; après tout, Rick n'avait pas découvert son secret, seulement une infime partie de celui-ci. Qu'elle souffre de vaginisme ou non, il s'était effectivement passé quelque chose qui l'avait perturbée. Elle ne savait si elle devait lui être reconnaissante ou non de ce qu'il avait fait. L'avait-il fait par amour ou tout simplement pour percer son mystère? Deux solutions s'offraient à elle: elle pouvait d'une part tout lui dire ou d'autre part corroborer ses dires et s'offusquer du geste qu'il avait posé. Elle poussa un long soupir et s'excusa d'avoir été grotesque.

— Dis-moi la vérité, Annabelle. Dis-moi ce qui s'est passé. J'ai le droit de savoir. J'avais le droit de savoir dès le début. Je n'ai pas parlé avant aujourd'hui parce que j'avais l'espoir que tu me ferais confiance et finirais par tout me dire. Mon geste peut te paraître abject mais tu ne m'as pas laissé le choix. Je l'ai fait parce que je t'aime et que je voulais rendre les choses plus faciles.

— Le séduisant Rick Edwards se heurte à une femme qui ne succombe pas à ses charmes et la voilà souffrant de vaginisme et sexuellement perturbée!

— Tu essaies de dévier la conversation, Annabelle. Tu cherches encore une fois à la détourner. Tu sais très bien qu'il existe une ombre, une menace en toi, quelque chose dont tu as peur, si peur que tu n'oses l'affronter.

Les tempes battantes, Annabelle essaya de ne penser à rien lorsqu'elle se tourna vers lui. Elle ne voulait pas qu'il y voie quoi que ce soit, qu'il sache qu'elle lui mentait. Elle le regarda et il ne souriait plus.

— Tu fais erreur, Rick ; il n'y a rien, rien.

— Non ! Il y a quelque chose. Pourquoi bloques-tu toutes les issues et fais-tu semblant qu'il n'y a rien ?

Les oreilles bourdonnantes, Annabelle fixait Rick. Un silence lourd tomba sur eux. Elle avait beau se dire que Rick était différent des autres, qu'il l'aimait profondément, elle ne pouvait se résoudre à lui confier son secret. Pas encore. Pas avant d'être prête, si toutefois elle le devenait un jour.

Elle le fixait, le mettant au défi de dire quelque chose. Subitement, il lui prit le bras et se dirigea avec elle jusqu'à la grande glace dans le hall d'entrée.

— Regarde-toi ! Chaque fois que nous parlons de sexe, d'amour, tu deviens d'une pâleur mortelle, tu trembles, tes yeux deviennent hantés. J'ai peur de cette lueur dans tes yeux. Est-ce là le regard d'une femme normale ? Cesse ton jeu, il est inutile.

Annabelle se tourna vers son reflet dans la glace.

— Qu'est-ce que tu veux au juste ? Que je te rassure sur ta virilité ? Tu sais, je regrette de m'être confiée, à Rome.

De nouveau, ses yeux se remplirent de larmes et Rick la tourna face à lui.

— Cesse de jouer à la martyre. Ce n'est pas de cette façon que tu règleras ton problème. Ta carence affective n'est pas responsable de ta situation. Tu le sais très bien. Il s'est passé autre chose. Que s'est-il passé, Annabelle ? Dis-le moi !

Il la secouait maintenant, il avait peine à se contrôler.

— Lâche-moi, je ne peux supporter que tu me touches, que tu me regardes !

Les mots avaient jailli malgré elle. Rick la regarda, décontenancé. Elle se dirigea vers la penderie et prit son manteau.

277

Elle avait besoin d'être seule, de penser. Elle devrait agir avec lui comme elle l'avait fait avec Clark. Lui dire qu'elle ne l'aimait plus. Comme Clark elle allait le perdre, lui mentir pour défendre son secret. Elle était anormale, honteuse et impure. Depuis six ans, elle vivait avec l'énergie du désespoir, elle vivait le mieux possible et le plus possible son rêve. De nouveau elle ressentait cette horrible douleur, celle qui l'avait presque poussée au suicide. Un suicide dont Rick l'avait sans le savoir sauvée. Que faire ?

***

Il s'était mis à pleuvoir et elle décida de rentrer. Lorsqu'elle ouvrit la porte de l'appartement, Rick était assis dans son fauteuil, il semblait l'attendre patiemment. Il s'approcha d'elle, tout près mais pas assez pour la toucher.

— Où étais-tu passée ? Je me suis fait du mauvais sang.

Elle ne dit rien. Avec des gestes mécaniques, elle accrocha son manteau et alla s'asseoir sur le divan. Il la regardait et vint s'asseoir en face d'elle. Ce fut Annabelle qui brisa le silence.

— Je sais que nous nous sommes promis l'un à l'autre une amitié sans réserve. Mais je crois que chaque individu possède un coin secret où sont accumulés ses souvenirs, heureux ou malheureux, qui n'appartiennent qu'à lui.

— Je pense exactement la même chose. Sauf que cet argument ne s'applique pas ici. C'est une de tes ruses pour fuir la vérité. À la longue, cette voie te tuera.

Annabelle se remit à pleurer. Rick la prit doucement dans ses bras. Il voulait lui épargner toute souffrance mais savait qu'il ne pouvait pas le faire pour l'instant.

— Je voudrais tellement trouver un moyen de me rapprocher de toi. Je me sens si impuissant. Avant de te connaître, je n'avais jamais rencontré une femme qui mérite que l'on s'intéresse vraiment à elle. Je les séduisais coûte que coûte puis m'en débarrassais. Depuis que tu es entrée dans ma vie, j'ai réalisé que ces histoires ne menaient à rien. Je me servais d'elles et elles se servaient de moi, de mon corps, de mes relations, du prestige de ma carrière. J'avais droit à leur corps en paiement.

Sa tête était posée sur celle d'Annabelle qu'il continuait à serrer dans ses bras tout en parlant.

— Tu sais, d'une certaine façon je suis encore plus seul que toi. Mon succès et les biens matériels qu'il m'octroie, cela ne veut rien dire. Jusqu'au jour où l'on rencontre quelqu'un qui nous fasse tout remettre en question. On réalise alors que l'on attendait cette personne depuis toujours. C'est pour cette raison que j'ai tout fait pour réparer les erreurs de notre première rencontre. J'ai appris à te connaître et alors j'ai tout fait pour devenir ton ami. Tu m'as fait comprendre qu'un amour inoubliable rejoint les hasards des premières rencontres. La complexité de nos rapports est sans doute le prix à payer pour mes aventures passées. Je suis prêt à tout pour toi. Je ne veux pas te perdre, tu m'apportes tant. J'espère qu'il en est de même pour toi.

Annabelle se pressa davantage contre lui pour lui cacher sa douleur. Ses propos la plongeaient dans un gouffre de culpabilité immense. Elle aimerait tellement qu'il n'y ait plus de barrière entre eux. L'air blessé et malheureux de Rick lui porta un coup au cœur lorsqu'il redressa la tête.

— Tout est de ma faute, Rick. Je n'aurais pas dû te laisser entrer dans ma vie. Je joue avec tes sentiments, je le sais. Mais je te jure que ce n'est pas ce que je voulais. Je ne l'ai pas fait exprès.

— Tu joues avec mes sentiments si tu n'éprouves rien pour moi. Est-ce le cas, Annabelle ?

— Je ne sais pas, Rick ! En fait, je vois les choses différemment. Tout est différent pour moi. Je ne sais pas ce que c'est que l'amour. Tout est confus. Est-ce que je t'aime ou ai-je seulement besoin de tendresse et d'affection ? Je suis bien dans tes bras, blottie contre toi, je ne demande rien de plus. Je suis incapable d'envisager autre chose. Je me demande comment je fais pour dormir avec toi.

Rick mis ses mains sur les épaules d'Annabelle et la fixa de son regard jusqu'à ce qu'elle fasse de même.

— Mais tu as bien dormi avec Serge ?

— Une nuit seulement, et c'était bien avant que...

Rick vit de nouveau une expression de panique sur le visage d'Annabelle ; elle s'était arrêtée avant de dire quelque chose d'essentiel.

— Annabelle, je sais que tu ne veux pas en parler, mais il le faudra bien. C'est important pour nous deux.

Il prit une grande inspiration et lança :

— C'est ton père, n'est-ce pas ?

— Plus ou moins... répliqua-t-elle. Tout ce que je peux te dire, c'est qu'il ne s'agissait pas d'inceste. Rick, je ne veux pas gâcher notre amitié. J'ai tant besoin de toi.

— Moi aussi, j'ai besoin de toi, Annabelle. Voilà le point crucial.

— Non, le point crucial, c'est toi. Tu es amoureux de moi.

Elle se leva, les yeux plein de larmes.

— Ne pourrais-tu pas m'aimer, mon ange ?

Les mots tournaient dans sa tête ; toujours le même scénario qui se répète. Comment lui expliquer que c'est parce que je l'aime, se disait Annabelle, que j'agis ainsi ? Même avec la meilleure volonté du monde, Rick ne pourrait comprendre ; elle ne pouvait prendre ce risque et se retrouver dans une situation encore plus pénible.

— Comprends-moi, Rick, je ne suis pas prête à faire face à cela. Je ressens de la compassion pour toi, mais tout ce que je voulais de toi, c'était ton amitié. Maintenant tu m'apprends que tu m'aimes et jamais je n'avais envisagé cette possibilité. Donne-moi une chance ! Il y a tellement de choses qui m'en empêchent. Je te demande un peu de temps. J'ai besoin de réfléchir.

— Entendu, je serai patient.

Annabelle s'enferma dans sa chambre et pleura toute la nuit. Rick passa la nuit au salon ; il l'attendait. Au matin, il comprit qu'il avait commis une grave erreur en la poussant aux aveux. Elle semblait si pâle et fatiguée. Il lui fallait réparer son erreur. Il pourrait vivre sans amour mais pas sans elle.

— Je m'excuse pour hier, Annabelle.

— Moi aussi, Rick. Qu'est-ce qu'on fait maintenant ?

— On oublie tout, je te promets que je ne chercherai plus à savoir. Avec le temps, les choses s'arrangeront.

Il souhaitait qu'elle soit d'accord.

— Que s'est-il passé, Rick ? Es-tu vraiment amoureux de moi depuis tout ce temps ?

— Un tout petit peu. Je te déteste plus souvent qu'autre chose.

Ils éclatèrent de rire. Ils sentaient de nouveau le lien qui les unissait. Annabelle prit la main de Rick et elle lui dit dans sa langue :

— I like you very much ! I will like you all my life, Rick. Always !

Il dissimula sa peine sous un petit rire.

— Allons, nous avons le temps de bouffer ensemble avant que je prenne l'avion.

— Tu pars, Rick ?

— Oui, cinq jours, un contrat de photos à Nice.

Ils déjeunèrent ensemble. Ils plaisantèrent, s'amusèrent, essayant de recréer hâtivement la relation qu'ils avaient eue. Annabelle le conduisit à l'aéroport. En regardant l'avion s'envoler, elle se demandait ce qui allait arriver.

La fin du cauchemar était-elle arrivée ? Rick était-il le sauveur tant attendu. La tâche serait ardue, mais qu'à cela ne tienne, elle serait persévérante, elle arriverait à tout lui avouer. Il lui faudrait avant en parler avec un médecin. Si seulement elle pouvait se débarrasser de sa honte, de sa peur du ridicule, de se croire un phénomène de cirque. Après les événements de cette nuit fatidique, on avait normalisé son corps de femme, les hormones lui avaient permis de faire semblant d'être une femme comme les autres. Elle était stérile...

De fil en aiguille, elle trouva assez de courage pour aller rencontrer une gynécologue et tout lui avouer. Elle était vêtue de blanc, le blanc faisant partie de sa vie d'une façon obsessionnelle. Elle ne serait jamais une dame blanche, la mariée de ses rêves d'enfant. Jamais, elle ne marcherait, toute vêtue de blanc au bras d'un homme, pour devenir une vraie femme, l'épouse d'un homme qu'elle aimerait. Elle savait bien que ce rêve ne serait jamais, elle se contentait de le vivre parfois, dans des rêves ou dans ses romans. Lorsqu'elle eut terminé son histoire, elle se sentit soulagée... pour cinq minutes environ.

Plus tard, les pieds aux étriers, elle subit un véritable supplice. Sa honte était exposée aux yeux de cinq médecins qui parlaient d'elle comme d'un cas intéressant. Elle se sentait trahie, dépossédée. Elle voulait partir, ne plus jamais revenir dans cet endroit. Elle préférait la solitude, l'isolement, à cet affront. Ce fut la gynécologue qui lui fit changer d'avis. Elle demanda à la rencontrer suite à l'examen.

C'était vraiment une femme extraordinaire, elle comprenait, elle possédait une qualité d'écoute incroyable. Elle s'était indignée du traitement que lui avait infligé le médecin de son adolescence.

— Il devrait être rayé de l'Ordre, avait-elle dit.

Elle ne fut pas tendre non plus pour la conduite abominable de son père. Cette femme lui redonna confiance et elle donna son consentement pour un traitement et une opération. Elle pourrait parler à Rick. Tout alla bien jusqu'au vendredi, jour où elle fit la connaissance du Dr. Bennett. Suffisant, il lui fit raconter toute son histoire depuis le début; il se moqua d'elle. Sous le prétexte de chercher la vérité, il lui fit revivre les terribles événements de l'été 73. Il la poussait à tout dire, à décrire la souffrance, le rapport de force, la puissance de l'homme, la violence et l'injustice. Puis il lui fit comprendre que tout cela n'existait pas. Elle en retomba dans son enfer, face à sa blessure encore une fois causée par un homme. Elle reprit ses activités créatrices comme des bouées de sauvetage.

Tous ses espoirs de mener une vie normale avec Rick s'étaient anéantis lors de cette conversation de deux heures avec le psy. Rick revint de voyage et tout continua comme s'il ne s'était rien passé. Elle reprenait la vie là où elle l'avait laissée avant le départ de Rick. Si Rick apprenait, il l'abandonnerait à son destin et chercherait une autre femme. Une femme qui partagerait vraiment sa vie.

Plus tard, Annabelle vivra une histoire d'amour avec un homme qui aura si peur des femmes qu'il sera incapable de s'en approcher sans masque. Annabelle sera alors sa déesse, sa mère, sa petite sœur, sa petite fille, n'importe quoi, selon son désir. Il sera incapable de voir Annabelle nue, avec sa blessure ouverte, parce que cela le ramènerait à une autre blessure si bien camouflée en lui. Il se laissera aimer, emporter par le vertige de la passion qu'elle lui offrira, en sécurité dans ses émotions. Il oscillera entre la femme sage, mature, qu'il perçoit, et la folle, qu'il découvrira. La folle cachée qu'il fera naître et dont il ne laissera jamais exprimer la douleur, l'obligeant à se replier sur elle-même pour ne pas s'impliquer émotivement. Il la rejettera, la répudiera au nom d'un amour plus ancien, celui de sa mère. Homme-enfant, il le restera toute sa vie mais cela n'empêchera pas de brandir les tables de la loi et de revendiquer son pouvoir et sa puissance.

Mais ce soir, blottie contre Rick, Annabelle ne connaissait pas ce futur qui se dessinait pour elle. Elle se sentait perdue et condamnée. Elle se demandait comment elle pourrait continuer à vivre dans ces circonstances.

À partir de là, son seul projet fut de s'en sortir. La création, la danse et ses activités théâtrales avec des enfants devinrent sa meilleure thérapie. Ce fut le révérend Simmons qui la sauva en étant l'instigateur d'un projet avec les enfants. Il entra dans son bureau, un mardi de janvier, accompagné d'une dame élégante et lui déclara :

— Je déteste vous importuner, ma chère, mais Rébecca et moi voudrions vous parler d'un projet qui nous tient à cœur.

Il s'agissait de créer un centre artistique pour les enfants de Morningside et des environs. Ce centre offrirait des cours de ballet, de musique et de théâtre. Les enfants se produiraient deux fois par an ; une partie des fonds recueillis lors de ces représentations servirait à améliorer le centre et le reste ferait partie d'un fond de secours pour les familles les plus démunies. Rébecca avait eu cette idée, elle travaillait dans un centre communautaire des environs. Elle avait trouvé un local et convaincu les autorités municipales du bien-fondé de son idée. Le maire avait même consenti une subvention de démarrage.

— Clark m'a dit que vous aviez fait des études en art, expliqua le révérend Simmons. Pensez-y, voulez-vous.

Annabelle se décida rapidement et dès qu'elle franchit la porte du local où se trouvaient ces enfants âgés de 6 à 12 ans, elle sut qu'elle avait eu raison. Ils souriaient, malgré les coups et les blessures, la pauvreté et le dénuement. En les acceptant comme tels, ils lui feraient voir qu'elle aussi pouvait retrouver la force. Au cours des semaines suivantes, Annabelle contacta quelques confrères d'école pour les intéresser au projet.

Annabelle s'occuperait de la supervision du centre, d'écrire les textes et de faire la mise en scène. Annabelle se passionna pour ce nouveau travail et s'impliqua beaucoup plus que ses tâches ne le lui demandaient. Elle découvrit que le théâtre constituait un excellent médium d'expression pour ces enfants ; il leur permettait aussi d'écouter et parfois de découvrir des solutions à leurs problèmes. Les enfants ne trichent pas et, à travers les jeux, les ateliers d'écriture, les personnages, ils pouvaient effectuer un gros travail et se recentrer vis-à-vis d'eux-mêmes et des autres.

Annabelle jouait le rôle de repère pour eux, était le témoin de la frontière réel-imaginaire. Elle jouait tous les rôles pour leur donner la réplique, elle les accompagnait partout dans leurs rêves, comme dans leurs cauchemars. Leurs histoires comportaient presque toujours des situations de pouvoir. Ils passaient du rôle de dominé à celui de dominant. Leurs héros, leurs héroïnes passaient tous devant des obstacles : pleurer, avoir peur, recevoir des coups, supplier... Ils exploraient ce monde des adultes avec une lucidité déconcertante pour des êtres si jeunes. Ici, ils étaient maîtres et ils apprenaient.

Annabelle comprit que ces enfants lui apprenaient à retrouver sa force et son énergie. La conversation avec le Dr Bennett n'avait plus d'importance. Il avait joué un jeu de pouvoir et elle n'en serait pas victime. Annabelle chercherait elle-même sa paix, sa vérité, au-delà des psy en tout genre qui ne sont là que pour hypnotiser et convaincre.

***

Dans la petite salle de ballet du centre, Annabelle exécutait quelques enchaînements sur l'air de *la Belle au bois dormant,* de Tchaïkovski. Elle monta sur pointe en attitude, une jambe levée derrière elle à quatre-vingt-dix degrés, le genou plié, le bras droit tendu et le gauche arrondi au-dessus de la tête. Sur scène, son partenaire se saisirait de sa main droite et marcherait autour d'elle pour la faire pivoter. Il lui faudrait alors maintenir la perfection de sa posture. Ensuite, il lâcherait sa main et elle lèverait ses deux mains au-dessus de sa tête, tenant une couronne imaginaire et garderait un instant cette pose dans une immobilité absolue.

Annabelle expira et abandonna la pose. En se regardant dans la glace, elle songea à toutes les années de discipline auxquelles elle s'était soumise pour atteindre ce but. Elle retira ses pointes et revit ses orteils couverts de cals saignants, qu'elle dissimulait dans des chaussons doublés de laine d'agneau. Elle penserait aux douleurs dorsales, aux tendinites et au danger toujours présent d'anorexie, maladie qui menace presque toutes les danseuses à cause de leur obsession pour la ligne et la minceur requise.

Annabelle soupira. À moins de l'avoir vécu, ce dilemme était impossible à comprendre avec toutes ses contradictions. Que vous marchiez, dormiez, cuisiniez, la danse était présente en vous. Danser, c'est se confronter à soi-même, c'est s'exposer totalement. Comme Annabelle ne pouvait être honnête avec elle-même, la danse représentait pour elle le seul moyen de rétablir un peu l'équilibre. On lui avait déjà dit qu'elle ne serait jamais une danseuse classique. Trop d'expression dans le visage.

Annabelle croula sur le plancher de bois, elle était toute seule dans cette salle, seule dans la vie, seule face à son destin... danser, écrire, composer de la musique pour exprimer ses sentiments, se douleurs, les cacher le reste du temps. Faire semblant...

Faire semblant... vivre dans l'apathie avec un cœur qui bat. Être seule parce qu'elle était différente... tricher pour survivre dans ce monde stupide. Toutes les questions qu'elle ne pouvait poser, tout ce qu'elle voulait et devait comprendre, toutes ses réponses, elle les trouvait dans des livres. Des livres plus vivants parfois que leurs auteurs. En écrivant, en dansant, elle tournait dans sa tête toutes ses questions.

Lorsque Rick franchit le seuil de la porte, vingt minutes plus tard, Annabelle se tenait au centre de la pièce, absorbée par la musique qui résonnait dans la salle. Elle exécuta quelques mouvements lents et gracieux et lorsque la musique changea de rythme, elle accéléra ses mouvements. Pas de cheval... un pas de bourrée, quelques touts en piqué et un enchaînement avec quelques bonds rapides, longs et audacieux, qui se terminèrent par un plié en arabesque suivi d'un relevé sur pointes.

— Fantastique ! fit Rick en applaudissant. Je m'excuse de vous déranger, Miss Sirois, mais n'aviez-vous pas rendez-vous avec un certain Rick Edwards, vers huit heures ?

Annabelle s'approcha de lui et, lui prenant les mains, dit :

— Je suis désolée, Rick, je répétais et je n'ai pas vu le temps passer.

Devant son air songeur, Rick devina que son esprit était à nouveau emprisonné dans une introspection douloureuse et sans doute malsaine. Annabelle soutint son regard. Depuis son retour de Nice, il se montrait prévenant, courtois, et ne la harcelait plus à propos de son secret. Ils n'avaient dormi ensemble qu'une seule fois et, malgré les promesses de Rick, sa bonne humeur, tout prenait une signification différente pour Annabelle. Elle ne s'opposait pas à ce que Rick ait des aventures mais, ce faisant, elle l'enfermait encore plus dans son cercle. En poursuivant sa relation avec lui, elle encourageait ses sentiments et l'espoir qu'un jour elle lui appartiendrait. Tandis que Rick voguait heureux vers un avenir souriant, Annabelle se fabriquait, de jour en jour, une dépendance affective qu'il lui serait de plus en plus difficile de rompre si elle ne se décidait pas à rompre maintenant.

Elle se dirigea vers le piano pour s'emparer de sa serviette. Elle s'épongea distraitement. Elle entendit Rick lui dire qu'on lui avait téléphoné, un certain Jim Burton.

— Il veut te parler le plus rapidement possible.

Qu'est-ce que cela voulait dire ? Sans doute était-ce un client important de Clark. Elle le rappellerait demain.

— Il a laissé son numéro personnel.

Elle pinça les lèvres; elle songeait maintenant à l'hôpital et aux papiers qu'elle avait signés. La date de son opération. Mais pourtant l'hôpital ne téléphonait pas le soir et les médecins ne laissent pas leur numéro personnel. Elle s'en faisait pour rien.

— Tu pourras lui téléphoner avant d'aller dîner.

En rentrant, Annabelle comprit pourquoi Rick insistait pour qu'ils rentrent. Il avait tout préparé, deux couverts, du champagne, des bougies et une odeur de rôti qui emplissait la maison. Il mit de la musique et alluma les bougies. Il disparut dans la cuisine.

Annabelle se dirigea vers l'appareil et composa le numéro personnel de ce Jim Burton. Elle remarqua aussi que l'autre était celui de Simon & Schuster; ce monsieur Burton était celui qui devait travailler avec elle pour les coupures. Elle avait envoyé la version finale de son manuscrit et maintenant le couperet devait tomber. Après tout, Garrett ne publiait que ce qui devait être des best-sellers. Annabelle se sentait un peu craintive devant cet appel de Burton. Peut-être devait-il lui annoncer qu'après tout ils n'avaient aucunement envie de la publier.

— Monsieur Burton, Annabelle Sirois. Je suis désolée de vous téléphoner si tard... je viens à peine de rentrer.

— Tout est bien, Miss Sirois, j'attendais votre appel, lui répondit-il.

288

D'après sa voix, Annabelle en conclut qu'il devait être jeune, grand, séduisant et calme.

— Je viens de terminer la lecture de votre roman.

Elle se sentit aussitôt mal à l'aise. Elle respirait à peine.

— Je crois, ma chère dame, que votre livre va faire un malheur.

Elle eut un coup au cœur, elle ouvrit la bouche mais rien n'en sortait. Puis tout explosa : les sons, les mots, les larmes, l'excitation, la peur, la confusion. Sa tête allait éclater.

— Je dois vous voir, demain à mon bureau, à dix heures. Nous avons énormément de choses à discuter.

La panique la gagnait... que faire ?

— Monsieur Garrett a fait une proposition à Clark Jefferson, votre agent. Il vous offre 100 000 $ pour le contrat.

Ebahie, Annabelle n'arrivait pas à réaliser ce qui lui arrivait. C'était un rêve.

— Sans tenir compte des royautés, des retombées publicitaires et des conséquences pour votre carrière. J'ai l'impression que vous êtes en route pour un succès rapide. Monsieur Garrett tente même de négocier personnellement les droits pour le cinéma. Il va augmenter le premier tirage de 20 000 à 80 000 exemplaires.

Le cerveau d'Annabelle tournait en quatrième vitesse : et si la publicité franchissait les frontières ? Si on parlait d'elle au Québec ? Si Garrett lui demandait de céder ses droits d'édition française ? Si ...

— Mademoiselle Sirois ?

— Excusez-moi, je suis bouleversée. J'essaie de mettre de l'ordre dans mes idées.

— Vous n'y parviendrai pas tout de suite. Détendez-vous. Nous en reparlerons en détail demain matin. D'accord ?

Annabelle raccrocha quelques instants plus tard, elle se tenait immobile près du téléphone. Comme une automate elle gagna la salle à dîner.

— Annabelle, qu'est-ce que tu as ? Tu es toute pâle.

Elle revint sur terre et s'assit.

— Simon & Schuster ont acheté mon livre pour 100 000 $. Garrett négocie les droits cinématographiques. Je dois me rendre à leur bureau demain, pour discuter de tout cela.

Elle avait répété ces mots sur un ton monocorde.

— Mais c'est formidable ! s'écria Rick en s'approchant. Pourquoi fais-tu cette tête ? -

— L'émotion, sans doute... je ne sais pas...

— Allez, il faut fêter ça.

Rick s'empara de la bouteille de champagne et remplit leurs coupes. Il en tendit une à Annabelle et offrit un toast.

— À toi, à ton succès, aux amis que nous sommes.

Annabelle regardait son verre, incertaine.

— Je ne peux pas boire, je n'ai rien avalé de la journée.

Rick la regarda d'un air qui n'admettait pas de réplique quand il vida sa coupe d'un trait, elle fit de même. Il se dirigea vers la cuisine et en revint, quelques instants plus tard, avec deux assiettes remplies de victuailles. Rick se rendit compte très vite qu'Annabelle était distraite et après une timide tentative laissa tomber le sujet.

Annabelle demeura silencieuse durant tout le repas. Au grand étonnement de Rick, elle cala littéralement trois coupes de champagne. À la fin du repas, elle tituba vers le divan.

Rick s'installa à ses pieds.

— Dis-moi ce qui te tracasse, Annabelle. Est-ce ton livre ?

Elle le regarda dans les yeux.

— Rick, pourquoi tout cela, le repas, les bougies et le champagne ?

— Simplement parce que j'avais envie de passer un bon moment en ta compagnie. Un tête-à-tête, nous en avons rarement.

C'était bien ce qu'elle craignait, elle aurait dû le prévoir. Elle le tenait toujours à distance et il essayait toujours de se rapprocher. Elle voulait tendre la main vers lui pour le rassurer, mais elle manquait de courage.

Rick lui caressait doucement les cheveux et elle se dégagea en disant :

— Je vais aller me coucher, j'ai une rude journée demain.

— Nous ne dormirons pas ensemble, ce soir ?

Il avait l'air malheureux, décontenancé, il laissa ses mains retomber lourdement sur ses genoux.

— Jamais, de toute ma vie, je ne me suis senti si perdu. Je ne sais plus comment agir envers toi, je ne sais plus quoi te dire.

Annabelle n'avait pas prévu une telle réaction. Elle se rassit près de lui et remarqua que ses yeux étaient embués de larmes. Ses grands yeux verts brillaient de l'éclat des larmes. Il continua d'un ton rauque :

— Je sais que je t'ai promis du temps, je t'ai promis d'être patient. Mais c'est très difficile pour moi. Je t'aime, j'ai envie de toi. J'aimerais tellement comprendre pourquoi tu ne veux pas de moi.

Elle posa sa main sur sa joue, elle avait de la difficulté à retenir ses larmes. Ses lèvres étaient toutes sèches et elle frémissait.

— Rick, il faut nous rendre à l'évidence, nous ne pouvons plus continuer comme ça. Nous ne pourrons jamais bâtir d'avenir ensemble.

Rick la regardait avec ses grands yeux vulnérables. Annabelle détourna son regard, puis son épaule, lorsque sa main vint s'y poser.

— J'ai longuement réfléchi et je crois qu'il est préférable que je prenne un appartement. Je ne peux plus supporter de te voir souffrir ainsi, de te voir espérer de moi un amour que je ne pourrai jamais te donner, ni à toi ni à personne d'autre d'ailleurs.

Ses yeux se remplissaient de larmes et elle se leva.

— Je vais me coucher, il est tard.

Elle se dirigea vers sa chambre à coucher.

***

Quelques moment plus tard, Annabelle serrait son ours contre elle. Elle se sentait si lasse. Son cœur se manifestait à nouveau. Elle sentait une telle pression, elle avait tant à cacher, à taire. Tous ses secrets lui faisaient atrocement mal. Un océan de douleur la submergeait, l'amour ne pouvait être que de la torture dans son cas. Comment vivre avec cette souffrance ?

Annabelle ferma les yeux et fit sa prière du soir. Elle avait toujours entretenu avec Dieu une relation étroite. Puisqu'il savait tout, Annabelle pouvait lui confier toutes ses pensées. L'ours qu'elle serrait contre elle symbolisait ses amours, il contenait sous un cœur de feutrine rouge, les pages de son journal où elle parlait de Serge, les lettres d'amour qu'elle écrivait à Clark, le collier de perles qu'il lui avait donné, une photographie de lui. Bientôt quelques objets futiles représentant sa liaison avec Rick viendraient leur tenir compagnie. Elle s'endormit le visage pressé étroitement contre son ours. C'était la seule paix qu'elle connaissait, le seul repos.

**

Rick marchait dans les rues de New York. Il errait parmi le brouillard de vapeur d'eau, la pollution causée par la multitude de voitures, les bruits de klaxon et les coups de frein. Des pensées douloureuses enserraient sa tête dans un casque trop étroit. Il aurait voulu hurler mais se contenta d'expirer bruyamment à quelques reprises. Il eut finalement conscience qu'il agissait comme s'il avait perdu un être cher, sa carrière ou qu'il était atteint d'un mal incurable. L'air du soir lui éclaircit les idées et il se mit à réfléchir. Il marchait, marchait tout en tournant diverses idées dans sa tête. Plus il y pensait et plus se dessinait clairement ce qu'il devait faire. Il avait le choix : ou perdre Annabelle, ou la garder et continuer à se battre contre elle, contre sa peur.

Tout à coup, il eut une idée qui le fit sourire.

**

Au moment où Annabelle sentait le sommeil la gagner, on frappa à sa porte. Il était plus de minuit. Elle entendit sa porte s'ouvrir lentement.

— Ferme les yeux, Annabelle, tu dois promettre de ne pas les ouvrir avant que je ne te le dise. D'accord ?

— Entendu...

Rick se dirigea vers la lampe de chevet, eut un peu de mal à l'allumer; il semblait maladroit ce soir. Puis il alla se placer debout devant le lit.

— Ouvre les yeux maintenant.

Annabelle obéit et en resta sidérée. Devant elle se tenait un immense ours polaire de peluche, ou plutôt devant son lit se trouvait Rick Edwards dans un costume d'ours polaire.

— Maintenant, est-ce que je peux dormir avec toi ?

Sa voix était presqu'inaudible sous le masque d'ours. Annabelle l'observa quelques instants; habituellement, elle appréciait son humour, mais ce soir cela n'allait pas. Elle le regarda se saisir de son ours et le placer sur le parquet.

— Nous n'aurons pas besoin de toi ce soir.

Rick revint vers elle tout en soulevant sa tête d'ours. Ses cheveux étaient collés à ses tempes. Il lui posa ses pattes d'ours sur les épaules.

— Qu'est-ce que tu as, Annabelle ?

— Il faut que tu ailles de ton côté et moi du mien, Rick. Tous les deux nous y verrons plus clair et alors nous déciderons.

— Décider quoi, Annabelle ? Ecoute, il existe dans le monde bien des gens qui traversent des moments difficiles. On fait partie de ces gens-là pour l'instant. Je suis désolé pour tout à l'heure, mais cela n'est pas toujours facile pour moi. En marchant, j'en suis venu à la conclusion que l'on pouvait passer toute notre vie à se lamenter ou changer l'avenir. Il est donc inutile de parler de ce qui devrait ou aurait dû être. Il faut vivre dans le présent, Annabelle, pas dans le passé ou l'avenir.

Elle baissa la tête et Rick lui souleva le menton. Il l'attira tout doucement contre lui. Ses lèvres se posèrent tendrement sur sa gorge, remontèrent la ligne de son coup jusqu'à ses lèvres. Elle ne pouvait résister ; les lèvres de Rick étaient si douces, si chaudes. Jamais, elle n'aurait imaginé une telle sensation. Elle avait peut-être tort de se laisser aller à cette sensation. Elle devait couper les ponts avec Rick. Elle ouvrit les yeux, il retira ses lèvres, la fixant du regard. Il se leva et retira son costume tout en la regardant dans les yeux. Elle se sentait incapable de bouger, elle avait pris de lui de la tendresse et elle se retrouvait devant un bourreau. Elle était une proie facile parce qu'au cours des trois dernières années, il l'avait apprivoisée. Si elle lui cédait maintenant, cela serait sa perte. Elle devait mettre un terme à cette relation tout de suite.

— Reste où tu es ! Sa voix claqua dans la pièce. Il la regarda sans comprendre.

— Que dois-je faire pour que tu comprennes que je ne veux pas de toi. Cela fait trois ans que nous sommes ensemble et tu ne comprends toujours pas ?

Rick se sentit envahir par toute la colère et la frustration qu'il combattait depuis très longtemps.

— Alors pourquoi ? Pourquoi m'as-tu fais marcher de cette façon pendant tout ce temps ? Pourquoi avoir menti pendant si longtemps ?

— Je ne t'ai pas menti. C'est toi qui t'es fourré toutes sortes d'histoires dans la tête. Ce n'est pas ma faute si tu ne peux concevoir qu'une femme puisse te résister.

— Au moins, moi, je suis normal ! Je ne fantasme pas sur des animaux de peluche. C'est donc tout ce que représente un homme pour toi ? Un animal de peluche ? Si tu crois qu'appuyer ta tête sur la poitrine d'un homme, lui flatter les flancs et le dorloter comme un toutou, c'est suffisant, tu te mets un doigt dans l'œil. Je ne suis pas ton père et tu n'es plus une petite fille.

Il s'approcha d'elle, presque menaçant :

— La vérité, si tu tiens à la connaître, c'est qu'au fond, tu crèves d'envie que je te fasse l'amour.

Il l'empoigna et la plaqua brutalement contre lui et s'étendit sur le lit. Annabelle sentit que chaque parcelle de son corps se fermait à lui. Elle retint son souffle, ne voulant pas s'abandonner aux sensations. Après quelques moments, il arrêta brusquement.

Il était agenouillé devant elle, son visage portait une expression qu'elle ne connaissait pas. La tendresse qu'elle avait connue, qui lui était maintenant aussi nécessaire que la nourriture, avait disparu. À sa place, il n'y avait plus rien. Un regard froid, vide, quasi impersonnel.

— Je te plains plus que je ne te désire.

Il prononça ces paroles et s'en fut, refermant doucement la porte derrière lui. Aussitôt elle sentit un gouffre noir s'ouvrir dans sa conscience ; elle s'y laissa tomber.

***

Annabelle attendait à la réception de Simon & Schuster. Elle était à la fois excitée et effrayée. Cette rencontre, au lendemain de la nuit qu'elle venait de passer ! Elle n'avait pas dormi et à l'aube elle traversa doucement le living. La porte de la chambre de Rick était ouverte ; il n'avait pas dormi dans son lit et le costume d'ours gisait là, abandonné. Un léger frisson la parcourut.

Assise devant son café, elle revenait aux événements de la veille. Ce qu'elle avait dit, ce qu'elle avait caché. Elle lui avait caché le plaisir qu'elle avait ressenti en sentant ses lèvres dans son cou. Que se serait-il passé si elle avait cédé, s'il avait vu son corps, son vagin fermé. Il aurait voulu des explications, elle aurait à nouveau menti pour éviter de trahir son secret.

Sa relation avec Rick lui avait appris une chose. Jamais plus elle ne pourrait combler sa carence affective ainsi avec un homme. Trois ans qui se terminaient avec un goût de cendres dans la bouche. Il n'était plus question de vivre sous le même toit. L'argent promis par l'éditeur lui permettrait de prendre un appartement. Quelles seraient les conditions attachées à ce contrat? Comment ce Jim Burton réagirait-il devant cette clause de publicité minimale et son désir de conserver les droits français? Devait-elle accepter n'importe quoi pour échapper à Rick et à elle-même?

L'appel de son nom la ramena à la réalité. Annabelle se retourna vers son interlocuteur et haussa les sourcils.

— Jim Burton, dit-il en lui tendant la main.

Il paraissait hésitant et il ne ressemblait pas du tout à l'image qu'elle s'était faite de lui. Il était petit et mince, portait un *designer jean,* des chaussures de chez Gucci et une montre suisse. Avec ses traits fins et délicats, il ressemblait à un adolescent. Il paraissait tout au plus vingt-deux ans, il en avait trente-cinq.

— Ne dites rien, j'ai compris: vous voulez voir ma carte verte. Vous ne voulez pas négocier avec un gamin.

Il sourit et lui désigna un couloir. En se dirigeant vers son bureau, Annabelle remarqua qu'il la détaillait des pieds à la tête. Il semblait étonné de son apparence. Il ouvrit la porte de son bureau et Annabelle sursauta en apercevant Clark déjà installé derrière la table de conférence. Un amas de documents s'empilaient devant lui et un fauteuil vide se trouvait à ses côtés. Elle alla s'asseoir près de lui et lui jeta un regard qui lui demandait ce qu'il faisait là.

— Je négocie ton contrat. Je suis ton agent, au cas où tu l'aurais oublié.

Il remarqua ses traits tirés et son amaigrissement, mais il se garda bien d'en faire la remarque. L'idée que Rick en était peut-être responsable lui effleura l'esprit mais il la voyait si rarement maintenant. Depuis qu'elle habitait avec Rick, leurs relations se limitaient à des rapports professionnels. À deux reprises, il l'avait invitée dans le but de renouer leur amitié. Leurs conversations se tournèrent vers son contrat avec Simon & Schuster. En parfait ami et en excellent homme de loi, il lui avait tout expliqué. Il savait que la signature de ce contrat lui vaudrait une lettre de démission. Elle n'aurait plus besoin de lui.

Elle lui semblait encore plus distante, plus lointaine qu'à l'habitude. Annabelle se sentait plus calme maintenant. Elle observa Burton quelques instants. Il avait l'air inoffensif et sympathique.

— Parlons un peu de vous. Monsieur Jefferson m'a confié que vous étiez une ermite.

— Oui et j'adore cela, je travaille beaucoup et je n'ai pas le temps de sortir. C'est ainsi depuis la mort de mon fiancé, voilà sept ans.

Elle jeta un regard vers Clark et tritura nerveusement son alliance.

Burton se dit que cette fille était morte de peur. Mais de quoi avait-elle peur ? Elle avait peut-être peur des hommes ou, qui sait, était-elle xénophobe, lesbienne ? Qui sait ?

— Si vous me permettez, je trouve cela dommage, très dommage pour la gent masculine.

Il la vit sursauter et comprit qu'il avait touché son talon d'Achille.

— Je ne voudrais pas interrompre votre conversation, mais j'ai un rendez-vous dans quarante-cinq minutes et nous devons discuter du contrat.

Annabelle baissa la tête ; c'était la troisième fois qu'elle échangeait des regards complices avec Clark Jefferson. Que lui cachaient-ils. Il savait qu'Annabelle mentait, son comportement, son attitude dénotaient la peur et la méfiance. Burton était aussi certain d'une chose, elle allait envoûter et charmer le public. Il fallait qu'elle coopère à tout prix. Jefferson l'avait prévenu que cela ne serait pas facile, c'était d'ailleurs une clause spéciale du contrat. Il sourit en songeant à l'effet qu'elle aurait à la télé. Les quarante minutes qui suivirent furent consacrées à l'étude du contrat. Annabelle n'intervint pas, elle les laissa discuter jusqu'à ce qu'ils abordent les clauses spéciales.

— Monsieur Jefferson m'a fait part des deux clauses que vous désirez inclure dans votre contrat.

Annabelle le regarda dans les yeux.

— La première concerne la publicité... il ne put en dire davantage.

— Je ne peux pas la faire ! s'écria-t-elle.

Burton la regarda longuement et dit :

— Vous ne pouvez pas ou vous ne voulez pas ?

— Je ne veux pas !

— Le livre risque d'en subir de lourdes conséquences. Rien ne vous oblige à faire de la publicité mais cela serait une grave erreur, surtout que dans votre cas vous pourriez faire un malheur. N'est-ce pas, maître Jefferson ?

Clark observait la scène d'un air détaché et il répliqua :

— Je vous rappele que je ne suis pas ici pour donner mon opinion littéraire, mais pour conseiller et appuyer les revendications de ma cliente.

Burton se tourna de nouveau vers Annabelle.

— Pourquoi désirez-vous conserver les droits d'édition en français?

— Pour des raisons personnelles.

— J'ai rencontré des dizaines d'écrivains et de jeunes auteurs, mais vous êtes de loin la plus fascinante et la plus mystérieuse.

— Je ne vois pas ce qu'il y a de mystérieux à vouloir protéger sa vie privée et à ne pas vouloir publier en français.

— Ma cliente a raison et c'est de cette façon qu'Anita Baker deviendra célèbre, dit Clark.

Burton tourna la tête de son côté.

— Je ne vous suis pas ...

— C'est très simple, si le livre se vend bien, on désirera connaître l'auteur et lorsqu'elle refusera les entrevues, on voudra savoir pourquoi. Comme vous serez peu bavard, Annabelle deviendra une énigme, un mystère. Le mystère suscite la curiosité; on inventera n'importe quoi. Et cela sera à votre service de relations publiques de retenir les spéculations les plus aptes à créer le mythe d'Anita Baker.

Burton prit quelques instants pour réfléchir. Garrett lui avait remis personnellement le manuscrit avec un délai de quarante-huit heures pour le lire. Il avait aperçu l'auteur un peu plus tôt. Elle ressemblait plus à un mannequin qu'à un auteur. Dès les deux premiers chapitres, il changea d'idée, il devait admettre que ce roman avait un grand avenir. Intelligent, original et étonnamment bien écrit, c'est en ces termes qu'il fit son rapport de lecture. Garrett n'en fut pas surpris, il lui demanda alors de s'occuper des négociations du contrat.

Les idées de Clark Jefferson avaient du mérite. Par contre, Burton en était venu à la conclusion que cette rencontre et les demandes stipulées n'étaient qu'un stratagème. Pourtant sa seule certitude était qu'Annabelle Sirois cachait quelque chose. Il voulait découvrir ce secret et comme ce roman était bon, il aurait tout le temps de chercher les réponses à ses questions.

— D'accord, j'accepte ! dit Burton.

— Vous êtes sérieux ? demanda Annabelle.

— Pourquoi pas ? C'est votre décision ; je considère que c'est de la folie mais c'est votre livre, votre carrière, votre argent, après tout. C'est à vous d'y voir.

Ils quittèrent le bureau tout de suite après la signature des contrats. Clark la quitta en lui disant qu'il la contacterait au cours de la semaine. Annabelle l'embrassa sur les joues et eut l'impression que sa vie allait changer du tout au tout.

**

Un jour passa, puis deux : toujours pas de nouvelles de Rick. Elle avait voulu le pousser à bout ; elle y était parvenue. Quelque chose se brisa en elle, sa gaieté s'envola et, bien qu'elle eût franchi une étape importante dans sa carrière, elle n'était pas heureuse.

Alors qu'elle faisait la queue au supermarché, elle aperçut une revue sur un rayon. En page couverture se trouvait une photo de Rick et de la grande rousse qui l'accompagnait voilà quelques années chez les Jefferson. Elle remit le magazine en place et sortit sans rien acheter.

**

301

Étendus sur un lit, Kate et Rick poursuivaient des avenues de pensées très différentes. Elle se sentait comblée ; elle était amoureuse de Rick depuis trois ans ou presque.

Il se sentait trahi ; il avait fait l'amour à Kate en songeant à Annabelle. Depuis deux ans il lui était fidèle, croyant ainsi lui montrer combien il tenait à elle malgré son handicap. Elle fuyait sa vie, sa féminité. Plus rien d'avait de sens avec elle.

Il avait erré dans la ville au volant de sa voiture, était entré ensuite dans un bar. Après trois scotchs il avait téléphoné à Kate Alexander.

Il lui serait facile de faire publier une photo de lui et de Kate dans un magazine et Annabelle saurait. Il lui suffisait de jouer cette comédie pendant quelques jours et il verrait sa réaction à son retour. C'était sa dernière chance.

Il se tourna vers Kate, couvrit ses lèvres des siennes et joua délicatement du bout des doigts sur sa poitrine et sur ses courbes. Il la caressa lentement jusqu'à ce qu'il trouve son sexe que ses doigts caressèrent lentement, doucement.

Il s'étendit sur elle et la pénétra. Son désir se mêlait de dégoût pour lui-même pour le rôle qu'il la forçait à jouer sans son consentement. Il aurait voulu tenir Annabelle dans ses bras mais peu lui importait à qui appartenait le corps qui se soulevait et se tordait sous le sien. Il oublia Kate et ne songea qu'à Annabelle qui bientôt serait sienne.

**

Pendant ce temps Annabelle se morfondait en l'absence de Rick ; elle retardait de jour en jour son départ. À la fin de la semaine, après avoir partagé le repas dominical du révérend Simmons, elle entra à la maison pour y trouver Rick, confortablement installé dans son fauteuil préféré.

Le cœur chaviré, elle resta immobile à le contempler. Rick lui trouva un air de morte, elle était d'une pâleur cadavérique et ses traits étaient littéralement tendus sur les os de son visage. Annabelle se dirigea vers la table de cuisine qui lui servait de bureau ces jours-ci.

— Tu travailles à un nouveau roman ? lui demanda-t-il.

— Non, sur la mise en scène du spectacle des enfants la semaine prochaine.

— Tu ne devrais pas tant travailler. Tu as maigri.

— Peut-être un peu.

Rick leva les yeux sur elle ; il espérait que son regard soit naturel. Il lui fallait se durcir , c'était la seule façon de lui faire voir le jour.

— Je suis un peu fatiguée, c'est tout, dit-elle, sur la défensive.

Une lueur étrange passait dans son regard sans que Rick puisse en déceler la signification. Il devina son envie de fuir. Annabelle était une experte de la fuite. Elle s'installa à la table et Rick se tint debout en face d'elle.

— Tu n'as pas l'air bien. Je trouve que tu as maigri et les cernes sous tes yeux ressemblent à des cratères. Tu ne parviens même plus à tenir ton crayon sans trembler.

Par défi, elle parvint à supprimer les tremblements de sa main.

— Je t'ai vu déjà abattre le travail de dix personnes. Ne vois-tu pas à quel point tu as changé ? T'en aperçois-tu ?

Elle s'adossa à la chaise et ferma les yeux. Elle ne voulait pas se disputer.

— Ces dernières semaines ont été difficiles. J'ai maigri un peu, mais maintenant mon manuscrit est prêt et le contrat est signé. Le spectacle des enfants a lieu ce samedi. Simon & Schuster m'ont remis un chèque ; je n'aurai plus à travailler pour Clark. Dans quelques semaines, j'aurai repris du poids.

Ils tournèrent autour du pot pendant de longues minutes, Rick lui demandant combien de kilos elle avait perdu. Elle, lui mentant, lui affirmant qu'aussitôt qu'elle aurait un peu de temps, elle verrait un médecin. Elle finit par perdre patience et lui dit :

— Sais-tu pourquoi je veux te quitter, Rick ? Parce que tu ne cesses de te mêler de mes affaires et que tu ne comprends rien !

Annabelle se leva et se précipita dans sa chambre, sur son lit. La porte claqua. Quelques instants plus tard, Rick entrait sans frapper. Il demeura dans le cadre de la porte.

— Ça te plaît de jouer les martyres ? Tu es terriblement seule ; j'en souffre pour toi, dit-il, d'une voix voilée.

— Tu te trompes, Rick Edwards ! dit-elle, en serrant les dents.

— Cynthia, les enfants défavorisés du révérend Simmons, peuvent prendre soin d'eux-mêmes : ils sont jeunes. Ils ont le temps et la nature de leur côté. Mais qui prend soin de toi, Annabelle ?

La douceur de sa voix, la bouleversa.

— Qui te console, Annabelle ? qui t'écoute ? qui se soucie de toi ?

Annabelle ne s'attendait pas à ce genre d'assaut. Elle se mura dans son silence.

— Quel est le dernier homme qui t'ait embrassée avant moi ? Faut-il remonter jusqu'à Serge Denoncourt ? Est-il le dernier homme qui t'ait tenue dans ses bras ?

— Tais-toi ! parvint-elle à dire.

— C'était avant ton viol, n'est-ce-pas ? D'accord, ce qui t'est arrivé est atroce, mais il faut t'en sortir. Tu ne peux passer le reste de ta vie à te détruire pour cela. Sept ans que tu souffres, n'est-ce donc pas assez ? Les hommes ne sont pas tous comme ton père !

Chancelante, Annabelle se mit debout, les mains sur les oreilles. Elle se dirigea vers la salle de bains, luttant contre le vertige. Ses doigts s'agrippèrent à la poignée. Rick se précipita vers elle et dégagea sa main de la poignée. Elle vit alors la main de Rick s'élancer puis une gifle cinglante l'atteignit en pleine figure. Elle perdit tout maîtrise et se mit à sangloter.

— Serre-moi dans tes bras, Rick, serre-moi dans tes bras.

Il la prit dans ses bras, il sécha les larmes de son visage et attira sa tête contre son épaule.

— Pardonne-moi, Annabelle, il fallait que j'agisse ainsi. Pour toi et pour moi. Tu verras, tout ira bien maintenant. Je vais t'aider, je te le promets. Personne ne te fera de mal. Tu es à l'abri, mon ange.

ÉPILOGUE

Clark, Rick, Annabelle :1987

*T*rois solitudes qui se touchent, qui crient dans la nuit, par-delà les milliers de kilomètres qui les séparent.

Trois solitudes enfermées dans leur bulle respective, qui se cherchent, désespérant de jamais se rencontrer...

***

Clark était encore sous le choc, il ne pouvait assimiler ou comprendre ce qu'il ressentait, il se sentait torturé par les feux de l'Inquisition. Son esprit ne pouvait concevoir l'amplitude de la douleur qu'avait dû supporter Annabelle toute sa vie durant.

Il ne pouvait supporter, et c'était cela le pire, le rôle qu'il avait joué dans cette sordide comédie et la douleur qu'il lui avait causée. Il avait beau ne pas savoir à l'époque, il se sentait tout de même responsable. Il aurait dû savoir : l'amour ne donnait-il pas un sixième sens permettant de ne pas blesser l'être aimé ? À quoi lui servait son intelligence si elle n'avait pu éviter cette souffrance à un être cher, à la seule femme qu'il ait aimée avec tant de passion ?

Même son prétexte d'amitié sonnait faux à ses oreilles. Quel sinistre quiproquo! Il y avait participé sans jamais soupçonner la vérité, toujours aux prises avec les sacro-saintes apparences, celles qui rassurent, celles qui réconfortent, celles sur lesquelles on bâtit sa vie et on joue avec celle des autres.

Quel était le nom de ce jeu? «Qui perd gagne»? Ou encore tout simplement «tout le monde perd éventuellement et de la manière la plus cruelle»?

Clark sentait sa tête palpiter au rythme du sang qui battait dans ses veines. Sa vie lui paraissait si vide tout à coup, si insignifiante. Il vivait maintenant en noir et blanc, noyé dans une multitude de teintes grises, sans vie, sans couleur.

***

Rick se sentait perdu dans cet appartement qu'il avait partagé avec Annabelle. Ses pensées ne cessaient de tourner en rond dans sa tête. Tout ce qu'il aurait dû faire, ne pas faire. Tous ces silences, ces faux-fuyants qui s'amoncelaient sur sa conscience. Lui qui croyait ne pas en avoir.

Il avait un avion à prendre et la futilité des gestes qu'il devait poser lui revenait à la figure comme autant de gifles cinglantes.

Et toujours cette question: qu'aurait-il pu faire pour Annabelle? Et plus important encore: que pouvait-il faire aujourd'hui? Maintenant?

Pouvait-il faire marche arrière? Le pourrait-elle, le voudrait-elle? Il se sentait si impuissant, si inutile. Tous ces mensonges, cette duperie comme un écran de prestidigitateur. Combien de voiles avait-il soulevés en croyant que c'était le dernier et qu'enfin il trouverait la vraie Annabelle, la femme qu'il aimait passionnément et qui l'aimerait sans réserve?

Elle était comme une de ces poupées russes. De celles qui en cachent une autre plus petite, qui en cache une plus petite, jusqu'à ce qu'on en vienne à une toute petite, une minuscule réplique que l'on ose à peine toucher de peur de la perdre, de la briser. Cette fois-ci, il s'agissait bien de la dernière poupée, de l'essence même d'Annabelle.

Pourquoi s'était-elle enfin dévoilée ? Etait-ce parce que c'était la fin pour elle et qu'elle voulait régler ses comptes en bloc ? Ou était-ce un dernier appel au secours, un dernier appel à l'aide si désespéré qu'il faisait flèche de tout bois ?

Un cri du cœur ? Plutôt un cri primal, un cri de l'âme, déchirant, plein de larmes et de sang, de violence et d'amour.

Pourquoi tous ces subterfuges pendant tant d'années ?

***

La langueur d'Annabelle, son mal de vivre si lancinant, si effroyable qu'il la consumait, prit ce soir-là une ampleur intolérable.

Il lui sembla pendant quelques instants que l'oxygène ne parvenait plus à ses poumons. Ceux-ci élançaient, la perforant de milliers d'éclats chauffés à blanc.

— Est-cela mourir ? se demanda-t-elle d'une voix brisée.

Après tant d'expériences douloureuses, elle avait cru que la mort lui serait douce, comme un sommeil de velours qui n'en finirait plus.

Une fois de plus, il semblait qu'elle s'était trompée... la mort ne lui serait pas plus douce que la vie ; il lui faudrait lutter pour l'atteindre. Pourtant elle n'avait plus de forces, les dernières livrées avec son plus récent manuscrit.

Son corps ne répondait plus, comme un avion en péril qui perd contact avec la tour de contrôle.

Elle tomba dans un gouffre noir.

***

Trois solitudes qui se touchent, qui crient dans la nuit, par-delà les milliers de kilomètres qui les séparent.

Trois solitudes enfermées dans leur bulle respective, qui se cherchent, désespérant de jamais se rencontrer...

TABLE

Achevé d'imprimer
en novembre 1990
MARQUIS
Montmagny, Québec, Canada